Monique Lachré-huther

TIGRE EN PAPIER

Fiction & Cie

Olivier Rolin

TIGRE EN PAPIER

roman

Seuil
27, rue Jacob, Paris VIᵉ

COLLECTION

« Fiction & Cie »
DIRIGÉE PAR DENIS ROCHE

ISBN : 2-02-037506-0

« Mais ces histoires dormaient dans les journaux d'il y a trente ans et personne ne les savait plus. »

Marcel Proust, *Le Temps retrouvé*

1

Vert émeraude sur bleu nuit PÉRIPHÉRIQUE INTÉRIEUR
FLUIDE PÉRIPHÉRIQUE EXTÉRIEUR FLUIDE. Émeraude
tu aimes ce nom, va savoir pourquoi. A cause d'Esmeralda,
la première fille qui t'ait fait rêver sous les traits, mieux
vaudrait dire les courbes de Gina Lollobrigida ? Ou bien
parce que enfant tu passais tes vacances sur la côte d'Émeraude ? Pas de planches à voile ni de hors-bord ni rien sur
l'eau, la mer était vide comme celle des tableaux, alors. Il
fallait se méfier des mines dérivantes, la marée en rejetait
encore, grosses boules de mort patientes, rouillées. Attendant leur heure. On était si près de la fin de la guerre. Tu es
né à mi-distance exactement de la Mère des défaites et de
Diên Biên Phu, il faut le faire. La mélancolie historique tu
l'as tétée avec le lait de ta mère. Elle vous emmenait, ton
frère et toi, voir le soleil se coucher depuis une pointe
proche de la maison. Assis sur un banc, vous attendiez. Ce
n'était pas le soleil qui tombait, vous expliquait-elle, mais la
Terre qui tournait, basculait, s'enfonçait dans la nuit. De
l'autre côté du monde, en Asie, en Indochine comme on
disait alors, le jour se levait. C'était difficile à croire. Vous
espériez voir le rayon vert, mais vous ne l'avez jamais vu.
Vous reveniez en silence, perplexes et déçus. Tu aimes le

nom de la nuit, aussi, navire night, noche triste, notta continua. En allemand on ne le dira pas. Chaussée luisante, noire-mordorée BOBIGNY LILLE BRUXELLES PORTE DE BAGNOLET tours noires au sommet perdu dans la brume PORTE DE MONTREUIL HYPERMARCHÉ AUCHAN vert rouge NOVOTEL bleu 550 M N302 CAMPANILE vert SAINT-MACLOU PEUGEOT PARIS-NORD. Premiers jours du XXIe siècle. Tu as habité par là, à droite, dans la nuit noire, en haut de la rue... quelle rue, déjà? C'était il y a combien d'années? La nuit des temps... C'était avec Judith. Habité est un bien grand mot. Vous dormiez là. Combien d'années? Voyons... une trentaine. Est-ce possible? Internet n'existait pas, même pas les ordinateurs. Ni les périphs ni le TGV ni les portables ni le câble ni les walkman ni même les répondeurs, tu te rends compte? Les pavillons de Baltard ouvraient leurs parapluies au-dessus du ventre de Paris, la télé était en noir et blanc, il n'y avait qu'une chaîne ou bien peut-être deux, tu ne te souviens plus, c'est tellement loin, si profondément enfoncé dans le puits du temps... Les supermarchés étaient une nouveauté, le PS un groupuscule, le PC, on disait « le Parti », faisait 20 % des voix... Judith, est-ce qu'elle avait encore les longs cheveux que tu aimais? Souple fourrure roulée sur un côté du cou mince, lequel? glissant devant sur les seins. Comme un petit animal soyeux juché sur son épaule. Un joyeux petit animal soyeux. Est-ce qu'il lui arrivait d'en prendre une mèche et de la mettre dans sa bouche? Cheveux courts, à présent, genre hérisson. Vous habitiez chez un blond anémique, ou plutôt chez sa mère, elle était mercière, un métier disparu. Le blondinet habitait chez sa mère et vous chez eux, c'étaient des amis de La Cause, elle vous préparait à dîner, après toi ou Judith vous faisiez la vaisselle, quand même, pas toujours mais souvent, puis on dépliait votre lit de camp dans le living-room, comme on disait à l'époque. Il devait y avoir un buffet avec de la porcelaine, une télé sur un guéridon, le président Pompe dans la télé, des doubles rideaux de velours grenat, des tapis à ramages, un jeté de dentelle sur la table, enfin ce genre-là, c'était avant Habitat-Ikéa. Qu'est-ce que vous avez dû les faire chier... Être ami de La Cause, c'était pas une sinécure. Être à La Cause n'était pas non plus de tout repos, il faut le reconnaître. Il y avait un cours d'eau canalisé qui passait dans la cave : ce ruisseau de Ménilmontant, sans doute, qui devient l'égout par lequel fuit Jean Valjean. Judith, à présent, elle vend des apparte-ments. Elle rêvait d'être Rosa Luxemburg ou Tamara Bunke dite Tania, cette jeune femme tuée en Bolivie aux côtés du Che, ou encore Tina Modotti, photographe, agent secret, amoureuse, beauté qu'un taxi emmène morte dans la nuit de Mexico. Enfin elle rêvait d'une vie aventureuse. LA GRANDE PORTE rouge CARREFOUR bleu 700 M N34 PORTE DE VINCENNES PORTE DORÉE DÉCATHLON bleu ÉTAP'HOTEL vert 245 F LA NUIT HOTEL F1 700 M STATION-SERVICE putain ! Un poids lourd qui déboîte brutalement, sans prévenir, te fait remonter le cœur dans les amygdales et glisser la voi-ture vers la gauche, freins pas bloqués heureusement, juste un peu fort patinés. Assassin ! La fille de Treize n'a pas bronché, elle a du sang-froid. Tient de son père. Et toi encore des réflexes. Ça date, ça, les réflexes, du temps où tu conduisais sur les routes gelées une Mercedes volée, avec un petit rectangle de tôle découpé derrière l'accoudoir, à l'arrière, pour communiquer avec votre prisonnier, dans le coffre, un député qui avait été milicien, comment s'appe-lait-il déjà ce salaud ? Il te semble qu'il avait un nom de cardinal. Vous aviez piqué les bagnoles à la gare de Vesoul, c'est bien la seule fois où tu es allé à Vesoul, sauf en chanson. L'eau était gelée dans les caniveaux de Vesoul. Vous rouliez sur des patinoires départementales, pour préparer le coup, une voiture reliée à l'autre par des appareils radio bidouillés. Vous portiez des gilets et d'impayables chapeaux en velours pour avoir l'air de notaires ou de médecins de campagne, c'est du moins ce que vous vous imaginiez. Des notaires de vingt ans ! C'est à présent que tu pourrais peut-être tromper ton monde, seulement l'envie t'en a passé. C'est ça, « à présent » : cheveux gris, l'air d'un bourgeois, et l'envie qui a passé ? Tout autour c'étaient des étendues neigeuses ébouriffées par le vent, barrées de bois noirs, avec des buses perchées sur des piquets de bornage, qui s'envolaient lourdement à votre passage. Les vaches transies avaient l'air de vous prendre vraiment pour des notaires, elles vous regardaient sans émotion. Des vaches anciennes, des vaches d'il y a trente ans, dis-tu à la fille de Treize. Longtemps qu'elles ont été bouffées. N'ont pas connu l'ESB. Les gens ne s'intéressent plus qu'à ça, à présent : tu as remarqué ? Sécurité alimentaire. Principe de précaution. La mort rôde au coin des assiettes. Connards. Tu crois que c'est ça, le « présent » : la peur de mourir en bouffant ? Ce décor de la Haute-Patate, comme les conscrits nommaient la Haute-Saône, te rappelait celui d'un curieux western, *Le Grand Silence* : Trintignant, le bon, le justicier, muet parce que un peu égorgé dans son enfance par les méchants, s'y faisait dézinguer à la fin, dans la neige. Un peu comme Brando traîtreusement assassiné à la fin de *Viva Zapata*. La Révolution est toujours assassinée. Rosa Luxemburg abattue sur la neige, au bord du canal où son corps va être jeté. Le Che exécuté dans l'école de Vallegrande, allongé nu, hirsute, yeux vitreux, comme préparé pour la dissection, ses mains coupées, le masque mortuaire qui arrache la peau du visage. Tamara-Tania criblée de balles au gué de Vado del Yeso, son corps à la dérive sur les eaux du río Grande. Vous aviez la tête farcie de ces icônes tragiques. Faire la Révolution, ce n'était pas tellement préparer la prise du pouvoir, c'était plutôt apprendre à mourir. Ça semble utile quand on est très jeune. Vous n'alliez plus au cinéma, alors, la Révolution n'avait pas de temps à perdre à ces farces et attrapes, mais vous viviez comme dans un film, un polar à petit budget. Tu aurais bien vu Trintignant dans le rôle de toi jouant ton rôle. Finalement, vous ne lui aviez jamais rien crié à travers le trou du souffleur, à ce milicien-député à nom d'évêque, parce que ce gibier de potence-là avait disparu au moment où vous alliez l'attraper, c'était souvent comme ça.

VINCENNES DORÉE STATION-SERVICE JOHNNY WALKER KEEP WALKING PÉRIPH FLUIDE ponts lumières jaunes Paris à droite sous un ciel de sombre lilas devant panneaux émeraude METZ NANCY PORTE DE BERCY DISNEYLAND 32 KM les pneus déchirent la soie noire-mordorée robe du soir espoir A4-A86 FLUIDE A4-A104 FLUIDE tout est fluide toi aussi MR BRICOLAGE rouge bricoleur toi-même. Deux heures du matin. BERCY 2 vert CARREFOUR bleu BERCY EXPO rouge à droite grande barre noctiluque du Minfinances 300 M N19 le ciel s'éclaircit devant à l'approche de la Seine. Les fleuves répandent cette espèce de phosphorescence dans le noir du ciel. Quand tu étais allé à My Tho tu avais pressenti le Mékong à cette lueur dans les nuages. Ce n'était pas pour Marguerite Duras que tu étais allé là-bas, dans le delta cochinchinois, ça non, mais pour voir l'endroit d'où le lieutenant était parti un matin, l'année d'après ta naissance, pour mourir sur un rach du Mékong. Le lieutenant c'était ton père. Tu vois Marie, dis-tu à la fille de Treize cependant que vous dépassez les faisceaux de fer brillant de la gare de Lyon, les carlingues orange et gris-bleu que trempe la rosée, tu vois je n'en sais pas plus sur mon père que toi sur le tien. Si je suis allé là-bas c'est qu'il n'y avait plus que ces lieux lointains pour me dire, peut-être, quelque chose – pas pour m'apprendre quoi que ce soit, non, mais pour me parler, comme parlent les fleuves et les forêts, la grande chaleur, les vols mous de papillons, les cafards et les foutus serpents et le plomb fondu des midis, ces témoins immuables. Toutes les autres voix s'étaient tues : mortes. Et c'est comme ça, souvent : on n'a vraiment envie d'entendre parler des choses que lorsque les voix qui pourraient vous les apprendre se sont tues. Sur une photo ancienne qui est ce visage féminin, par exemple, à côté de ton père au bord d'un fleuve dont il est impossible de dire s'il est d'ici ou de là-bas ? Personne ne pourra plus te répondre et ce visage, même banal, aura la gravité de ce qui est à jamais silencieux. Moi je suis encore en vie, tu tombes bien, dis-tu à la fille de Treize. Profites-en. Dans la banlieue sud de Saigon qu'on appelait maintenant Hô Chi Minh tu avais embarqué à bord d'un sampan qui faisait la ligne du delta. Le pont était encombré de vélos et de grands couffins d'osier, les passagers dans l'entrepont étaient des paysans qui revenaient de vendre leurs légumes aux marchés de Ben Thanh ou de Cho Lon, ils te regardaient avec une curiosité non dissimulée, sans trop de sympathie. Il y avait un singe dans une cage à oiseaux, aussi, que les péquenots se plaisaient à énerver. Le vent faisait claquer les bâches qui abritaient le pont, le ciel bouillonnait gris et blanc au-dessus d'une terre très mince, rongée d'eau. A un tournant de la rivière, au-delà des mangroves, des toits de latanier ou de tôle, on avait aperçu les buildings d'Hô Chi Minh crêtés de drapeaux rouges et de publicités pour des marques japs ou coréennes ou américaines, DAEWOO HONDA HITACHI SUZUKI CANON IBM HEWLETT-PACKARD TOSHIBA, les mêmes qu'ici le long du périph, que partout autour du monde. Hô Chi Minh était peut-être, de toutes les villes que tu avais vues, celle où la passion du fric éclatait avec le plus d'impudence. Après on entrait dans la plaine des Joncs : villages aquatiques, vanneries populeuses de bambou, de chaume, de roseau, oies et canards et cochons noirs barbotant sous les pilotis, rizières d'un vert fluorescent, un vert d'élytre de cétoine ou de plume de paon, au milieu desquelles on voyait parfois une tombe blanche. Ponts de fer gardés par des casemates datant des Américains ou même des *Phap*, les Français. Ça grouillait sur les biefs, sampans ventrus à la proue ornée d'un œil propitiatoire, percés de sabords par lesquels passaient des têtes pouilleuses, édentées, lentes gabares dont tu ignorais le nom, tripatouillant l'eau au bout de longs arbres d'hélice, croulant sous des jonchées de végétaux dont tu ignorais foutrement le nom, pauvre intellectuel, et puis des espèces de gondoles chargées des mêmes légumineuses rayonnant en vert et mauve dans la nuit qui venait, et que faisaient glisser sans à-coups les saccades de femmes à chapeaux tonkinois debout sur la poupe, lancées en avant, dans le mouvement un peu de l'escrimeur qui se fend, pour jeter l'aviron, le ramenant jusqu'au point où il flotte dans le sillage, accompagné par les bras ployés, recommençant (ô éternité ressassée de l'Asie ! ô stéréotype !), and so on.

300 M CRÉTEIL MARNE-LA-VALLÉE METZ NANCY QUAI D'IVRY PORTE D'IVRY c'est ici qu'on aurait dû sortir par là qu'elle habite mais tu as raté la bretelle emporté par l'iner-

tie déjà du récit alors si on continuait? as-tu proposé à la fille de Treize. A moins que tu ne sois pressée de rentrer chez toi? Non? Moi ça va. Un peu gris mais pas trop. Alors on continue. On va faire tourner toute cette histoire comme une balle de plomb au bout d'une fronde, qu'elle vole loin. A droite les dièdres pailletés de lumières de la BNF ressemblent à des tours de lancement à gauche les tuyères du grand incinérateur crachent leurs traînées de navette spatiale. Si on allait faire un petit tour en orbite, qu'est-ce que tu en dis? D'accord? Aussitôt dit aussitôt fait. Cinq quatre trois deux un feu! Wwwwooofff! Cocktail Molotov! Tu mets la gomme, tu t'envoles au-dessus des voies d'Austerlitz, les turbopompes ronronnent comme des chats, allumage du second étage, tu largues les boosters, ça fuse au poil, trajectoire nominale, périph fluide, tu grimpes dans le velours noir, tu annules l'attraction de la grosse boule endormie à droite: bande de pyjamas! Te voilà devenu un ange, un vieil ange aux commandes du vaisseau Remember, vous avez à accomplir, la fille de Treize et toi, un programme d'expérimentation sur la mémoire en état d'apesanteur. La Terre défile en dessous et en arrière NANTES BORDEAUX ORLY RUNGIS ÉVRY LYON CASINO rouge CASTORAMA bleu BRICOLAGE DÉCORATION VOLVO bleu JACK DANIELS (salut Jack!) PORTE DE GENTILLY HOTEL IBIS ÉTAP'HOTEL NOVOTEL bleu on déploie nos panneaux solaires, pétales d'or dans la nuit, déjà montent à l'horizon la porte d'Orléans, le clocher de Montrouge planté dans la couenne du ciel rouge. Tu te souviens d'une scène dont tu as mis longtemps à pouvoir sourire. Des années, en fait.

Voici: tu es assis dans l'entrée d'un appartement qu'un ami t'a prêté dans une de ces HBM de brique de la porte d'Orléans, on est en… 67, peut-être ? Tu es assis à une table et tu écris un tract. Ça risque d'être le tract le plus long de toute l'histoire de l'agit-prop' parce que : à ta gauche la porte qui donne dans la chambre à coucher est ouverte. Quelle heure peut-il être ? Une heure, deux heures du matin ? En ces temps-là, la nuit n'existait pas, la nuit pour dormir était une invention de la bourgeoisie (c'est une croyance que tu as conservée). La nuit, vous faisiez des réunions (le jour aussi : c'est fou ce que vous passiez de temps à discuter. Il fallait « disséquer les moineaux », selon une formule du Grand Timonier – c'était une façon élégante de dire : « enculer les mouches »). Le matin vous trouvait assoupis sur des paillasses, matelas-mousse, sacs de couchage, au milieu de tasses de café bourrées de mégots. Vieux Nescafé froid et jus de clopes, un des souvenirs les plus répugnants de cette époque. Sans doute y a-t-il eu une « réu » ce soir-là, porte d'Orléans, enfin à présent tu écris un tract. Un tract, internautes (un tract, expliques-tu à la fille de Treize), voici comment ça se faisait : on tapait à la machine sur une espèce de pelure qui s'appelait un stencil. La machine, utilisée sans ruban, faisait des trous dans le sten, OK ? Ensuite on tendait ça sur le rouleau encreur d'une ronéo (*techn.* : instrument à polycopier ; première moitié du XXe siècle), et on tournait la manivelle – sur certains modèles de luxe on poussait l'interrupteur : un petit vol plané et les tracts s'empilaient, poisseux d'encre, noirs de mots au vitriol, prêts pour la « diff » à l'heure abominable où les prolétaires courent vers le chagrin, sous le ciel pâlissant. Un tract ça ne peut pas faire plus d'un recto-verso et déjà un plein recto c'est beaucoup trop long parce qu'à l'heure abominable où les prolétaires courent vers le chagrin, dans le petit matin venteux, heure des yeux pochés, des nausées, des aigreurs d'estomac, heure des petits noirs au zinc, infects petits noirs à la surface desquels tourbillonnent quelques bulles qu'on dirait de lessive, comme tourbillonnent sur l'avenue les feuilles mortes (même au printemps les feuilles sont mortes quand on va au chagrin), heure où les lampadaires clignotent et les publicités lumineuses au sommet des immeubles, à cette heure-là, monsieur, on ne lit pas. On clignote encore, on est mal allumé, on s'éteint, on n'a pas envie de s'allumer, on a peut-être bien envie de s'éteindre une fois pour toutes, on boit un café infâme souligné d'un trait de calva dans des petits verres en forme de trompette, à l'aube. « En protégeant les mercenaires de l'impérialisme américain, as-tu écrit, la police fasciste a soulevé une grosse pierre pour se la laisser retomber sur les pieds. » Bien que tu sois, dans l'ensemble, partisan d'un style purement national, une formule chinoise de-ci, de-là ne fait jamais de mal. Soulever une grosse pierre pour se la laisser retomber sur les pieds, c'est une bonne blague du Grand Timonier. Il y a dans les « organes de propagande » de La Cause des adeptes du ton « Père Duchesne » : mais toi tu n'apprécies pas cette langue supposée populacière. Tu pourrais écrire, certes, « charognes de flics on vous pendra par les couilles », peut-être cela plairait-il en haut lieu, mais non, cela te froisse. Une certaine tenue te paraît souhaitable. Tu es une sorte de Malherbe de la poésie révolutionnaire, autant dire un social-traître en puissance. Tu ne détestes pas le style lourdement ironique de Marx pamphlétaire. Même les bourgeois peuvent lire ça, surtout les bourgeois, les universitaires, bref ça fait sérieux, rassurant. L'Aragon patriote, *Diane française* et tout ça, voilà qui est encore, selon toi, de la littérature populaire. « Je n'oublierai jamais les lilas et les roses »,

« La mort n'éblouit pas les yeux des partisans » : ah ah ! ça te fait pleurer, ça flatte ton côté pathos... fleur bleue rouge... Tandis que « charognes de flics »... non, décidément. « Notre tâche, dit la résolution du dernier congrès des Comités Vietnam (adoptée à l'unanimité !), c'est de parler de la juste lutte du peuple vietnamien dans le langage des larges masses françaises. » C'est entendu, mais quel langage parlent-elles, les « larges masses » ? Et pourquoi les dit-on « larges », d'abord, adjectif dont les masses quant à elles ne qualifient guère que les routes et les pantalons ? Questions préoccupantes, sur lesquelles les avis divergent. « En protégeant la prétendue ambassade des fantoches sud-vietnamiens, les cognes... » Non, personne ne dit plus ça, les cognes. « Les poulets », alors ? Non, trop familier, presque amical. Langue de julot. « La maison poulaga » ? Ça ne va pas ? Bon pour un film avec Bourvil, ça. Le vrai comique français. Pourquoi pas « la rousse », pendant que tu y es ? « Les flics » ? Banal, mais va pour les flics. « Les flics ont clairement montré qu'ils n'étaient qu'une milice supplétive... » « Clairement » : voilà un adverbe que vous affectionnez. Tout doit être clair, toujours : sinon, comment ne pas mourir d'angoisse ? Gédéon est le maître de la clarté, il tient son pouvoir éclairant du Grand Timonier. Qui c'est Gédéon ? te demande la fille de Treize. Attends, j'y viens. Notre Grand Dirigeant. « Les flics ont clairement montré qu'ils n'étaient qu'une milice supplétive des B-52 américains. » Ou bien US ? Ou bien « amérikkkains » ? Non. L'allusion ne serait pas comprise. Les B-52, fais-tu remarquer à la fille de Treize, sont une des rares choses qui n'ont pas changé, ou très peu, qui viennent d'un coup d'aile de cette époque dont je te parle jusqu'à aujourd'hui. Les B-52 et Johnny Hallyday, mettons. Belle longévité, du

Golf Drouot au Zénith et au Stade de France, de *Docteur Folamour* à Tempête du désert. On les a un peu liftés, on leur a révisé les rivets, mais dans l'ensemble ce sont les mêmes, inoxydables : le même rocker, les mêmes zincs qui larguaient leurs tapis de bombes et leurs nappes de défoliants sur les jungles du Vietnam. Du bon matériel. Les stencils, les ronéos, les larges masses, l'Orient rouge, le Grand Timonier, tout ça a disparu, le mouvement de la Terre a effacé tout ça : pas les B-52, dis-tu à la fille de Treize. « Les flics ont clairement montré, donc, qu'ils n'étaient qu'une milice supplétive des B-52 américains. Mais ils ne sont que des tigres en papier et les partisans leur rendront au centuple la monnaie de leur pièce. » Non, rayé : « la monnaie de leur pièce », ça fait trop farce. « Leur rembourseront au centuple les intérêts de leurs exactions » : non, rayé. « Exactions », trop compliqué. Langage d'intellectuel petit-bourgeois. Et puis, « intérêts », ce n'est pas une belle image. « Les partisans… » euh… Pendant que tu écris ça… déjà que c'est difficile… pendant que tu essaies d'écrire ça tu es distrait, mais alors terriblement, par ce que tu vois à ta gauche, dans l'encadrement de la porte de la chambre à coucher.

FLAT TV PHILIPS ROUEN PORTE DE CHATILLON PORTE DE MONTROUGE ITINERIS 02 H 30 TEMP 12° tout va bien à bord les instruments luisent doucement la Terre défile, tu t'attends à voir éclater d'un instant à l'autre l'arc électrique de l'aube sidérale derrière la grosse boule de nuit. A la radio, en sourdine, lalala lalala lalala la… do-mi-la do-la-sol si-sol-la mi… : l'*Appassionata*. La musique était contre-révolutionnaire, aussi, à l'époque. Quelques années après l'appartement de la mercière et de son fils vous aviez loué

– sous un faux nom, naturellement – une piaule minuscule près des Buttes-Chaumont. Il y avait une sorte de couchette qui se repliait contre le mur et un buffet avec dessus, merveille insolite, ce qu'on appelait alors un « électrophone ». Judith avait pris chez son père, un juif russe amoureux de musique que les péripéties du siècle avaient amené à faire de l'import-export en France, un ou deux disques parmi lesquels un enregistrement de cette sonate-là, jouée par Richter. Si tu t'en souviens ! Quand vous l'écoutiez, le soir, après une journée de rudes travaux subversifs, tu avais l'impression de céder à un luxe coupable. Si le Grand Dirigeant allait apprendre ça ! Il n'aimerait pas, c'était certain. Do-mi-la do-la-sol si-sol-la mi... Lalala lalala lalala la HOTEL MERCURE FORD ARISTON ÉLECTROMÉNAGER PARIS EXPO BIOVIMER THÉRAPIE SOFITEL SHARP PORTE DE SÈVRES SECURITAS l'astre noir à ta droite sillonné d'éclairs de néon d'éruptions bleues rouges vertes blanches parfois une fenêtre allumée veille dans la nuit. Cette énorme toupie de ténèbres est faite d'Histoire tassée, effondrée sur elle-même, dis-tu à la fille de Treize, la ville est la pelote en quoi se nouent et se serrent des millions de fils, vies présentes et passées, vécues et rêvées, quelque part dans cette matière inextricable il y a mon histoire à moi et celle de Treize, et toutes les autres qui étaient tressées aux nôtres, celles de Gédéon, de Judith, de Chloé, d'Angelo, de Fichaoui-dit-Julot, de Jean d'Audincourt, je les devine tous au fond du noir, Juju, Amédée, Roger le Belge, Momo Mange-ser-rures, Reureu l'Hirsute, la Chiasse, Pompabière, Klammer, les saints et les balances, les castagneurs et les pleutres. Et il y a aussi toutes les histoires plus hautes, plus tragiques, auxquelles les nôtres étaient liées par les liens du rêve, Saint-Just à la guillotine et le mur des Fédérés, les barricades de février et de juin, le coup de feu du colonel Fabien sur le quai du métro Barbès, l'Affiche rouge, toutes ces histoires emmêlées en une énorme perruque, certaines grandes et rudes, d'autres fragiles mais tirant des premières une force naïve. Tout ce passé embrouillé, intriqué, entassé dans la forme d'une ville, il suffit de prendre le bon fil et de tirer très délicatement pour le dévider, dis-tu cependant que dérivent dans la nuit loquace AQUABOULEVARD NANTES BORDEAUX PÉRIPH FLUIDE PÉRIPH FLUIDE QUAI D'ISSY PONT DU GARIGLIANO 200 M le Garigliano qui se souvient de ce que c'est le Garigliano ? Le lieutenant y était sur ce sanglant ruisseau d'Italie en 1944. Jeune homme qu'une révolte sans nom, sans mots, avait poussé à fuir une famille bourgeoise de province dans l'Afrique équatoriale, ce qu'on appelait alors « les colonies ». Apprenez-le, messieurs les nouveaux bien-pensants, les maniaques de la « repentance » – ces eunuques-là ont chassé Dieu tout en s'intoxiquant de ce qu'il y a de plus douteux dans le christianisme, les age-nouillements, les mortifications, maugrées-tu en survolant pour la seconde fois le fleuve –, apprenez-le il n'y eut pas là-bas que des sous-offs sadiques et des planteurs vampires, il y eut aussi des têtes brûlées, des apôtres, des savants, des utopistes, des mélancoliques tout simplement. Rimbaud, il trafiquait des fusils dans la Corne de l'Afrique, n'est-ce pas ? Au fond, ça vous emmerde, hein ? Vous auriez préféré qu'il soit « poëte », qu'il tienne ses mardis, le coude appuyé sur le coin d'une cheminée, hein ? Qu'il signe des péti-tions ? Et Conrad, vous auriez voulu qu'il soit anticolonia-liste, sans doute ? Eh bien, désolé, il ne l'était pas. Oh mais alors, pas du tout. Et une autre révolte, la même en vérité, contre la lâcheté des notables, avait poussé le lieutenant, dès l'automne 1940, à rejoindre les Français libres : beau nom devenu presque un oxymore. Et il était à Bir-Hakeim aussi, l'autre pont qu'on devine loin là-bas à droite, en travers de l'eau laquée, fantôme de fer néblineux. Tu as beau faire, toi pour qui le nazisme est vraiment une bête immonde, tu as beau essayer de penser comme il serait convenable de penser, comme on t'y a invité, tu persistes à trouver plus estimable et plus utile cette Résistance-là, à coups de canon, que celle de Sartre ou de Breton, ou d'Aragon (etc.). Ça t'a toujours paru bizarre qu'il paraisse bizarre de penser ça. C'est cet étonnement, entre autres, qui t'a fait adhérer à La Cause autrefois : ce qui te poussait, ce n'était pas tellement l'amour du prolétariat que le dégoût des notables, et la méfiance pour ces notables plus rusés, plus poseurs que les autres que sont souvent les intellectuels. Il te semblait, il nous semblait, à moi, à Treize, dis-tu à sa fille, que les pauvres étaient moins faux. On voulait le croire, en tout cas. Au métro Bir-Hakeim, une nuit, pour protester contre une hausse des tarifs des transports en commun, vous aviez volé des milliers de tickets. Ça se vendait par « carnets » cousus, à l'époque – à l'époque du poinçonneur des Lilas ! Une centaine de carnets, mille tickets, ça faisait une petite brique bien compacte, pas encombrante du tout. Treize était dans le coup, bien sûr. Pour faire le guet, pendant que vous jouiez de la pince-monseigneur dans la station, vous aviez posté, sous les fenêtres du *Dernier Tango à Paris*, un camarade élève de Polytechnique – tu as oublié son nom – en grand uniforme, bicorne et tout, avec une belle brune plantureuse. Ils devaient s'embrasser langoureusement, genre retour du Bal des débutantes, tout en matant les alentours. Si les flics passaient par là, estimiez-vous, ils seraient favorablement impressionnés par le couple, peut-être même qu'ils salueraient. La difficulté, ensuite, ç'avait été de les distribuer, ces milliers de tickets, dans les gares ou à la porte des usines. Les tracts, les gens étaient habitués en ce temps-là, ils attrapaient négligemment, fourraient ça dans leur poche, mais des tickets... Des tickets de seconde, encore... (les tickets de seconde étaient jaune pâle, expliques-tu à la fille de Treize, couleur de... couleur exactement des livres grecs dans les *Belles Lettres*, couleur de Platon ou d'Eschyle, you see ?) mais des premières, vert réséda... Ils craignaient une embrouille.

EDF GDF SNECMA FRANCE-TÉLÉVISION TF1 miroiteries bâbord-tribord SABLIÈRES MORILLON-CORVOL trémies trains de barges chargées de nuit ROUEN PORTE DE SAINT-CLOUD N10 BOULOGNE 100 M les HBM en briques du quai du Point-du-Jour. Tu as eu une chambre de bonne par là. Tu militais dans un comité Vietnam qui portait le nom du quartier, Point-du-Jour, et tu ne l'aurais pas échangé contre un autre, ce nom qui te transportait vers le lieu de toute naissance et renaissance, l'Orient rouge où le soleil des Révolutions se levait pour dissiper les ténèbres, une fois pour toutes. Vous essayiez d'intéresser les habitants du quartier aux succès de la « guerre du peuple ». Vous colliez sur les murs des affiches manuscrites, les calligraphier à l'aide de feutres de différentes couleurs, le soir, en buvant des bières, ne vous déplaisait pas, l'odeur procurait une légère défonce, mais ce que vous aimiez surtout c'était de piler des lames de rasoir dans la colle dont vous les enduisiez, à l'intention des laquais des impérialistes qui ne manqueraient pas d'essayer de les arracher : jeunes fachos d'Occident, vieux cons d'Action française qui proposaient leur canard sur le marché où vous, vous vendiez, imprimé noir et rouge sur du beau papier-avion, *Le Courrier du*

Vietnam. Une fois tu avais poursuivi un de ces misérables royalistes jusqu'à l'intérieur de l'église de la porte de Saint-Cloud, renversant chaises et prie-dieu. Encore un objet que ta vie aura mis au rancart, ça, songes-tu : les lames de rasoir. Comme les locos à vapeur ahanant sous les verrières de la gare Montparnasse, les longues chaudières noires montées sur des roues-soleils rouges qui remorquaient les trains jusqu'à la côte d'Émeraude, comme les stencils et les ronéos, les machines à écrire, les porte-plume, les clous larges et luisants des passages qu'on persiste à dire « cloutés » (ou bien est-ce moi seulement ? demandes-tu à la fille de Treize : on appelle ça maintenant « passage piétons », te répond-elle. Ah bon. Oui, bien sûr) : tout ça a eu la vie moins dure que les B-52. Petites feuilles d'acier bleu nuit à la découpe bizarre serrées dans des étuis sur lesquels figurait la tête de M. Gillette : une gueule assez énervante de gentleman de la Nouvelle-Angleterre, te semble-t-il à présent (mais tu ne pourrais pas en jurer), sourcils arqués, fine moustache et le menton parfaitement net, bien sûr, haussé sur un col cassé. Une sorte de Faulkner bostonien, si tu te souviens bien (mais ça n'est pas sûr). Les tournées de collage nocturnes, casse-tête sous les sièges de la voiture, poings américains dans la boîte à gants, avaient du charme aussi. Vous aviez l'impression de patrouiller dans Petrograd, 1917, d'être *Les Douze* d'Alexandre Blok – que vous ne connaissiez pas. Aussi étrange que cela puisse paraître, il n'était pas rare que des ménagères viennent assister à vos réunions publiques dans une salle au-dessus d'un café de l'avenue de Versailles : devant leurs yeux médusés vous déployiez des cartes où barres et flèches figuraient fronts et offensives, vous y aviez symbolisé des rivières, des routes, des collines portant des noms exotiques, Khe Sanh, Tây Ninh, Dông Khê... Ces jungles vous semblaient proches, ou plutôt vous aviez la certitude que l'axe du monde passait là-bas, que le lieu où vous vous trouviez, l'Europe, la France, Paris, la porte de Saint-Cloud, n'était qu'une lointaine périphérie de ce centre. Vous pensiez que l'histoire du siècle s'était écrite ici quand vous n'étiez pas nés, qu'elle continuait de s'écrire au plus loin de là où vous étiez. Vous n'aviez pas la moindre idée de ce que vous pouviez bien être, vous : à part des ombres d'autrefois, d'ailleurs. Vous viviez comme dans l'absence de ce que vous auriez pu être, en un lieu qui avait cessé d'être, dis-tu (essaies-tu de faire comprendre) à la fille de Treize. Mais pourquoi étiez-vous comme ça ? te demande-t-elle. Vous n'aimiez pas la vie ? Mais si nous l'aimions, mais, pardonne-moi la formule trop... connue, nous pensions que la vraie vie était ailleurs, dans ce que le sabir maoïste nommait la « zone des tempêtes », le tiers-monde encerclant les métropoles impérialistes. Et on était trop intransigeants pour se satisfaire d'une fausse vie. Il y a des générations qui naissent en plein dans l'Histoire, en plein dans le mille. Et puis d'autres qui sont à côté de la plaque. On avait cette impression-là, nous. On était privés de grandes choses. C'était très orgueilleux. Les ménagères, elles, qu'est-ce qu'elles venaient chercher, au premier étage du café ? De grands vocables étranges comme « saison sèche », « libération nationale », « saison des pluies », « tapis de bombes », « digues du fleuve Rouge », peut-être les faisaient-ils rêver comme ils vous exaltaient. Peut-être aussi se rendaient-elles à vos leçons de stratégie parce qu'elles étaient délaissées, esseulées, insatisfaites. Combien de Bovary parmi elles ? Vous n'auriez pas, alors, osé vous poser cette question – ou bien, vous la posant, leur demander si elles étaient tristes. Les choses simples vous parais-

saient tellement plus compliquées qu'une bataille au bout
du monde... Tu te souviens soudain, là, avalé par le tunnel
de la porte de Saint-Cloud, que le spécialiste de ces panneaux didactiques, qui mettait à les composer et les com-
menter aux ménagères du Point-du-Jour la passion d'un
Saint-Loup à Doncières, était un étudiant en philosophie
dont la tête rougeaude et aiguë évoquait assez ce que
pourrait être, grossi mille fois, un moustique alcoolique.
Nettement fluet, voire malingre, il ne prenait pas aux
bagarres de rue le même plaisir que toi, Treize et les autres :
son ardeur, qui n'était pas moindre que la vôtre, il la mettait dans la fabrication et le commentaire de ces cartes.
Mais le ressort de sa passion n'était pas différent : potassant
de grossières brochures des Éditions en langues étrangères
de Hanoi comme s'il s'agissait de Thucydide ou de Clause-
witz, il tirait une espèce de griserie d'aller à rebours de ce à
quoi il était destiné, pour quoi on l'avait formé – comme
vous en faisant votre apprentissage de petites brutes. Plus
tard, pressé par La Cause de s'embaucher dans une usine en
dépit de sa faiblesse physique, il choisit une fabrique
d'ampoules, les lampes Claude : ainsi, disait-il avec humour,
il n'aurait à porter que du vide. Bien plus tard il écrirait un
livre, il te semble que c'était sur les présocratiques.

PORTE MOLITOR PORTE D'AUTEUIL A3-A12 FLUIDE A13-
A14 FLUIDE tout baigne la grande galaxie spirale du Parc-
des-Princes VERSAILLES SAINT-QUENTIN-EN-YVELINES
ROUEN là-bas à gauche il y a Rhin-et-Danube le rond-point
et puis plus loin le pont et l'autoroute qu'ils appellent
maintenant A13, en l'honneur de Treize si ça se trouve,
dis-tu à sa fille. En ce temps-là on l'appelait l'autoroute de
l'Ouest. Je ne sais si je parviendrai à te parler de ton père

qui fut et qui demeure mon ami (puisqu'il n'y a d'ami qu'éternel), mais je voudrais au moins que tu comprennes que nous étions peut-être les derniers – oui, nous, tout ridicules qu'on était, mi-don Quichottes mi-Sanchos – à nous intéresser à l'éternité. Oui, c'est ça, confirmes-tu après un instant de réflexion (parce que tout de même l'affirmation est raide) : plus qu'à toute autre chose, à l'éternité. Sur l'autoroute de l'Ouest vous aviez projeté, Treize et toi, une embuscade contre les CRS. C'étaient les sombres jours de juin 68. La réaction l'emportait, les drapeaux rouges inexorablement disparaissaient des toits, les usines les unes après les autres reprenaient le travail. Vous aviez l'âge où on a trop d'imagination, et surtout pas assez de culture pour lui donner une forme plausible : vous vous voyiez volontiers en résistants, ou aussi bien en « Marie-Louises », ces jeunes conscrits de 1814 qui pensaient sans doute défendre les ruines de la Révolution contre l'armée lugubre des rois. Vous vous étiez battus avec la police autour de l'usine Renault, à Flins. La campagne, le soleil éclatant sur les casques ennemis, au fond des champs sur lesquels les nuages jetaient des ombres bleues, les volutes de fumée que le vent déchirait aux branches des arbres, le contraste entre les détonations, le bourdonnement des hélicos dans le ciel, et la reptation minuscule, le long d'une tige de seigle hirsute, d'un insecte aux élytres émeraude, donnaient à ces escarmouches l'apparence d'une vraie guerre (ce qui t'exaltait aussi, penses-tu à présent, c'était la certitude inavouée de combattre pour une cause déjà perdue). Sur les collines alentour, des fermes auraient pu être la Haie-Sainte ou le mont Saint-Jean. On voyait encore dans les champs, alors, les cocardes sanglantes des coquelicots, comme dans un tableau de Monet ou une chanson de Mouloudji. Un jeune lycéen fut tué dans cette affaire, tu avais passé la nuit d'avant sa mort à discuter avec lui et d'autres, à l'École normale supérieure de Saint-Cloud, autour d'un feu de bivouac. Ça avait un côté scout, peut-être, on peut dire ça, mais vous, vous croyiez voir bouger dans l'obscurité les grandes draperies de l'Histoire. Vous vous attendiez à voir débarquer les nervis du SAC, la milice du parti au pouvoir : videurs de boîtes de nuit, maquereaux corses, sous-offs. Ces salauds-là avaient le vent en poupe, à présent, ils « nettoyaient » ce qui restait de l'effroyable mois de mai. Parce que tu sais, Marie, dis-tu à la fille de Treize : aujourd'hui tous les nantis affectent de trouver cette histoire comique, une vraie farce, un monôme, une pantalonnade, même pas cinq morts, pensez, pas une seule bonne vraie fusillade, ah, elle est bien bonne ! Ils voudraient, en fait, qu'on les rembourse de leur peur : parce qu'à l'époque, je peux te dire qu'ils les avaient à zéro. Et ceux qui aspiraient à la gloire, au pouvoir, à l'argent – et qui les ont maintenant –, bien autant que ceux qui les possédaient déjà. Et une partie de leur haine actuelle vient de là : avoir eu si peur pour si peu de morts ! Harnachés, casqués, appuyés sur vos manches de pioche, sous la noirceur des arbres que faisait vaciller la lumière des feux, vous vous imaginiez que vous montiez la garde dans les tranchées de la Cité universitaire à Madrid, en 1938. C'était comme ça : le monde que vous aviez sous les yeux, dans lequel vous viviez, était comme approfondi, transfiguré par une puissance qui reliait chaque événement, chaque individu à toute une chaîne ancienne d'événements et d'individus plus grands, plus tragiques. On peut trouver ça ridicule, c'était quand même une manière de poésie. Aujourd'hui il semble qu'il n'y ait plus que du présent, de l'instantané même, le présent est devenu un colossal fourmillement, une innervation prodigieuse, un big bang permanent, mais à cette époque-là le présent était beaucoup plus modeste, il était la modestie même, en fait. C'était le passé qui avait une présence formidable, et l'avenir aussi. Le passé, l'Histoire, était le grand projecteur des images de l'avenir. Ce jeune lycéen, Gilles, avait été tué, enfin il s'était noyé dans la Seine en essayant d'échapper à la police, et c'était le premier homme que tu voyais fauché ainsi, le son de sa voix encore dans tes oreilles, tous ses gestes familiers et presque enfantins encore déployés autour de lui : c'était la première fois que vous mouriez. Vous aviez couru, Treize et toi, à l'École normale supérieure de la rue d'Ulm, qui était comme le château fort du Grand Dirigeant. Une passerelle fermée mais non gardée enjambait l'autoroute de l'Ouest empruntée par les relèves de ces CRS qu'une assonance un peu facile vous faisait insulter du nom de SS. Il ne devait pas être trop compliqué, la nuit venue, muni d'un coupe-boulons et d'un bon cageot de cocktails Molotov, de cisailler les cadenas de la grille d'accès et d'attaquer un convoi du haut de la passerelle, puis de se replier en vitesse. Cependant que tu exposais le plan de vengeance que vous aviez conçu, Treize et toi, le Grand Dirigeant, lissant sa barbiche, vous écoutait sans laisser paraître le moindre signe d'approbation ou de réprobation, mais on devinait, vous deviniez, tu devinais que des sentences définitives se formaient dans sa tête, se mettaient en mouvement comme des engrenages.

Tunnels haies de néon pâle arbres noirs sur la gauche on arrive vers le Bois à 700 m dans le cap il y a la porte Molitor, puis la porte d'Auteuil où tu as été coincé une fois, dans une fourgonnette remplie d'une armurerie hétéroclite, au beau milieu d'une manif de lycéens. Tout cet attirail, la fourgonnette Fiat volée évidemment (selon d'autres c'était une Estafette Renault) et les pétoires, ça devait servir à « arrêter », c'était le mot que vous utilisiez, le général en retraite Chalais, PDG d'une entreprise qui avait licencié des grévistes. Ce matin-là vous étiez fin prêts, équipés, grimés, mais lui n'était pas au rendez-vous, il devait être en voyage d'affaires. Vous aviez attendu une bonne heure devant chez lui, mais au bout de tout ce temps la tension avait commencé à monter, c'était fatal, et puis Treize avait eu envie de pisser, c'était malin… Ça vous avait collé un fou rire qui secouait dangereusement les tôles, le copain déguisé en chauffeur livreur, au volant, avait beau rester impassible, vous alliez finir par vous faire repérer. Et plus vous essayiez d'étouffer votre rigolade, accroupis à l'arrière, invisibles, enfouraillés, congestionnés, plus Treize avait envie de pisser, et le rire contre-révolutionnaire redoublait, à la fin c'était intenable, vous aviez dû lever le siège. Le copain qui conduisait c'était Fichaoui-dit-Julot, un petit tune d'un sang-froid à toute épreuve, et marrant en plus. A présent il tient une quincaillerie près de la Mutualité. Suivant avec discipline l'itinéraire prévu pour le repli, il s'était vu soudain environné et bloqué par une foule de lycéens jaillis de Jean-Baptiste-Say pour manifester contre je ne sais laquelle de ces réformes de l'éducation dont la mode commençait à se répandre. A moins que ça n'ait été pour protester contre des violences policières, assez à la mode aussi. Naturellement vous étiez d'accord avec eux, par principe, il y avait même sûrement dans leur foule braillarde des membres de La Cause, n'empêche, la situation devenait emmerdante : vous bloqués, avec vos fausses moustaches vos perruques et vos tromblons, au milieu de ces jeunes excités à qui la

police, telle qu'on la connaissait, n'allait pas tarder à chercher des crosses. Fichaoui-dit-Julot une fois de plus avait été
admirable, racontes-tu à la fille de Treize cependant que
surgit devant le vaisseau Remember une espèce de gigantesque chapeau de la reine d'Angleterre mauve trapézoïdal
scintillant de paillettes balayé de spots ondulatoires, oh! le
palais des Congrès relooké décoloré old lady lovely. Il avait
fait valoir aux camarades lycéens qu'il était un camarade
travailleur et que son patron le virerait s'il ne faisait pas sa
tournée à temps. Vous, dans le fond de la camionnette, vous
reteniez votre souffle. L'affaire s'était terminée par une
fraternisation enthousiaste et les manifestants, levant leurs
poings juvéniles, avaient ouvert leurs rangs devant vous
juste avant que n'apparaissent les premiers casques de
gardes mobiles.

FRANCE TÉLÉCOM PORTE DE CHAMPERRET dans le cap la
comète HITACHI rougeoie dans la brume LECLERC bleu
D911 600 M PORTE DE CLICHY PEUGEOT blanc CASINO rouge
tu baisses la vitre pour prendre un peu le frais, une petite
sortie dans l'espace te ferait du bien, ça commence à puer le
tabac froid dans Remember premier space shuttle sans
compartiment non-smoking CONFORT INN jaune PORTE DE
CLICHY PANASONIC blanc PENTAX rouge SUZUKI HERTZ
jaune LOCATION DE MATÉRIEL PAPERMATE bleu rouge c'est
un ouragan de couleurs dans quoi fonce Remember, une
aurore boréale un orage magnétique. Ça fait combien
d'années déjà que ton père est mort? demandes-tu à la
fille de Treize. Je te l'ai déjà dit: il y a vingt ans, j'en avais
quatre te répond-elle en te regardant en coin. Ah oui c'est
ça si tu le dis moi tu sais je ne me souviens jamais des dates.
Le texte du passé dans ma mémoire est complètement

déformé, chiffonné. Et qu'est-ce qu'il y avait derrière la porte, porte d'Orléans ? te demande-t-elle. Comment ça qu'est-ce qu'il y avait derrière la porte d'Orléans ? Eh bien Montrouge, ou Malakoff, je ne sais plus, enfin comme d'habitude. Ce n'est pas ce que je te demande, continue-t-elle, ne fais pas l'imbécile, tu racontais que tu écrivais un tract et que quelque chose derrière la porte… et puis tu t'arrêtes toujours au milieu de tes histoires. C'est l'effet de l'apesanteur sur la parole, dis-tu. Et un peu de l'alcool aussi, ajoutes-tu. Mais très peu. Je suis presque dégrisé à présent.

« Les partisans avertissent », non, rayé, trop enflé quand même. « Nous avertissons les garde-chiourme des impéria-listes que leur scélératesse ne restera pas impunie. » Mmmouais… « Scélératesse » évidemment ça ne se dit plus guère mais c'est tout de même un vieux mot chargé de colère, de défi : mérite d'être réhabilité, non ? Tu es, tu as toujours été pour l'alliance de l'ancien et du nouveau, tu ne vois pas tellement de différence, au fond, entre Jeanne d'Arc et Louise Michel. C'est suspect, ça, ça pourrait te valoir des ennuis mais qu'y faire ? De toute façon pour le moment, dans l'appartement prêté par un ami, porte d'Orléans ou par là, tu es bien loin de songer aux ennuis éventuels que pourraient te valoir tes fantaisies idéolo-giques, tu n'es occupé – occupé… préoccupé, oui ! Obnu-bilé, plutôt ! – que par ce que tu vois en feignant de ne pas le voir : sur ta gauche, après un bout de bibliothèque où traîne tout un florilège de bouquins sur la guerre d'Espagne, la Résistance, Cuba, la Révolution d'octobre, les mutins de la mer Noire, la guerre d'Algérie, la Chine, le Vietnam, l'anarcho-syndicalisme et autres sujets roboratifs (pas de Venise, certes!), après ce très convenable préambule, ou vestibule, donc (tu connais, demandes-tu à la fille de Treize, la chanson de Queneau sur le type qui a avalé une pendule? Non? Et elle lui tombe sur les vestibules? Ce que je voudrais, insiste-t-elle, c'est la suite de l'histoire. D'accord), après ce vestibule donc il y a une porte ouverte dans laquelle s'inscrit en diagonale la moitié d'un lit sur quoi s'aperçoivent les jambes nues de Chloé, non le reste de son corps. Et ces jambes bougent. C'est peu de dire qu'elles bougent : elles se nouent, se dénouent, glissent, se frottent l'une contre l'autre. Si crétin que tu sois, il ne t'échappe pas que ces jambes parlent, plus précisément qu'elles te parlent, à toi : et même assez franchement. Or, tu es fasciné et terrifié par ce qu'elles te disent. Elles ne parlent pas la langue empesée des « réus », ni celle avec laquelle tu fabriques ton tract. Tu trouves qu'elles ne manquent pas d'air, ces jambes. Tu trouves que les jambes n'ont pas à se mêler de politique. Naturellement, tu ne penses pas cela vraiment : dans le tréfonds tremblant et véridique de toi-même tu penses surtout que les corps, et plus particulièrement ceux que tu désires, et plus particulièrement encore ce qui en eux est comme la signature de leur étrangeté, sont de purs volumes d'effroi. Et tu es effrayé de comprendre – enfin, de deviner – que si cette chose qui se balbutie au fond de toi, tu la dénies et la déguises en invoquant la « priorité de la politique », de ce tract par exemple que tu es en train d'écrire, ou de faire mine d'écrire, interminablement, pour dissimuler ta peur, alors c'est de proche en proche tout le discours où ta vie est prise, liée comme aux fils d'un espalier, qui pourrait n'être qu'une assez encombrante supercherie. Ce qui t'importe au fond plus que tout, crois-tu comprendre, et t'effraie aussi plus que tout, c'est ça : le lieu autour duquel bougent les jambes de Chloé, qu'elles signifient et que la cloison ne te permet pas de voir. Tu n'as pas peur de te faire casser la tête ni d'aller en prison, mais tu as peur du sexe de Chloé : voilà la vérité. Et la deviner, cette vérité, est à son tour une chose terrifiante. Toutes les jungles de la « zone des tempêtes », tout l'Orient rouge serait là, dans cette chair en V comme Vietnam (et qui ressemble aussi, songes-tu à présent, à la pliure incurvée des pages d'un livre)? La plaine des Joncs, le delta du Mékong, la piste Hô Chi Minh, les monts Tsingkang, ça ne serait rien d'autre pour toi? Ton prétendu courage, s'il n'était que la dissimulation de cet énorme et ridicule tremblement? Tu te replonges dans la rédaction du tract. « Pour un œil les deux yeux, pour une dent toute la gueule » : formule un tantinet vulgaire, mais efficace et historique. A fait ses preuves. Allons-y. Tu aimerais y passer toute la nuit, à ce tract.

PÉRIPH FLUIDE PORTE DE SAINT-OUEN GSM NETTOYAGE INDUSTRIEL BOUYGUES TÉLÉCOM SON DIGITAL CASIO SONY CITROEN Claudia Schiffer dans la neige LA NOUVELLE XSARA rouge bleu vert rouge bleu bleu tunnel toute cette nuit d'autrefois, il y a… il y a plus de trente ans. La nuit des temps. Les neiges d'antan. La fille de Treize n'était même pas née. Moins d'années séparaient ce temps-là de la fin de la guerre qu'aujourd'hui d'alors. Il a fallu que tu vieillisses pour commencer à comprendre que ta jeunesse, celle de ta génération, avait été toute déviée par la proximité de cette énorme masse morte, la guerre mondiale, la défaite, la collaboration. Il t'est arrivé il n'y a guère de prendre un bout de la route 175 qui va vers la mer, vers le mont Saint-Michel dressé au-dessus des champs où paissent les moutons : et aux bornes kilométriques roses jalonnant la « route de la Libération », bornes qui t'évoquaient, enfant, des glaces à la fraise, tu as reconnu la route ancienne des « grandes vacances », qui menait vers la lointaine côte d'Émeraude à travers ce qui semblait des immensités de collines, de bois, de petites villes endormies. Monde sous l'empire encore de la nature et de la lenteur, monde d'odeurs, de silences, de rumeurs, France oubliée, étriquée (mais qui croyait être un continent), de chasseurs, de maquignons, de mastroquets, d'instits et de curés, où les figures du Moyen Age, les figures de l'église de Saint-André-des-Champs, se rencontraient à chaque coin de rue. Chevaux percherons tirant des charrettes. Et soudain t'a stupéfait cette évidence : lorsque ton oncle te conduisait au long de cette route, avec ta mère et ton frère, dans sa Frégate Renault (il y avait encore des tronçons pavés, on voyait l'essence bouillonner dans les cylindres de verre des pompes Avia ou Caltex), ces bornes étaient toutes récentes, les épaves des combats qu'elles commémoraient devaient encore joncher la campagne. C'est de là, de ce désastre énorme que tu viens, mon bonhomme : sans en avoir été. Ta génération est née d'un événement qu'elle n'a pas connu. SAGEM LOGICIELS DE GESTION SORTIE PORTE DE SAINT-OUEN JVC SIEMENS ÉLECTROMÉNAGER HOLIDAY INN HOTEL FORMULE UN rouge vert blanc blanc jaune rouge à l'époque dont je te parle, dis-tu à la fille de Treize dont en te tournant légèrement tu entr'aperçois le profil sombre contre les arborescences d'électricité, à cette époque ce machin n'existait pas, naturellement. Le périfluide. La frontière entre la ville et la banlieue était encore telle que l'avaient décrite, disons, Cendrars ou Céline, une zone déglinguée et poétique, une couronne hirsute, ramassis d'habitations hétéroclites, pavillons, logements ouvriers, vieilles villas foutues, des bouts de village, des bidonvilles aussi, et puis des usines, des ateliers, des entrepôts et puis des ferrailles et des terrains vagues, des carrés de potagers encore, des cabanes, tout ça sinistre et parfois drôle, tout ça galeux, de guingois, à la va-comme-j'te-pousse. Ça sentait encore les fortifs, le XIXᵉ siècle, l'industrie, les révolutions. Et à propos de bidonville on avait pris, à La Cause, la défense d'un très grand, par là – tu étends le bras gauche par la vitre ouverte vers la nuit, au-delà des anneaux de béton, des semi-remorques en orbite, des comètes de néon flamboyant, au-delà de tout ça que tu vois du coin de l'œil et de ce que tu ne vois pas mais qui doit être plus loin par là, un méandre, un pont de fer, un autre, le cimetière des chiens, le souvenir des régates impressionnistes –, un très grand bidonville que la mairie voulait raser. Et ne crois pas que la mairie était de droite, non non, c'étaient des communistes, des révisos, des révisionnistes comme on disait alors – depuis le mot a changé de sens. Et c'était la guerre entre eux et nous. Eux ils aimaient l'URSS et nous on croyait aimer la Chine, enfin c'était quand même un peu plus compliqué que ça mais je ne vais pas entrer dans les détails. A l'époque en tout cas ce n'était pas du tout ces braves garçons un peu empotés qui organisent des défilés de mode au siège du Comité central : s'ils avaient pu nous envoyer en Sibérie, ça aurait été très volontiers. Et en attendant ils ne se gênaient pas pour nous donner aux flics. Le bidonville, c'étaient tous des prolos marocains et algériens qui bossaient à Chausson ou à Simca-Poissy, des types magnifiques, graves et réservés, solennels et généreux, rien à voir avec la petite pègre d'aujourd'hui. Là tu vois que la fille de Treize a un haut-le-corps. C'est vrai tu avais oublié, c'est de son âge, elle est

toute farcie de l'idéologie des bourgeois branchés, les
« jeunes des cités », dits plus simplement les « jeunes »,
c'est sacré, de la pure victime, ça a beau jouer du couteau et
du pitbull, dealer et racketter, violer, brûler des synagogues,
terroriser profs et prolos, c'est de l'hostie consacrée, oui,
l'Agnus Dei des « bobos ». Autrefois quand on était
marxistes, dis-tu à la fille de Treize, pas progressistes, pas
humanitaires pour deux sous, on appelait cette engeance du
lumpen-prolétariat, ça voulait dire à peu près la même
chose que nervis, hommes de main, indics, SA, miliciens,
de la main-d'œuvre à terreur, de la valetaille de dictatures.
On ne se sentait pas obligés, mais alors pas du tout, d'admirer le lumpen. Mais je ne sais pas pourquoi je te parle de ça,
de toute façon on ne se comprendra pas. L'idéologie, c'est
la passion du faux témoignage, et c'est une passion très
impérieuse. Alors parlons d'autre chose. Je te disais que le
périfluide à l'époque ça n'existait pas. Et quand ils ont
commencé à le construire, ça va te paraître bizarre mais on
était convaincus que ce n'était pas du tout pour faire rouler
des voitures et des camions qu'ils faisaient ça, à d'autres...
On était sûrs que c'était pour enfermer Paris, le Paris des
révolutions dans lequel on croyait toujours vivre, Treize et
moi et les autres, pour coffrer ce Paris-là, donc, ce Paris
rebelle et batailleur, dans l'ellipse d'un immense stade.
Pour positionner là-dessus – là où nous sommes en ce
moment, et partout – des chars d'assaut, canon et projecteur braqués vers la ville des insurrections. Pour nous
refaire le coup du manifeste de Brunswick – un prince prus-
sien ou autrichien, je ne sais plus, un aristo qui menaçait de
détruire Paris du temps de la Révolution, ajoutes-tu aussitôt parce que tu te doutes que tes références ne sont pas
celles de la fille de Treize. Mais son coup a raté. Le périph,

vois-tu, c'était pour empêcher Paris de sortir de lui-même, de sortir de ses gonds, de devenir Paris-Berlin-Moscou et Shanghai et toutes les villes. Ça paraît assez délirant mais c'est ce qu'on suspectait. Pour en revenir à l'histoire de ce bidonville, c'était... c'était je crois bien quelques mois après le premier homme sur la Lune. Nous on s'en foutait. Ça n'était pas d'aller là-haut qui empêcherait les impérialistes d'être des tigres en papier. Le bidonville, les gens nous y aimaient bien. Ce n'était pas tellement qu'on les rassurait, mais je crois qu'on les distrayait de l'ennui, qui est le plus sordide des manteaux de la misère. On s'intéressait à eux, ça les changeait. Ils avaient ce mélange de réserve triste et de curiosité presque naïve qui est le propre des exilés. Les dimanches matin on ameutait la population en leur faveur sur un grand marché le long de la Seine. On portait des drapeaux rouges avec de très gros manches et des casquettes blindées. Ceux de la mairie envoyaient contre nous les permanents, les clubs sportifs, l'amicale de boxe. C'étaient des batailles mérovingiennes. Des étals s'écroulaient, des crânes saignaient. Des dents sautaient, répandues sur l'asphalte avec la monnaie des tiroirs-caisses. Une fois, après une de ces bagarres, Angelo reprenait des forces dans un bistro quand il a vu arriver, écumants de rage, la moitié des membres du club de boxe qui venaient se rincer la dalle eux aussi. Il a juste eu le temps de se réfugier dans les chiottes sans se faire repérer mais après, que faire ? Derrière la porte il entendait les sportifs s'échauffer à l'imagination des traitements effroyables réservés au premier gauchiste qu'ils auraient le bonheur d'attraper. Il ne pouvait tout de même pas rester là-dedans éternellement, avec les autres qui, la bière aidant, commençaient à secouer la porte, à l'ébranler de leurs poings de pugilistes. Il y avait bien un vasistas, mais trop petit pour espérer s'y faufiler. Alors Angelo a fait un truc complètement fou, qui n'avait qu'une chance sur cent de marcher, il a ouvert soudain la porte à la volée et s'est jeté dehors, pâle comme un mort (il n'avait pas à se forcer avec la frousse qu'il avait), hurlant aux autres de ne pas entrer, surtout, qu'il y avait un serpent dans le trou. C'étaient des chiottes à la turque bien sûr. Stupeur. Un quoi ? Un serpent, comme une vipère, mais alors en plus gros. Nettement. Un serpent à sonnettes, peut-être ? A quoi ? Où ça ? Dans le trou des chiottes. Passion, hypothèses, controverses, tous les costauds d'un seul coup en demi-cercle autour de la porte des lieux, surexcités mais prudents quand même, chacun proposant son plan, y a qu'à l'attirer, mais non, moi j'te dis que, et pendant ce temps-là Angelo filait très tranquillement. En laissant même un pourboire, prétendait-il, ce frimeur.

Angelo était alors en hypokhâgne, expliques-tu à la fille de Treize, c'était le chef des lycéens de La Cause. Avec ses troupes il interrompait les profs par des quolibets ou des imprécations, ça dépendait de leur humeur, ils se baladaient nus dans les couloirs, introduisaient des animaux puants dans les locaux de l'administration, répondaient à coups de grenades artisanales aux observations des « surgés », organisaient, aux beaux jours, des baignades dans les bassins des cours d'honneur, ils invitaient des tapineuses aux cours de philosophie, ils créaient dans une salle d'étude une « prison du peuple » où ils prétendaient enfermer de supposés fascistes, bref ils ne s'ennuyaient pas. Ils fondaient un concours général pour les inventeurs de nouveaux cocktails, dont Nessim présidait le jury. C'était ce qu'on appelait la « révolte anti-autoritaire ». Et qui sont ces types,

Angelo, Nessim ? te demande la fille de Treize. Tu ne sais pas raconter une histoire, tu mélanges tout. C'est le contraire fillette, lui réponds-tu : l'imbroglio fait partie de l'histoire. Angelo et Nessim et tous les autres, on y vient. Il faut juste qu'on tourne encore un peu. Les enseignants de l'époque n'étant pas habitués aux avanies, quelques-uns firent des crises cardiaques. Depuis, évidemment, ils sont devenus bien plus robustes. Amélioration de l'espèce. Le père d'Angelo, un pied-noir d'origine espagnole, avait été résistant, membre du Parti communiste puis de l'OAS, sa mère était une Italienne chez qui les convictions anarchistes n'étaient pas venues entièrement à bout d'un catholicisme coriace, enfin il y avait dans son hérédité quelque prédisposition à un extrémisme désordonné. Une année – ce pouvait être en 1970 – vous l'aviez délégué en votre nom à Pékin, à on ne sait quel congrès où les émissaires de groupuscules uruguayens, belges, ou même français, étaient censés représenter le soutien des peuples du monde à la ligne chinoise contre la ligne soviétique. Après d'interminables discours on réunissait tous ces figurants sur des marches, derrière un premier rang de dignitaires en pyjama mao, chacun brandissait le « petit livre rouge » (abréviation : PLR) en faisant son sourire le plus niais et clic ! on prenait une photo qui paraîtrait dans la rubrique « nous avons des amis partout dans le monde » de *La Chine en construction*. Les maîtres de la Chine-rouge-pour-l'éternité n'aimaient pas La Cause (ou plutôt les bureaucrates qui s'occupaient de ces affaires subalternes dans un recoin de la Cité interdite) : ils y voyaient non sans raison un ramassis d'irresponsables anarchisants susceptibles de gêner leurs négoces avec la France du président Pompe. Et ce n'était pas l'ambassade d'Angelo qui risquait de les faire changer d'avis. Ils avaient commencé par l'expédier d'autorité chez le coiffeur, ils lui trouvaient les cheveux trop longs. Angelo avait eu beau protester, il avait dû se laisser détourer les oreilles. Puis devant le maréchal Lin Piao, le dauphin de l'époque, il avait détaillé le plan qu'il avait conçu d'établir dans le périmètre Saint-Jacques-Soufflot-Sainte-Geneviève-Saint-Germain une Commune insurrectionnelle étudiante et lycéenne défendue par les armes. Cela fait beaucoup de saints avait juste observé ce maréchal à tête de valet de comédie qui allait quelques années plus tard se désintégrer dans le ciel mongol. On avait finalement introduit Angelo, au sein d'une délégation d'«amis occidentaux», devant le Soleil rouge incarné : boudiné dans la toile kaki, ses petits pieds chaussés de vernis noirs croisés entre les dragons de bois-de-fer de son trône, le despote verruqueux portait à sa bouche, de cette petite main rose et comme bouillie qui avait si fort impressionné Malraux, d'incessantes cigarettes blondes. De l'autre main il se tripotait nonchalamment la braguette. Le vieux Minotaure venait sans doute d'honorer une des lycéennes qu'il se faisait livrer. Au moment où la délégation était entrée dans cette salle qui, te dirait bien plus tard Angelo, évoquait plus un grand restaurant chinois de Belleville qu'un lieu fait pour le pouvoir, les accents couinants de *L'Orient rouge* avaient retenti : *Dong-fan-ang hong, tai-yan-ang sheng...* « L'Orient est rouge, le soleil se lève... ». C'en était trop : submergé par l'émotion, Angelo était tombé dans les pommes.

Votre Grand Dirigeant à vous, son pseudo était Gédéon, à cause des initiales de sa fonction, GD. Gédéon pouvait parler une heure sans notes, sans la moindre hésitation, sans commettre la plus petite faute de syntaxe. Sa voix égale, que n'altérait aucun changement de ton, de rythme, aucun lapsus, aucune plaisanterie non plus, cela va de soi, avait un pouvoir littéralement hypnotique. Les seules aspérités auxquelles on pouvait s'accrocher pour tenter, en vain, de résister à la troublante volonté d'adhésion totale que l'on sentait monter en soi au fil de ses mots inexorables, étaient l'éclat de ses petites lunettes cerclées de métal et le lent mouvement giratoire de ses mains fines, couleur d'ivoire, index et majeur tendus : mais ces distractions même avaient tôt fait, par leur régularité répétitive, de renforcer l'espèce de béatitude dans laquelle on se sentait couler. Sur le visage du Grand Dirigeant, cependant qu'il versait dans les oreilles le philtre de sa parole, était répandu un air de léger dégoût, comme s'il était un peu las d'enseigner des cancres tels que vous. Lorsqu'il se taisait, les situations les plus compliquées semblaient soudain simples, des voies lumineuses s'ouvraient dans la broussaille du monde, chacun savait ce qui lui restait à faire. Si Gédéon avait décidé – et ce n'était pas rare – de rabattre l'orgueil de tel ou tel satrape de La Cause, l'acte d'accusation qu'il prononçait d'une voix douce, imperturbable, ne laissait au pécheur d'autre issue que celle d'une confession et d'une contrition complètes (une fois cependant l'un d'eux, nommé Robespierre parce qu'il exerçait ses talents à Arras, et montrait d'ailleurs une intransigeance proche du fanatisme, tint deux jours entiers avant de céder : et ce fut sans doute la faim qui le fit s'effondrer, les provisions de riz-sauce tomate qui constituaient votre ordinaire étant épuisées depuis la veille). Tu te souviens de cela à présent, et aussi de son maintien un peu voûté en dépit de son jeune âge, de sa barbiche rare et soignée, mais pendant longtemps tu ne sus même pas à quoi il ressemblait. Tu savais seulement qu'il formait ses redoutables pensées quelque part à l'intérieur des murs de « l'École », rue d'Ulm. Ce lieu n'avait d'autre prestige à tes yeux que de l'abriter. Tu connaissais des camarades qui le connaissaient, ou au moins qui l'avaient aperçu, entendu. Nulle garde d'ailleurs ne vous empêchait de parvenir jusqu'à lui, seulement le respect, ce sentiment que vos maîtres ne savaient plus susciter en vous. La première fois que tu le vis ce fut ce jour de juin 68 où tu étais venu avec Treize, racontes-tu à sa fille, exposer votre projet d'embuscade sur l'autoroute de l'Ouest, dite aujourd'hui A13. Il avait fallu rien de moins que l'entrée en scène de la mort pour que vous osiez solliciter une entrevue, cela ne contribuait pas médiocrement à épaissir l'ombre qui l'entourait, tel un Pluton ou un Anubis de la Révolution. Cependant que tu parlais, tu étais bien plus impressionné par le silence impénétrable de Gédéon, l'attente de son verdict, que par les conséquences éventuelles de l'acte que vous vous proposiez d'accomplir. Tu parlais, il caressait sa barbiche, le buste légèrement penché en avant, l'air dégoûté, et tu sentais ton discours s'empêtrer, se tarir, se figer de peur littéralement. Perdu, tu passais le relais à Treize, qu'il essaie, lui, merde. Qu'il se montre convaincant. « On a pensé… », commençait-il, mais Gédéon leva sa petite main d'ivoire comme celle d'un sceptre. Ses lunettes cerclées d'acier jetèrent un bref éclat. Assez joué. En quelques phrases presque dédaigneuses, il condamna votre plan. Vous n'aviez rien compris aux lois de la violence symbolique. Vous aviez encore des progrès théoriques à faire. Vous vous en doutiez un peu.

Tu vois Marie, dis-tu à la fille de Treize cependant que vous traversez des météores de néon rouge blanc bleu

BOSCH ÉQUIPEMENTS AUTOMOBILES AUDI KOREAN AIR VOLS DIRECTS PANASONIC SAINT-DENIS CH. DE GAULLE A1–A104 FLUIDE SANYO SAMSUNG rouge bleu grande nébuleuse orange à gauche tu vois nous étions à la fois très durs et très infantiles, prêts à tuer sans doute et à nous faire tuer ça sûrement, et en même temps tremblants devant le sexe, et terrifiés aussi par l'autorité d'un chef qui n'était jamais qu'un étudiant un peu plus savant que nous, un peu plus âgé aussi, de deux ou trois ans peut-être mais de même que les distances qui paraissaient immenses dans l'enfance, lorsqu'on les parcourt longtemps après, se révèlent minuscules (le chemin qu'il fallait parcourir, par exemple, sur la côte d'Émeraude, entre la maison familiale et la plage qu'ironiquement ma mère appelait « Éden Roc »), de même quelques années semblaient à l'époque un abîme temporel, Gédéon était paré à nos yeux d'une ancienneté formidable, il était comme oint par l'Histoire et aussi par « la Théorie », comme on disait. Car il avait été un proche élève de ce philosophe dont le grand public n'apprendrait le nom que le jour où il étranglerait sa femme, mais dont vous aviez lu les livres qui semblaient redonner au marxisme la dignité d'une science. Les vies sont des bois pleins d'ombre et de mystère, Marie, dis-tu à la fille de Treize, dans la nuit de chaque vie des choses énormes se décomposent, des animaux à groin de cauchemar font leur sabbat. Ce maître qui était à vos yeux l'image même de la rigueur, pendant que vous vous demandiez stupidement ce qu'il attendait pour rejoindre les rangs de La Cause, il battait la campagne, s'imaginait qu'il détournait un sous-marin nucléaire ou volait l'or de la Banque de France, il s'agenouillait en tremblant aux pieds de la femme qu'il finirait par tuer. Un des premiers jours où les drapeaux rouges envahissaient les rues de Paris, au début de ce lointain mois de mai, il traversait la ville dans l'ambulance d'une clinique psychiatrique. Il n'avait pas cru que ça puisse jamais arriver, ça, les avenues transformées en champs de coquelicots. Et lui fuyant, hagard. A quoi avait servi « la Théorie » ? Vous ne saviez pas encore combien les hommes sont tout tramés de nuit, couturés d'effroi, la littérature aurait pu vous l'apprendre mais vous aviez rejeté la littérature, vous ne croyiez que dans la « vie », et la « vie », la « pratique », éclairées par la Théorie, par les analyses et les instructions de Gédéon, étaient d'une simplicité effrayante. Vous étiez intransigeants et terriblement ignorants – et il n'aurait pas fait bon vous le dire. Mais attention ! dis-tu à la fille de Treize : c'est aussi pour ça que vous étiez si téméraires, si passionnément sûrs que le monde, un jour peut-être pas proche mais pas si lointain non plus, serait comme créé de nouveau, délié de toutes les fatalités, des vieux sceaux infâmes de l'inégalité et du mépris, et qu'il n'y fallait, comme du temps des grands ancêtres, que de l'audace, encore de l'audace, toujours de l'audace. Ne laisse pas les cyniques, meute gavée à la pub et aux sondages, ne les laisse pas nous insulter, plus tard : nous étions ignorants mais audacieux, dis-tu à la fille de Treize, cependant que vous vous apprêtez à boucler déjà votre première révolution autour de l'astre noir, soleil noir de la mélancolie, l'anémone et l'ancolie, la ville du Grand Gibet et de la Roue, sphère nocturne peuplée du passé dont on n'a pas fait table rase, vous sautez les gerbes de rails de la gare du Nord, c'est par là qu'on a fui avec Treize par le train postal après que... mais attends il faut que je reprenne au début METZ NANCY PORTE DE LA VILLETTE vert émeraude comme la côte de ton enfance N301 150 M DAEWOO rayonnant rouge dans la

brume STATION-SERVICE TOTAL PÉRIPH FLUIDE PORTE DE
PANTIN CASINO VILLAGE HOTEL 240F CLIMATISÉ CAMPANILE
IBIS HEINEKEN ABBAYE DE LEFFE bleu vert bleu rouge blanc
HOTEL MERCURE puis les voies de la gare de l'Est et le canal
de l'Ourcq semblable au Landwehrkanal dans lequel est jeté,
un jour de neige et de sang, le corps de Rosa Luxemburg
(que veux-tu Marie c'est ça que ça m'évoque moi un canal,
pas une chaîne de télé), puis dans l'ombre du parc les serres
miroitantes de la Cité des sciences les balises bleues le
Zeppelin Zénith et de l'autre côté les tours de manoir
gothique hollywoodien burg hugolien des Grands Moulins
N3 PORTE DE PANTIN c'est là qu'on avait notre atelier de
fabrication des faux papiers, porte de Pantin, dans une
petite rue tranquille derrière les bistros de maquignons. Le
cadre de sérigraphie qui servait à reproduire les filigranes
était dissimulé sous une table à langer, évidemment ça sentait un peu fort l'acide trichloracétique pour une chambre
de bébé, et pourtant il y en avait un, de bébé, enfin pas à
demeure, mais il accompagnait son père qui fabriquait les
faux fafs. Sa mère travaillait dans une usine de munitions,
elle piquait des balles à blanc pour notre armurerie, après
toute cette histoire elle est entrée dans une secte. Bizarre de
penser que ce bébé vit quelque part, maintenant, quel âge
peut-il avoir ? un peu plus âgé que toi, dis-tu à la fille de
Treize, il est peut-être cadre dans la pub ou un truc comme
ça, il est probable qu'il nous déteste, et puis d'ailleurs non ce
n'est pas sûr, c'est probable mais pas sûr, les choses ne sont
pas si simples. Comment s'appelait-il déjà ? Me souviens
plus, un prénom de résistant, sûrement, les enfants des
camarades avaient toujours des prénoms de résistants…
cependant que file à tribord la coupole observatoire radôme
radar de la Cité de la musique… musique des sphères…

2

La fille de Treize, tu l'as rencontrée à l'anniversaire de
Judith. Le cinquantième du nom. Dans un bistro un peu
branché de Belleville. Le patron est un ancien de La Cause,
Pompabière, ex-petite frappe assez ingénieuse à présent
reconvertie dans la limonade. Enfin, la limonade, c'est une
façon de parler. Son vrai nom, son nom pour l'état civil,
c'est Pompabert. Il y a bien une courtisane qui s'est appelée Pompadour et un président Pompidou, dit Pompe.
N'empêche, Pompabert, ça créait comme un destin. Dans
les temps anciens, une agilité verbale et presque un baro-
quisme inattendus chez un être aussi brutal le distinguaient
de ses collègues de la bande d'Issy-les-Moulineaux. C'était
un grand inventeur d'insultes compliquées, à effet, liftées,
lobées, des invectives fusantes qui, prenant l'adversaire au
dépourvu, le laissaient interloqué avant même qu'estourbi.
Un orfèvre de l'embrouille, cet art populaire mêlant la
tchatche et la castagne. Un jour, racontes-tu à la fille de
Treize, assis sur le coin d'un billard, chez Pompabière
(t'appliquant en même temps à faire des bulles dans ton
verre de whisky), un jour tu l'as vu, dans un bistro ouvrier
du XVe arrondissement (parce qu'autrefois dans Paris il y
avait des taules, tu ne peux pas te rendre compte, lui dis-tu :

et par exemple les énormes usines Citroën dans le XVe, et tout autour des bistros ouvriers : tu me suis ?), dans un rade de la porte Brancion, donc, un jour, tu l'as vu commander un demi avec un bon faux col puis s'approcher d'un type du syndicat maison, un flic, quoi, et lui balancer ça : « Blaireau, je vais me raser avec toi », en lui soufflant la mousse à la gueule. Et tout de suite après, coup de boule, bien sûr. Eh bien quand même, ça, il fallait le faire, le coup du « blaireau, etc. ». C'est presque de l'Homère, ça. Enfin ce Pompabière, lorsqu'il t'a vu, tout à l'heure, lorsque Judith t'a présenté, plutôt, Martin, comment, tu ne reconnais pas Martin ? il s'est collé les poings sur les hanches, dans une attitude classique d'incrédulité bistrotière, et s'est écrié que ah ça alors, ça il n'en revenait pas, Martin, ça – toi ? Non, vraiment, jamais il ne l'aurait – il ne t'aurait – reconnu. Ah dis donc... qu'est-ce que t'as changé, c'est pas vrai. Et comme il repartait dans des « non, jamais », des « c'est pas possible », roucoulant ça comme un pigeon en rut, avec son torchon sur l'épaule, ce rubicond, prenant les autres à témoin, les appelant à venir constater ce prodige, Martin, ça – toi ! –, tu as fini par montrer un peu d'agacement. Lui, on le reconnaît facilement, en tout cas. Rien perdu de son élégance. Le chic catcheur, tout en peau de dindon, avec des moustaches en croc et du poil aux phalanges.

Tu t'attendais à ça, ce genre de mélancolique désagrément, c'est à chaque fois pareil lorsque vous vous revoyez, de loin en loin : vous êtes à jamais les uns pour les autres ce que vous avez été ensemble, des jeunes gens fiévreux, intolérants, ascétiques, mais le temps vous a enfermés en douce dans des outres de vieille peau. Et vous voilà à faire la course en sacs là-dedans, comiques, vers la mort. Il y a des erreurs auxquelles on n'échappe pas, lorsqu'on est un jeune homme un peu romantique, par exemple d'imaginer son enterrement. Vos amies, vos maîtresses sont là, pâles et belles, elles se penchent au-dessus d'un visage d'ivoire creusé comme celui de Chopin, ou de Shelley : mais non, le jour venu, celles qui se souviendront encore de vous se dandineront, lourdement affligées, autour d'une gueule de vieille poire blette. Mais ce sarcasme que les corps adressent à l'image de ce qu'on a été, la matière à la mémoire, jusqu'alors tu y avais tant bien que mal échappé : c'était plutôt du fait que tu aies « si peu changé » qu'on s'étonnait. Et toi-même, dans ta légèreté, ayant toujours été à la marge de tout, même, croyais-tu, du temps qui va, tu ne te voyais pas sous les traits d'un homme vieillissant. Un jour, pensais-tu (ou plutôt tu laissais une inertie imbécile penser cela à ta place, en toi), un jour tu serais grand : et alors, peut-être serait-il temps de songer à vieillir, d'envisager vaguement cette chose si extravagante, si éloignée de tout ce que tu avais jamais imaginé – quand la mort, elle, avait toujours été étrangement possible, familière à sa façon. Tandis que là... tu cherches ton image, mine de rien, dans les miroirs du bistro et, bon Dieu... plus grand-chose à voir, c'est vrai, avec la photo célèbre du Che... la gueule aux cheveux bouclés sous le béret, aux yeux sombres, la gueule en contre-plongée de l'ange noir des révolutions, ballottée entre tant de jeunes seins de par le monde depuis ce jour d'octobre 1967 où le masque mortuaire appliqué à la va-vite par le lieutenant-colonel de carabiniers Alberto Quintanilla l'a laissé écorchée comme celle d'un lapin à l'étal, rouge et saignante, sans barbe et sans paupières et sans peau, dans la morgue de l'hôpital de Vallegrande. Non, pas cette beauté, cette fragilité, pas ce tragique, quant à toi, reluquant en douce ton reflet dans les miroirs du bistro branché de Pompabière, dans les hauts de Belleville. Putain ! Plutôt une ressemblance naissante avec Daladier. La pâte, la cire de l'âge. Tu te souviens d'avoir éprouvé une sorte de tristesse à regarder les portraits illustrant une biographie de Nabokov : aux photos d'un jeune homme d'une beauté légèrement démoniaque succédaient celles d'un homme de lettres suffisant puis d'un pépé enveloppé, en short anglais et chaussettes montantes, pourchassant les lépidoptères dans des herbages suisses. Une tristesse et une curiosité, aussi : où, comment cela était-il advenu ? Et cette dégradation, cette trahison de soi par soi qu'on ne voit pas se faire sur les photos trop rares, trop espacées dans le temps, d'une biographie, tu ne l'as pas vue non plus se produire, pour des raisons inverses – trop d'instantanés – dans ta vie à toi : et ce sont les grossières exclamations de ce Pompabière qui t'ont soudain fait découvrir ton image dans le miroir, celle d'un enflé qui court après les papillons noirs de la mort. On voit ses amis se marier, puis les enfants de ses amis, et on ne comprend pas ce que ça veut dire, dit le narrateur du *Temps retrouvé* : par peur, ou par paresse. Une ressemblance avec qui ? te demande la fille de Treize, son petit cul perché sur le bord du billard. Avec Daladier, un président du Conseil de la IIIe République, un faux dur qui a cané devant Hitler à Munich, tu as déjà entendu parler de Munich, quand même ? Enfin, un type à qui on n'a pas envie de ressembler.

Cependant, autour de ton visage immobile que tu ne reconnais plus, flanqué de celui plus petit et pâle, et plus frais et joli certes, de la fille de Treize, vont et viennent dans le miroir, légèrement, miséricordieusement estompées par l'usure du tain et la crasse du verre, nimbées de fumée de cigarettes, les caricatures ironiques d'une jeunesse ancienne. Judith, qui te touche encore, mais hérisson, plus renard du tout, parlant avec Foster, pourquoi a-t-elle invité cette face de coing ? C'est un petit notable socialiste, aujourd'hui. Il bedonne, il porte une barbe de syndicaliste enseignant. Il y a des appétits, ceux de l'argent et des honneurs, qui grandissent avec le temps, au point qu'on se dit que la mort qui d'habitude s'impose par lente extinction des circuits, débandade et dégoûts terminaux, dans ces cas-là doit être provoquée au contraire par une surtension, un emballement tchernobylien du réacteur : Foster est de ce genre-là, de plus en plus radioactif avec l'âge. Ce type, dis-tu à la fille de Treize, me fait penser à ce mot de Victor Serge à propos des délégués aux premiers congrès de l'Internationale : « Comme ils sont contents de voir enfin des revues depuis les tribunes officielles. » Victor quoi ? Victor Kibaltchiche, dit Victor Serge, il faut tout t'expliquer, un anar magnifique, des parents à lui avaient balancé des marmites de dynamite sous les carrosses des tsars, exil, lui entaulé en France comme complice de la bande à Bonnot, insurgé à Barcelone, bolchevik à Petrograd, déporté en Asie centrale comme trotskiste, enfin je résume, une vie, quoi. Dans ses *Mémoires* il y a une scène où ils se tirent dessus, sur les toits de Petrograd, pendant une nuit du printemps 1919, avec des Blancs : ils se canardent un peu au hasard, planqués derrière des cheminées, et lui ce dont il se souvient c'est de la blancheur de la ville dans la nuit arctique, et de la couleur du ciel reflétée par les canaux. Il y a des gens qu'on aime pour une phrase, une pensée, un sourire. Ce barbu encombré de son fusil, visant mal, n'ayant pas vraiment envie de tuer, même l'« ennemi de classe », et s'émerveillant de la beauté de Pétersbourg nocturne,

moi il fait partie de mon petit panthéon portatif. Je verrais
bien Whistler peindre ça, ce qu'il voit. Il faut dire que
Pétersbourg, ou Petrograd, a fait beaucoup pour la théâtra-
lité de la Révolution. Il y a quelque part, dans un récit
d'Isaac Babel, une description de la perspective Nevski
nocturne, déserte, encombrée par des chevaux morts, gelés,
pattes raidies contre le ciel : quand j'étais jeune, c'était une
des images que je me faisais de la Révolution : des palais
abandonnés, avec la lueur de quelques bougies par les
fenêtres noires, et la cavalerie du monde retournée, cri-
nières soudées à la chaussée, sabots dans les nuages. Bon,
alors Foster, avec tout ça, il n'a réussi qu'à être directeur de
cabinet de je ne sais pas quoi, enfin d'un ministre. C'est
peut-être ça qui le condamne le plus : d'être un ambitieux
sans les épaules qu'il faut. Autrefois, quand il était chef de
La Cause en Normandie, on reconnaissait son matelas-
mousse, dans l'appart' collectif, au fait qu'il y avait, au-dessus, un portrait de Staline punaisé au mur. C'était sa pin-up
à lui. Fichaoui-dit-Julot a une crinière blanche, maintenant, mais n'avait-il pas, à vingt ans, les cheveux prématu-
rément gris ? Petit, vif, joyeux, pif en l'air, secouant une
mèche, poings enfoncés dans les poches, son allure est res-
tée la même – ou bien est-ce celle d'autrefois que tu
inventes à partir de celle d'aujourd'hui ? Non. Ça te fait
plaisir de le voir, de ces années-là c'est un de ceux que tu
aimes, tout le contraire de Foster. On pourrait même se
demander (tu t'es demandé) pourquoi tu ne le vois pas plus
souvent, mais non, le temps qui ne vous a pas rendus étran-
gers l'un à l'autre vous a tout de même faits irrévocable-
ment lointains. C'est comme ça le temps. Fichaoui, entre
autres choses, était responsable des émissions pirates, il
faut bien dire que ça n'avait pas été sa plus grande réussite.

Il avait dégotté un radio-amateur du côté d'Amiens, un vieux chasseur de bécassines (à moins que ce ne fût de sarcelles) qui avait été résistant et se faisait fort de vous construire un émetteur. L'engin, en fin de compte, tenait dans trois cantines. Il fallait deux hommes robustes pour déplacer chacune d'elles. Si ça avait été un appareil à désintégrer Paris, le rapport qualité/poids aurait été convenable, mais là... Vous aviez fait un essai, un soir, sur le toit d'un immeuble neuf de la porte de Vanves. Grimper ce barda tout en haut, à sept heures du soir, sans trop attirer l'attention, sans casser non plus toute l'antique verrerie de lampes qui brinquebalait à l'intérieur, ça n'avait pas été une partie de plaisir. Si on vous avait demandé quelque chose, vous aviez prévu de dire que vous déménagiez de la vaisselle. Finalement, vous aviez eu de la chance, tout le matériel était arrivé à bon port, à l'heure de l'apéro, là-haut, entre les tuyaux de cheminée. Après, il avait fallu déployer l'antenne, des dizaines de mètres de fil de cuivre, ou de laiton, de quoi mettre à sécher tout le linge de l'immeuble. Est-ce que Treize y était ? te demande sa fille. Oui, Treize était de tous les coups, ou presque, mais là il était avec moi, dans une bagnole, à quelques rues de distance. Sur le terrain, c'est-à-dire sur le toit, c'est Fichaoui-dit-Julot qui commandait. Treize et moi on attendait dans la bagnole, grillant des cigarettes, la radio branchée sur la longueur d'ondes qu'on devait pirater. C'est une maison bleue adossée à la colline... ceux qui vivent là ont jeté la clef... Choisissez bien choisissez But... C'est un beau roman c'est une belle histoire, c'est une romance d'aujourd'hui... Et merde. On avait concocté un appel vibrant à refuser les hausses des loyers HLM. Vibrant mais concis, pour une fois : il fallait faire vite, pour échapper aux voitures-gonio que la police allait lancer à nos trousses.

On avait le cœur qui tapait. On attendait que notre voix énorme, la voix des « Nouveaux Partisans », s'élève au-dessus de Paris. De Paris au moins, parce que vu la taille de l'installation, elle ne pouvait manquer d'arroser généreusement le territoire. Le chasseur de bécassines avait l'air d'un type sérieux, connaissant son affaire.

Ce n'était pas le cas de tous, certes. Des prolos il y en avait, et plus d'un, qui ne t'inspiraient pas vraiment confiance. Ce mec de Flins, par exemple, qui t'invitait avec insistance à bourrer de poudre et de boulons des tuyaux de fonte, et puis à aller balancer ça sur le commissariat des Mureaux (ou bien était-ce celui de Meulan ?). Lui, personnellement, en raison de charges de famille, aurait le regret de ne pouvoir prendre part à cette affaire. Il aurait bien aimé, mais on ne fait pas toujours ce qu'on veut, c'est malheureux à dire, enfin après la Révolution ce sera différent, pas vrai ? Mais il proposait de fournir la plomberie et la visserie. Non, merci. Ou bien cet allumé du Nord, un grand mélancolique au sujet de qui t'avaient consulté Victoire et Laurent. Victoire et Laurent, le plus beau couple de La Cause, soit dit en passant. C'est elle, là-bas, tu vois, avec cet air de Fanny Ardant ? Ils avaient fait la une des journaux quand ils avaient été arrêtés, enfin peut-être pas la une, mais de grandes photos tout de même dans les pages intérieures de *Nord-Éclair* et de *La Voix du Nord*, aujourd'hui à leur sortie de taule on leur proposerait des contrats dans la mode, la pub, la télé… Leur beauté avait quelque chose qui gênait certains de nos camarades. Tu trouves cela étrange ? Tu as raison, Marie, c'est étrange, et même assez monstrueux, mais cette méfiance vis-à-vis de la beauté, prélude à la haine de la beauté, était une espèce de lèpre morale dont nos esprits étaient infectés. Et pourquoi ? Eh bien même maintenant, tant d'années après, je ne sais pas bien l'expliquer. Peut-être tout simplement parce qu'elle résiste, la beauté, à cette terrible volonté de nivellement que nous avions ? Parce qu'elle est le contraire, ce qui distingue, ce qui est injustement donné aux uns, et refusé à la plupart ? Mais là, il s'agit de la beauté humaine, tandis que nous méprisions aussi la beauté d'une église de campagne, qui n'est donnée ni refusée à personne en particulier, celle d'un ciel de nuages, celle des toits d'une ville – nous n'étions pas comme Victor Serge, nous, on n'aurait pas été émus par le spectacle de Petrograd dans la nuit verte (j'ai vu ça depuis, cette nuit d'opaline sur la Neva, les canaux, les aigrettes d'or) : et c'est ça qui ne va pas. Qui n'allait pas. Et la beauté de l'art, n'en parlons pas. Nous la détestions sans la connaître. La beauté fait dérailler, divaguer, et nous ce que nous aimions c'était « les masses », comme on disait. Pas l'exception. Et puis, il y avait une sorte d'assez dégoûtante sacralisation du malheur. Pendant les quelques mois où tu as vécu avec Chloé, te souviens-tu (quelques mois, le temps qu'elle ne supporte plus tes conneries), tu étais gêné par quelque chose d'éclatant en elle qui te paraissait contraire à… à quoi, tartufe ? A la bienséance, c'est ça, à la bienséante modestie. Un militant ne pouvait avoir pour amie une fille sur qui les autres se retournaient. Tu n'étais pas loin de penser que sa séduction était satanique, hein ? Hein, taliban ? Elle débutait une carrière de mannequin que la politique d'abord, et surtout la drogue et l'alcool, plus tard, briseraient net : cette profession aussi te gênait (maintenant tu aimerais bien, hein, vieux tripoteur ?). Tu craignais, pauvre type, que Gédéon n'y trouve à redire. Pendant le peu de temps que vous avez vécu ensemble, tu tenais tellement à ce que votre liaison, comme une faute, reste secrète, que par exemple tu ne sortais pas en sa compagnie d'une «réu», non, tu lui chuchotais un rendez-vous à l'angle d'une rue, deux cents mètres plus loin. Quel rat! Ce souvenir te fait honte, comme te ferait honte le symétrique, si tu avais cherché à l'exhiber partout avec la ridicule vanité d'un petit mâle. Tu étais idiot, estime à voix haute la fille de Treize, avec cette manière qu'ont les jeunes gens d'enfoncer en grande pompe des portes ouvertes. Merci du renseignement. Cette façon un peu apprise qu'elle a de balancer ses jambes nouées, assise en petite jupe noire sur le bord du billard... Rien de plus beau, en général, dans le vaste univers, que ce dessin (pas même celui des lèvres) : lignes pleines, tendues, lisses, de la chair sous le bord de la jupe, creusées soudain autour du galet luisant du genou, puis s'évasant, une jambe croisée sur l'autre, se resserrant de nouveau aux chevilles, et tous les glissements de la lumière sur ces formes fatales, ces fuselages, qui insultent les mots... Envie furieuse d'y plonger la main... Eh, attention! Pas touche! C'est la fille de Treize, ton ami mort, mort et enterré! Depuis une paye... Qu'est-elle venue faire ici, au bal des vioques – nous autres? Tenir la place de Treize? Le représenter chez les *still life*, les vies calmées, amorties, les natures mortes? Non. Elle te l'a dit, tout à l'heure : enquêter sur lui. Apprendre de nous qui était ce père qu'elle n'a pratiquement pas connu – mort avant que la parole passe de l'un à l'autre. Alors toi, évidemment, son «meilleur ami»... tu es le premier témoin appelé à la barre... là, sur le bord du billard. Dis-moi qui il était. Mais, Marie, je ne peux pas te parler de lui sans te parler de nous. Je ne sais pas comment te faire comprendre ça, on n'était pas tellement des «moi», des «je», à l'époque. Ça tenait à notre jeunesse, mais surtout à l'époque. L'individu nous semblait négligeable, et même méprisable. Treize, ton père, mon ami éternel, c'est l'un des nôtres. Un des brins d'une pelote. Je ne peux pas le débrouiller, le dévider, l'arracher de nous, sinon je le ferais mourir une seconde fois. Sans nous, son image se fanerait – sans « nous », toutes nos mémoires s'effacent. On était ensemble, jusqu'à l'absurde. On n'était pas l'Histoire, mais on était des histoires, réelles, imaginaires, entrecroisées, qu'on fabriquait, un fagot d'histoires. J'ai compris, fait-elle, je ne suis pas idiote, alors parle-moi de vous. En hissant son petit cul sur le bord du billard, les deux bras nus tendus de chaque côté, les mains à plat sur le bois, hop ! Et maintenant cette jambe, la droite, passée sur la gauche, qui se balance… pied tendu, talons hauts… je rêve… Et maintenant, cette façon de me dire qu'avec Chloé j'avais été un idiot. Merci du renseignement. Balançant sa jambe lumineuse. Les premiers instants de ta vie avec Chloé, tu t'en souviens, mais tu ne les raconteras pas à cette pécore qui soudain t'énerve : qu'elle te laisse avec tes histoires, qu'elle se fabrique le père qu'elle veut, ce ne sera pas toi, en tout cas. Vous alliez assaillir l'ambassade du Sud-Vietnam. Vous vouliez prendre d'assaut la « prétendue ambassade des fantoches sud-vietnamiens », dans votre langue de l'époque. Tu t'étais avancé vers la muraille sombre et scintillante de casques, de visières, de boucliers, de jambières, d'où fusait l'enivrant feu d'artifice des grenades, brandissant… quoi, d'ailleurs ? Curieusement tu te souviens très bien de la certitude que tu avais, commençant à courir en avant des premières lignes de la manif, qu'il allait t'arriver quelque chose, tu te souviens du choc et du démantibulement, de la chute et de la douleur, la cuiller de la grenade te cassant les dents, de la stupeur et en même temps de l'espèce de satisfaction de constater que quelque chose, en effet, était advenu, ces miettes sanglantes, ce goût salé dans ta bouche, et de l'obsession presque simultanée de te relever pour échapper aux *pigs*, ainsi que par référence aux Black Panthers US vous appeliez les flics quand vous ne les traitiez pas de SS : tout cela le temps d'une détonation, d'un coup de lance-patates ; mais tu as oublié ce que ta main droite s'apprêtait à lancer : pavé, cocktail Molotov ? Et cette main, ensuite, c'est Chloé qui la tient : tu es allongé dans le cabinet d'un salaud de médecin qui, tout en te suturant le plus brutalement qu'il peut, te déclare que tu n'as que ce que tu mérites : et ce con n'a pas l'air de comprendre que tu ne pouvais rien rêver de plus beau que ça, être couché sur sa foutue table, puant comme un blessé d'une vraie guerre, avec la gueule en sang et la main de Chloé tenant la tienne. Quelque chose comme le Paradis. Qu'est-ce qu'on était romantiques, fais-tu remarquer à la fille de Treize (parce que tout de même, le whisky aidant, qui rend immensément bavard, fait littéralement fourmiller de paroles, tu n'as pu t'empêcher de lui raconter cette histoire, au rythme de sa jambe qui bat dans la pénombre), et en même temps tu te dis que sans doute tu ne serais pas parti ainsi, absurdement, à l'assaut des casques et des boucliers, si tu n'avais pas lu *L'Iliade*, ni vu sur une photo célèbre de Robert Capa un milicien foudroyé d'une balle en pleine tête devant Cordoue, et qu'il se fait ainsi d'étranges cocktails Molotov dans la tête des jeunes gens, des caramboles explosives, des courts-circuits d'images.

Victoire et Laurent, quoi qu'il en soit, étaient embêtés par le cas d'un prolo mélancolique dont l'idée fixe était de faire dérailler le TEE Paris-Bruxelles (est-ce qu'il faut traduire ça aussi, TEE, à l'époque du Thalys : Trans-Europ-Express, un train normal, quoi ? Avec des wagons, des compartiments, des soufflets, c'est ça). Lucien, qui travaillait dans une usine de bonneterie, ça existait encore, s'imaginait que le TEE était exclusivement bourré de ploutocrates, des types fumant le cigare, portant jaquette gris perle, cravate blanche et chapeau haut-de-forme comme ce baron de Rothschild dont il avait vu une photo au pesage du prix de l'Arc-de-Triomphe, dans un des magazines hippiques dont il était féru. Le passage grondant-sifflant du fastueux convoi au milieu des corons, des terrils, des chevalements de mines, des champs de betteraves, lui semblait un outrage aussi intolérable que la profanation quotidienne d'un bidonville par une Rolls-Royce. Il imaginait les sarcasmes des queues-de-pie là-dedans, contemplant le monde des pauvres, le sien, à travers les ronds de fumée pondus par leur bouche en cul-de-poule et les bulles du champagne dont ils entrechoquaient des coupes. Leurs foutus gants beurre frais posés sur le bord de leurs foutus chapeaux. Victoire et Laurent avaient tenté de lui donner une idée un petit peu plus réaliste de ce qu'étaient les passagers moyens d'un TEE, rien n'y faisait. Il fallait qu'« ils cessent de se croire tout permis » : formule qui, dans sa brutale simplicité, correspondait assez bien à la philosophie de La Cause. D'ailleurs, Victoire et Laurent éprouvaient quelque gêne à essayer de modérer une haine sociale aussi naïvement et poétiquement pure. Ce type, Lucien, était un douanier Rousseau de la lutte de classes, et eux, voilà qu'ils voulaient le châtrer avec de plates considérations de sociologie bourgeoise. Alors, renonçant à le détourner de sa féroce lubie, faisant comme si désormais ils approuvaient son plan, ils se

contentaient de le saboter en douce. Seulement, cela devenait épuisant. Une fois par mois au moins, pour satisfaire sa
sombre manie, ils feignaient de confectionner une bombe
avec de la pâte à modeler. L'autre cinglé, blême, surveillait
les opérations. Vous êtes sûrs que c'est du bon ? demandait-
il en sifflant un verre de bière. Oui, oui, t'en fais pas, du
plastic de derrière les fagots, livré par Treize, un camarade
de Paris, un mec important, le second de Martin : c'était
comme s'il avait été acheté chez Fauchon. Lucien avait une
femme gigantesque et soupçonneuse – elle n'aimait pas
« ces mic-macs », comme elle disait (Victoire et Laurent
étaient assez d'accord avec elle sur ce point, mais n'osaient
l'avouer) – et un enfant mongolien, comme on disait
encore à l'époque. La femme passait et repassait avec ce
qu'on appelle « un air entendu », l'enfant mugissait sour-
dement dans un coin. La télé marchait en permanence.
L'enfant mugissait, la femme trimbalait autour d'eux son
corps énorme, claquant des savates, Lucien descendait son
kil de Valstar (ou bien c'était de la Dumesnil ?) en fumant
ses Gauloises, livide, quinteux, rotant, Victoire et Laurent
tassaient la pâte à modeler dans une boîte de conserve, y
plantaient un détonateur auquel ils fixaient, d'un coup de
dents, le cordeau Bickford, ils fourraient tout ça dans un sac
de sport et partaient dans la nuit pour une guerre aussi
feinte, mais pour d'autres raisons, que celle de *Cosi fan
tutte*. Lucien, pas plus que le mec de Flins, ne poussait la
haine de classe jusqu'à envisager de prêter la main en personne au déraillement. Cette fois-ci, ils ne l'emporteront
pas en paradis, hein ? interrogeait-il sombrement, sur le pas
de sa porte. Et il fallait, à chaque fois, inventer une raison
pour laquelle ça n'avait pas marché, une fois trop de brume,
impossible de faire le guet, une autre trop de pluie, ça allait

noyer la mèche, une autre fois encore un chien avait aboyé, des fenêtres s'allumaient route de Wassingue. On va lui donner des boulettes à ce clebs, suggérait-il, il avait une recette de viande hachée à la paille de fer qui avait fait ses preuves, pas de poison, rien que des bonnes choses naturelles, l'odorat de l'animal ne le mettait pas en garde : à cette évocation, un sourire à la Buster Keaton crispait son visage. Une autre fois, les gendarmes tournaient, fouinaient partout dans leur 4L bleue. Avaient l'air de flairer quelque chose. Est-ce que par hasard ta femme n'aurait pas, sans le vouloir ?... Ça, c'était la bonne idée : ce soupçon-là, avec toutes les conséquences qu'il entraînait fatalement, avait permis de gagner plusieurs mois. N'empêche, la vie de Victoire et Laurent était devenue une épuisante fiction. Fabriquer de fausses bombes, inventer de fausses raisons à leurs faux échecs (tout ça pour empêcher un vrai prolétaire de commettre, par leurs personnes interposées, un vrai massacre) : aspirés par cette spirale du mensonge, ils se demandaient de temps en temps si c'était bien ça, la Révolution pour laquelle ils avaient plaqué familles et études, la Révolution dont ils avaient cru qu'elle manifestait la vérité du monde, qu'elle était le grand Révélateur. Ça commençait mal... Mais pourquoi ils faisaient ça ? demande la fille de Treize. Mais parce qu'ils aimaient le prolétariat, Marie, alors ils ne voulaient pas faire de la peine à ce Lucien : tu ne comprends pas ? Et si ça se trouve ledit Lucien était une balance, c'était peut-être la police qui lui avait demandé de monter tout ce bateau, afin de prendre Victoire et Laurent en train de poser une bombe sur l'aiguillage, et le coup de la pâte à modeler les énervait tous énormément. Mais si ça se trouve aussi, c'était juste un pervers léger, il avait vraiment eu envie de se payer un

TEE, et puis ensuite il n'avait pas été dupe du jeu de Victoire et Laurent, mais c'est à cela qu'il prenait son plaisir désormais : à les voir s'enferrer dans le mensonge, s'épuiser à imaginer des histoires à dormir debout, et tout ça pour lui ! Pour lui plaire ! Comme s'ils dansaient devant lui, en somme... Moi, c'est l'hypothèse que je préfère.

Enfin, le chasseur de bécassines (ou de sarcelles) avait l'air d'un type sérieux, lui. Un peu fortement buveur de bière, bien sûr, comme c'est la coutume dans ces septentrions de marais, pays de lumière rare, et basse et triste, pays de guerres mondiales : mais rien d'un malade mental. Aussi était-ce avec une certaine confiance que vous attendiez, Treize et toi, grillant des cigarettes dans la Citroën volée et maquillée, que retentisse sur Paris l'appel à la grève des loyers HLM. Cependant le temps passait. Ça ne venait pas. Les lundis au soleil.... Ta gueule ! Va te faire électrocuter ! Le rire du sergent la folle du régiment la préférée du capitaine des dragons... Connard... N'avoue jamais jamais oh non jamais n'avoue jamais que tu m'aimeeeuuus... Qu'est-ce qu'ils foutaient, là haut, bordel ? Le carillon des nouvelles (vous aviez choisi de parasiter une radio populaire). Le président Pompe s'entretient avec Leonid Brejnev à Minsk... Nouvelles rumeurs... Offensive nord-vietnamienne au Cambodge... Bombardements américains dans le delta... B-52 répandent des nappes d'agent orange... région de My Tho... Petit coup au cœur. C'est là-bas que le lieutenant est mort, dans ces antipodes dont on voit des images à la télévision, villages de bambou et de parpaings grouillant au bord des canaux, sous les ailes des bombardiers, palanches, buffles, pistes rouges où roulent des blindés, visages effarés sous le chapeau tonkinois, tout un petit tas de stéréotypes, une Asie ready-made... Piaillements, enfants, cochons, canards barbotant sous les pilotis... Cadavres gonflés au fil du Mékong... Ton père, le lieutenant, tué sur un rach, un affluent, quelques mois après ta naissance. Ta vie à peine commencée et déjà marquée, comme les viandes de boucherie, à l'encre violette de la mort, en ce lieu que tu ne connais pas, ces jungles sur lesquelles pleuvent aujourd'hui (autrefois) des voiles obliques de défoliants. Tu voudrais dire ça à Treize, dis-tu à sa fille, mais tu n'oses pas. On hérite de la mort, on n'y peut rien, on voudrait pouvoir le refuser, cet héritage dont on sent qu'il va vous empoisonner la vie, mais on ne le peut pas : je n'osais pas dire ça à ton père, le mien, après tout, avait été un « militaire colonialiste », sa mort ne pesait pas plus qu'une plume, comme disait le Grand Timonier, il n'y avait pas lieu d'épiloguer. Mais tu te demandes vaguement (tu n'oses pas, et sans doute ne peux-tu pas te poser claire-ment la question) si ce n'est pas tout de même à cause de cette mort absurde dont tu as hérité, que tu n'as pas pu refuser, dans laquelle tu es pour ainsi dire né, que tu te trouves à présent (autrefois) assis dans une Citroën blanche volée à griller des Gauloises, attendant une émission-pirate qui ne vient pas. Car ça ne venait décidément pas. Il a bien fallu vous décider à lever le camp. On a su après, je ne sais plus comment, dis-tu à la fille de Treize, que notre émission avait été captée dans l'immeuble, pas au-delà. C'était un grand immeuble, une barre, mais quand même... Et est-ce qu'il t'aurait compris, si tu lui avais parlé ? te demande-t-elle. Je ne sais pas, comment veux-tu que je sache ? Mais je crois que oui. C'est pour ça qu'il était et qu'il reste mon ami éternel.

Et pendant que tu racontes ces histoires que scande le métronome d'une jeune jambe au rythme d'une de ces musiques qu'on passe dans les fêtes de vieux, Cesaria Evora ou Paolo Conte, ou Alain Souchon pour faire plus peuple, ou un bon vieux Rolling Stones pour rappeler qu'on a été jeunes nous aussi, ou alors Richard Anthony ou Françoise Hardy, tous les garçons et les filles de mon âge, pour l'ironie (et il se peut que tu les adresses, ces histoires, à cette jambe gracieuse et à l'autre sur laquelle, croisée, elle bat, à rien ni personne d'autre, il se peut que ces jambes qui font jaillir tant de lumière de la courte toile noire de la jupe soient le reflet lointain de celles de Chloé, comme les signes d'une parenthèse qui se ferme, où aura tenu presque toute ta vie), pendant que tu parles ainsi les masques continuent leur danse lente de cyprins dans la profondeur du miroir, trouble comme celle d'une eau pas changée depuis longtemps. Nagez, vieilles squames ! C'est à des poissons que vous faites songer désormais, quelque vivacité nerveuse encore sous l'écaille, dans la mâchoire, mais des ventres blancs et mous et des yeux globuleux, des poches et plis et des rictus de carpes. Et votre nage paresseuse laisse dans son sillage s'épanouir des nuages d'excréments. Amédée, là, qui ne restera que quelques instants, c'est un homme trop important désormais pour s'attarder, mais c'est gentil à lui d'être venu (chacun, pas seulement Judith, en ressent une secrète satisfaction d'amour-propre), Amédée serait plutôt un brochet. Mandibule osseuse, profil hydrodynamique, gare à vous les gardons... Tu ne le revois plus depuis longtemps, la vie, comme on dit, vous a séparés, tu l'aimes bien, cependant : il a parlé avec faveur d'un de tes livres. Journaliste célèbre aujourd'hui, cultive l'apparence d'un capomaffia, cheveux gominés, costards croisés, grosses chevalières.

Sa voix grasseyante est devenue une de celles de la République. On a rêvé des choses si déraisonnables, dis-tu à la fille de Treize. Qu'on tuerait, qu'on serait tués. Et puis tu vois, finalement, Amédée nous impressionne parce qu'il est un notable, c'est aussi banal que ça, un notable, même, qu'aucune femme du monde ne descendra avec un revolver à crosse de nacre, comme c'est arrivé à Calmette autrefois. Qui ? C'était un patron du *Figaro*, peu importe. Et il ne provoquera non plus personne en duel, comme Clemenceau le faisait, ou encore Defferre. Il en serait peut-être capable, va savoir. Mais c'est l'époque. Moi si je faisais de la politique, dis-tu à la fille de Treize, j'inscrirais l'autorisation du duel dans mon programme, et même l'encouragement au duel. Des dégrèvements fiscaux pour chaque rencontre sur le pré. Tu la vois se raidir, au bord du billard. La mort, c'est le grand Satan, pour ces fraîcheurs. Sûr qu'elle ne voterait pas pour toi. Eh bien tant pis. Allez vous faire foutre. Votez Verts si ça vous chante, les enfants. Votez pour la salade. Moi, je vote Pouchkine, merde ! Et cet autre poisson, là-bas, épinoche tout en arêtes, avec en proue un petit masque de peau tendue, craquelée, cireuse, dans quoi tournent des yeux inquiets, c'est Chloé, oui, ton premier amour. Elle est serveuse dans un bistro du côté de la porte de la Chapelle, maintenant. Et ce mérou qui nage à grands remous, ventru, pochelu, barbelu, c'est César, le fameux architecte, l'homme le plus vaniteux et le plus généreux du monde. Et là-bas, Max, il est éditeur, une tronche à ne pas se ruiner en eau minérale, c'est sûr, l'air endormi entre deux vins, mais ne t'y fies pas, il enregistre tout, la vieille rascasse, ses petits yeux latéraux mi-clos, ses ouïes hérissées de buissons d'antennes, fais gaffe à toi si tu passes à portée de sa gueule ! Tous ces êtres amphibies portent dans leur corps, leur visage vieillissants, quelque chose de ce qui fut leurs traits de jeunes gens : quelque chose d'une netteté ancienne dont le dessin s'est brouillé. Certains, pas trop éloignés encore de l'original, en sont la caricature, tandis que chez d'autres, entièrement retapissés par l'approche de la mort, ne subsiste de leur apparence d'autrefois qu'un détail dissimulé – dans le regard, souvent – dont la découverte laisse soudain pantois, gêné comme si l'on avait été le témoin involontaire d'une chose obscène. Et on ne sait pas lequel, des partis pris de la mémoire, est le plus étrange : selon qu'elle préfère reconnaître, en dépit de tout, le jeune homme dans l'enflure qui usurpe son nom, ou qu'au contraire elle s'y refuse malgré les preuves qu'on lui apporte (comme Pompabière, tout à l'heure, aussi incrédule devant cette espèce de Daladier – toi – là, dans son bistro, que Marcel découvrant, dans les salons du prince de Guermantes, le hautain d'Argencourt devenu un « sublime gaga »). La fille de Treize arrondit les lèvres, expulse un parfait rond de fumée. Hum… Elle clope comme un petit mec. Et toi qui as arrêté depuis un an, parce que ça clapotait trop là-dedans, dans la caisse… Tu es à l'âge prophylactique. L'âge des clubs de gym et des examens du côlon…

Les voix semblent être ce qui a le moins changé, la voix perchée, flûtée, de Judith, la voix grasseyante d'Amédée, la voix couinante de Foster… celle de Fichaoui-dit-Julot, avec comme une sorte de taie dessus. Et pourtant c'est impossible. Quelqu'un qu'on ne connaît pas, qu'on n'a jamais vu, on peut lui donner un âge, au téléphone, à cinq ans près : alors, à vous aussi, forcément. Tu as l'impression d'entendre leurs voix d'autrefois, celle de Fichaoui commentant l'échec de l'émission pirate avec un humour désinvolte qui n'était pas beaucoup de mise à La Cause, passant sa main dans des cheveux qui devaient être gris déjà, blancs, non, mais gris, sans doute, celle de Foster annonçant je ne sais quel « plan de lutte-critique-réforme » (inutile d'essayer de t'expliquer ce que c'était, dis-tu à la fille de Treize, d'ailleurs, je ne sais plus, un machin hérité du pire christianisme, du christianisme de mortification. On en prenait un et on ne lâchait plus avant qu'il ait fait son auto-critique), la voix de Judith te disant... tu ne sais plus ce qu'elle te disait, ni ce que toi tu lui disais, lui soufflais, en ce temps-là, quels mots, avais-tu des mots d'amour en ce temps-là ? Passant ta main dans les cheveux qu'elle avait longs, glissant sur l'épaule, laquelle, tu ne te souviens plus, pour cascader entre les seins, et tu as oublié aussi comment étaient ses seins – mais jolis, sûrement. Et maintenant, tout à l'heure, ce qu'elle t'annonce c'est qu'elle va se faire opérer des genoux, et toi pour ne pas être en reste, pour dire quelque chose d'aimable, qui manifeste que tu es logé à la même enseigne, te voilà à papoter sur tes hernies discales... Seigneur... Tu as l'impression d'entendre vos voix d'autre-fois, mais ce que tu entends en vérité, c'est le souffle du temps. Le grand cachalot ! Et soudain une nouvelle vision se superpose à celle de l'aquarium : vous êtes une vivante collection d'ex-voto. Il y a en chacun de vous un organe, une faculté en quoi se concentre et s'affiche la maladie du temps, comme les bras cassés, les pieds-bots, les yeux aveugles, les goitres de fer-blanc par lesquels la piété popu-laire en appelle à Dieu d'une disgrâce de la chair. Une par-tie de votre corps fait image et prière, une partie de chacun de vous est clouée au mur de la vie, en muette supplication. Ces flétrissures, dans les miroirs où vous vous rasez, vous maquillez, vous les avez vues éclore à la surface de vous :

incrédules d'abord, et puis intrigués aussi, et enfin presque honorés, au début (comme des enfants contents d'être malades) : c'était le temps, ce vieux protagoniste de l'Histoire, pas n'importe qui en somme, qui vous rendait visite, à vous personnellement. Mais bientôt, fini de rire. Cette lèpre-là s'installait, prenait ses aises chez vous, foutait tout sens dessus-dessous. Yeux larmoyants, paupières enflées, festonnées, baldaquins... cernes couleur de vieux jambon, couperose, tortillons pileux tirebouchonnant hors des narines, des oreilles... houppettes de cheveux comiquement hérissés... pâte à crêpe enveloppant les traits... fanons, tavelures... rides, pattes-d'oie... toutes ces cochonneries, ce kit du devenir-cadavre... rien que pour la gueule... ne parlons pas du reste, catarrhe, jambes variqueuses, panses flatulentes, bras en drapeau, vertèbres mal graissées, obligeant à marcher cassé comme un laquais : tout ce pitoyable bric-à-brac, c'est vous. L'attirail... Les voix semblent être ce qui a le moins changé, mais c'est impossible. Une fois, racontes-tu à la fille de Treize, on avait préparé un formidable haut-parleur pour faire peur aux matons de la Santé, où étaient emprisonnés des camarades de La Cause, dont Foster (ils auraient bien dû se le garder, celui-là). En fin de compte, ils étaient assez peinards derrière les murs, bien plus qu'avant leur arrestation, en tout cas, ils avaient des visites et des livres à lire, plus de comptes à rendre, d'autocritiques à faire, de coups à prendre, c'est comme s'ils étaient dans une clinique psychiatrique : un peu austère, d'accord, n'empêche ils n'avaient qu'une peur c'est qu'on soit assez fous pour essayer de les libérer, et assez chanceux pour y parvenir (ils nous surestimaient)... Et puis il y avait Béatrice, l'avocate aux yeux jaunes, belle comme une louve... Ah... On en était tous amoureux, seulement ceux

qui étaient sous les verrous avaient le droit de la voir plusieurs fois par semaine, quand nous, dehors, on en était
réduits à rêver d'elle... Je suis sûr qu'il y en a qui se sont
laissé arrêter rien que pour avoir des parloirs avec elle... Ce
n'est pas Foster qui m'a raconté tout ça, bien sûr, jamais eu
assez d'humour pour ça, non, c'est Danton, le type un peu
dodu qui est en train de parler avec une jolie rousse, là-bas,
tu vois ? Ah, Danton aussi, je l'aime. Personne ne connaît
Mozart comme lui, ni Schubert. Ce n'était pas un féroce.
Plutôt un jouisseur, comme son illustre homonyme. Il
aurait été guillotiné à Paris en 1794, fusillé à Moscou en
1936. Au début de toute cette histoire il nous arrivait
encore, avec lui, Angelo et Treize, d'aller nous arsouiller au
Harry's Bar. Si Gédéon l'avait appris, on était bons pour
une autocritique carabinée... Sans compter la suite. On ne
coupait pas à Sochaux-Montbéliard, les usines Peugeot
c'était notre Sibérie à nous. Ça rendait encore plus grisants
les cocktails qu'on s'enfilait, des Blue Lagoon, des Alexan-
dra... des choses qu'on boit quand on est jeune pour se
donner l'air vieille star. Une fois, on était tous les quatre
– non, il y avait aussi Nessim, bien sûr, il était beaucoup
plus calé que nous en cocktails et tout ce qui va avec –, tous
les cinq, donc, accroupis gerbeux au-dessus des caniveaux
de l'avenue de l'Opéra, les gueules plates des camions à
ordures de la SITA avançaient lentement vers nous, sous le
papier carbone de l'aube, environnées par les cris des
boueux, le choc des poubelles de tôle et les ronflements des
mâchoires électriques, et Angelo a déclaré qu'on avait l'air
des oies du Capitole en train de regarder passer les éléphants d'Hannibal et ça peut paraître idiot, dis-tu à la fille
de Treize, ça n'était qu'une plaisanterie de khâgneux mais
j'aimerais bien rire encore une fois ou deux dans ma vie

comme on l'a fait ce matin-là, entre deux hoquets bilieux, au-dessus du ruisseau reflétant le ciel bleu-violet qui commençait à rosir du côté des Grands Boulevards... Nessim, son père, un banquier libanais, possédait un château tarabiscoté, assez laid, du côté de Fontainebleau. Montargis, peut-être ? Il y avait dans le parc un étang avec des poules d'eau, une fois tu avais vu le père de Nessim revenir d'y pêcher : un domestique le suivait, portant la canne et un brochet posé sur un plat d'argent. Si Lucien des TEE avait vu ça... Toi-même, à vrai dire, tu n'en croyais pas tes yeux. Tu ne pensais pas que ça pouvait exister des riches comme ça, aussi expressionnistes. Des ploutocrates sortis en chair et en os d'un tableau de Grosz. Qu'est-ce que Nessim foutait à La Cause ? Il avait dû se sentir attiré vaguement par cette grande chose terrible et chic qu'était la Révolution. Parce qu'il y a eu une époque où c'était « in » d'en être. L'Université en était, et de proche en proche les intellectuels et les mondains. Mme Verdurin aurait été gauchiste. Attention ! Marie, dis-tu à la fille de Treize : il y en a qui nous insultent à présent, des notables, des messieurs qui sont à l'Académie, des décorés, des engeances comme ça, ils trouvent qu'on ne valait pas la corde pour nous pendre, qu'on était des apprentis assassins, et ridicules, en plus : mais autrefois, leurs maîtres respectés étaient nos amis, philosophes, cinéastes, romanciers, alors eux-mêmes, tu penses bien qu'ils faisaient antichambre chez nous, désireux de signer, de pétitionner, de défiler, de grimper sur des tonneaux, de distribuer le journal, de paraître dans le coup : comme ils le seraient plus tard, les temps ayant changé, d'avoir des décorations, des ambassades, des exemptions d'impôts, simplement des invitations à dîner... Ils ne nous trouvaient pas si répugnants que ça, à l'époque où on était un peu dangereux. Ils versaient le denier du culte… Nessim n'était pas le seul héritier à tourner autour de vous. Une fois, tu te souviens que vous aviez fait une grande réunion, un comité central ou quelque chose comme ça, dans une maison appartenant à une branche de la famille Rothschild. Carrément. La fille, étudiante à Vincennes, était sympathisante de La Cause. C'était du côté de Saint-Cloud, on voyait des golfeurs passer au loin sous des ombrages bleutés, des êtres irréels au fin fond de pelouses avec des massifs de fleurs comme des îles tropicales. Quand il n'est pas haineux, le petit-bourgeois est craintif : vous étiez plutôt épatés, impressionnés, craignant de casser quelque chose. Dans vos petits souliers. Mais pas les prolos. Il y avait là Pompabière, Momo Mange-Serrures, Reureu l'Hirsute, la bande d'Issy. Très à l'aise, eux. A leur affaire. Ils avaient fracturé la porte de la cave (Momo tirait son surnom de ses dispositions en ce domaine) et fauché des dizaines de bouteilles. Des mouton-rothschild, des pétrus, des haut-brion, rien que des bordeaux hors de prix, mais ils n'avaient pas la moindre idée des trésors que c'était. Ils trouvaient que les bouteilles, toutes poussiéreuses, étaient « mal entretenues ». Elles leur salissaient les doigts, à ces délicats… Des richards pareils, ils auraient quand même pu payer quelqu'un pour les épousseter, à leur avis… Ils se doutaient que pour arroser le calendos du matin, ce serait mieux que le Gévéor (ou le Kiravi) en litres étoilés qu'ils s'envoyaient d'habitude, c'est tout. Alors, comme je te disais, racontes-tu à la fille de Treize, Foster avait commencé une grève de la faim à la Santé. Danton aussi, bien obligé, mais mollement, il se tapait de l'eau sucrée en douce. Dans sa tête, il inventait des recettes de cuisine faramineuses. On avait donc, pour soutenir leur mouvement, acheté deux haut-parleurs, ce qu'on avait trouvé de plus énorme : pas aussi gigantesques que ceux dont les Nord-Coréens se servaient à l'époque pour vanter, par-dessus la zone démilitarisée, les beautés de leur grand mouroir socialiste, mais tout de même de quoi se faire entendre. L'idée était d'installer cette sono sur un toit près de la prison, pour envoyer des messages à tout le monde, copains et gardiens. Et avant, on était allés les essayer à la campagne, en Normandie. Blitz nous avait prêté sa maison. Le célèbre producteur. Enfin, à l'époque, il n'était pas si célèbre. Il faisait des films sur des grèves, ce n'était pas avec ça qu'il allait casser la baraque. On avait cherché un endroit bien désert dans les environs, sur une petite route qui datait du temps des carrioles à cheval, et puis on avait envoyé la sauce. C'était Treize qui avait enregistré le message. Du style direct, efficace, sans fioritures. Matons, gare à vos roustons, ce genre-là. Ah, là, on entendait ! Pas du tout discret comme l'émission pirate ! C'était Big Brother ! Mais alors, il s'est passé un truc inattendu : toutes les vaches du coin ont prêté l'oreille et hop ! Au galop ! On les voyait foncer vers nous du fin fond de l'horizon ! Sauter haies, fossés ! Hypnotisées par nos haut-parleurs ! Le sol tremblait sous les sabots. La frousse qu'on a eue ! On a coupé le son, elles se sont arrêtées aussi sec : comme si on les avait débranchées. D'un seul coup, toutes à brouter, peinardes, l'air de rien. Apparemment il y avait quelque chose dans nos braillements, une longueur d'onde, ou une fréquence, qui les attirait prodigieusement. Ou alors c'était la voix de Treize. C'était peut-être l'Orphée des vaches, ton père.

Sur ces entrefaites voici que passe, précautionneux, tenant par le pied un verre à vin, t'adressant un sourire malade, Winter. Winter était autrefois un mince et beau jeune homme, avec dans les traits une délicatesse féminine. On l'aurait bien vu dans le rôle de saint Sébastien (ou de Saint-Just, d'ailleurs). Quelque chose, une fragilité douloureuse, qui semblait appeler le martyre. Une peau pâle et transparente, une peau de fille, se moquaient les autres. Il avait abandonné ses études pour « s'établir », comme on disait, à la Lainière de Roubaix. Il habitait un meublé dans une maison de brique au bord d'un canal, avec une ex-lycéenne établie elle-même dans une biscuiterie. Une beauté XIXe siècle, mélancolique, longs cheveux sombres retenus par un élastique sur la nuque fragile, paraît-il, paraissait-il (tu ne l'as jamais vue), gracile, peau d'ivoire sous laquelle on devinait les nervures bleu-vert du sang, une retenue qui n'existe, symétriquement, que dans certaines familles de l'aristocratie et d'autres du peuple, et c'était son cas à elle : parents mineurs. Et tu sais, dis-tu à la fille de Treize, ce qui plus que tout est beau chez une jeune fille : la sveltesse de la taille. Qu'on puisse presque joindre les mains autour. C'est par la taille qu'on vieillit : quand ça commence à s'appeler le ventre. Et elle avait la taille ainsi, mince comme un jonc, Cosette. Oui, Cosette, c'est le nom que ses parents lui avaient donné. Parce que certains livres, autrefois, aidaient à croire en un avenir humain. Tu ne peux déjà plus comprendre ça, toi, dis-tu à la fille de Treize : hein ? Déjà trop loin des livres, non ? Elle te sort un bout de langue rose triangulaire, entre des lèvres que tu aimerais bien suivre du doigt, sous une narine percée d'un petit clou brillant : Fuck ! OK, elle a raison. Tous les matins, après avoir déverrouillé l'antivol de leurs Mobylettes, ils s'étreignaient longuement, dans le brouillard jaune du canal – l'air, le matin, était comme une tache de graisse. Leur amour naïf, solennel comme toutes les jeunes amours, énervait un peu les autres : ceux qui, n'en ayant pas, les jalousaient, ceux qui affectaient le cynisme, ceux qui étaient déjà lassés d'amours décevantes. Un jour vint où Gédéon, s'inspirant des folies de la Chine, décréta une mesure à laquelle il donna le nom ridicule de « paire rouge » : il s'agissait de placer chaque jeune « intellectuel » sous la tutelle d'une sorte de précepteur (ou de commissaire politique) ouvrier. Foster et d'autres s'en furent porter la prédication dans les provinces, y ajoutant, comme c'est presque toujours le cas des coadjuteurs, un surcroît de rigorisme. Dans le Nord, certains y virent l'occasion de séparer Winter de sa lycéenne. Peut-être pas vraiment par méchanceté : plutôt pour voir, pour tester leur discipline, avec un peu de malin plaisir tout de même. On exigea qu'elle déménage à Valenciennes pour se placer sous l'autorité d'un semi-illettré : Barouf n'était même pas prolo, mais chef de rayon chez Auchan (ou peut-être chez Intermarché ?). Il portait volontiers, chose étrange parmi vous, de larges cravates multicolores sous des vestes cintrées, était fier de ses rouflaquettes et détestait les « intellectuels ». Ce qui paraît incompréhensible à présent, c'est qu'ils obéirent. Mais on était comme les jésuites, tu sais, *perinde ac cadaver*. Cosette quitta la maison sur le canal. Winter crut devenir fou. Au début, ils se donnèrent des rendez-vous. Mais en Mobylette Valenciennes est loin de Roubaix. Et puis, en se pliant à cet ordre absurde au nom d'une abstraction révolutionnaire, ils suspectaient qu'ils s'étaient trahis l'un l'autre : de la honte, de la rancœur entrèrent dans leur amour, commencèrent à le corrompre. A Valenciennes, Cosette habitait un appartement collectif : ils se rencontraient dans des bistros bruyants, embués.

Des ivrognes titubaient, les insultaient : deux filles... La vulgarité de cette vie soudain les laissait au bord des larmes. Ils s'embrassaient encore mais furtivement, malheureusement, avec une gêne qu'ils n'avaient jamais eue. Il pleuvait, le monde était étroit et noir, barré de fumées. Tant qu'ils avaient été ensemble, ce vieux paysage industriel du Nord ne les avait pas accablés, ils y sentaient même confusément, me raconterait bien plus tard Winter, quelque chose comme une rude et laide coquille au sein de quoi leur amour était protégé ; mais à présent qu'ils étaient séparés, ces lugubres horizons ne leur inspiraient plus qu'angoisse et dégoût. Elle tomba malade, ils ne se virent plus pendant deux mois, ils ne se virent plus jamais. Winter, à présent, est un prof vieillissant – pas encore tout à fait un vieux prof, mais c'est pour bientôt, il le sait et il s'en fout, attend ça avec lassitude. Il est supposé enseigner les lettres, à Lille, à des petits loubards plus intéressés par les arts martiaux que par Baudelaire ou Apollinaire. Il est toujours pâle et fragile, ce qui ne contribue pas à renforcer le respect que lui consentent ses élèves, mais l'alcool a mis dans sa silhouette une enflure diffuse. Winter boit, beaucoup, seul, sans joie, sans fureur non plus. Il avale ça comme des médicaments, et d'ailleurs ce doit être le cas. Il a entrepris une nouvelle traduction de L'Énéide que sans doute, de son propre aveu, il n'achèvera jamais. Il parle comme en rêve, d'un ton toujours égal, un petit sourire aux lèvres, absent, tirant doucement sur une pipe, puf, puf. Ses yeux semblent vous regarder de derrière une voilette. Regarde ses yeux, dis-tu à la fille de Treize : on dirait qu'il y a de la gaze dessus. On dirait qu'ils ont été bouillis. Winter est un fantôme. Il n'a jamais oublié Cosette, ne s'est jamais pardonné de l'avoir laissée partir. Et remarque, il a raison de ne pas se pardonner : on peut pardonner aux autres si on veut, si on est porté à ça : mais pas à soi. Il avait peur de la vie, comme beaucoup d'entre nous, et il jetait là-dessus des oripeaux héroïques. Ça lui semblait peut-être trop beau, cette histoire, cet amour, trop effrayant. C'est étrange mais on n'avait pas été formés à accepter le bonheur sans discuter. Mais pourquoi ? te demande-t-elle. Ça, je n'arrive pas à le comprendre. Mais parce que, je ne sais pas, suppose par exemple qu'il n'y ait pour l'humanité, à un moment donné, qu'une certaine quantité de bonheur disponible, disons un milliard de mégawatts – je dis n'importe quoi : si tu en prends trop pour toi, tu voles les autres, tu tires sur leur petite ration, tu comprends ? Et alors ils ont du mal à s'éclairer, à cause de toi. On peut voir les choses comme ça. C'est complètement débile, te dit-elle : c'est au contraire en étant heureux qu'on aide les autres à l'être. Tu as la preuve de ce que tu avances ? lui dis-je pour l'énerver. Vos petits arrangements avec le bonheur sont trop simples aussi. Enfin, peu importe. Winter est un type foutu depuis longtemps. C'est pour ça que je l'aime bien. Ton père aussi, après tout, je te rappelle que c'est un type drôlement foutu (je ne sais pas pourquoi je ne peux me retenir de cette grossièreté). Il y a des tas de choses que je ne saurais pas bien dire, dis-tu à la fille de Treize, je ne saurais pas les dire parce que je ne saurais même pas vraiment les penser, il faudrait pour ça que je vive bien plus longtemps que je ne vivrai, je ne suis pas un rapide, je meurs plus vite que je ne pense. Parmi ces choses, il y a ça : il doit y avoir un rapport entre votre culte naïf du bonheur individuel, à vous autres les ultra-modernes, et le fait que vous soyez si foutrement ignorants de ce que c'est que l'Histoire. Parce qu'il y a du tragique là-dedans, Prométhée et toute la suite, désolé, ça ne marche pas qu'à l'épanouissement individuel. Mais vos modèles à vous, vous les trouvez dans la pub, cette espèce d'éternité de pacotille qui est le contraire de l'Histoire. Alors là, évidemment, c'est le bonheur à tous les étages. Mais ça ne marche pas comme ça, l'humanité, merde, on n'est pas des top modèles... Les saints, les héros, les révolutionnaires, ce ne sont pas forcément des petits mecs bien équilibrés... pétant de santé... levés de bonne heure, cheveu souple et menton bien rasé... Tu commences à devenir pontifiant, te fait-elle agacée, secouant au bout de sa clope une trompe de cendre. Elle a peut-être raison. Fais gaffe à ne pas tourner vieux con. Vas-y mollo, comme on disait dans les films d'autrefois, les polars où il y avait Gabin et Lino Ventura, où on perçait des coffres-forts avec le chapeau incliné sur la clope... Ou bien encore : « Doucement les basses. » Ton oncle disant ça, levant l'index, levant sa dextre du volant de faux ivoire de la Frégate Renault en route cahin-caha vers la côte d'Émeraude, ta mère assise à ses côtés, entre Avranches et Pontorson, le mont Saint-Michel en ligne de mire, au-dessus des prés salés, lorsque vous commencez à faire trop de raffut derrière, toi et ton frère. Sièges en plastique jaune et noir (on dit « paille et noir », ça fait plus chic). Ta mère assise à la « place du mort » (mais c'est l'oncle qui est plus véridiquement à la place du Mort, du Mort majuscule), fumant sans discontinuer des cigarettes anglaises. Les bornes-glace à la fraise défilant, d'ailleurs assez lentement, sur la « route de la Libération ». Sur le tableau de bord, pour retenir les paquets de Players de ta mère, une sorte de petite barrière en plastique ondulé. « Matière plastique » : ce mot-là veut dire « modernité ». Ta mère est contre. Pense que ça donne le cancer. La « modernité », pour elle, c'est plus ou moins tout ce qui est advenu depuis la mort du lieutenant. La modernité est un torrent impétueux dans le fil duquel elle a depuis longtemps perdu pied. Fais gaffe à ne pas te noyer comme elle dans le courant du temps, penses-tu aujourd'hui. Ta vie à peine commencée et déjà marquée, comme les viandes de boucherie, à l'encre violette de la mort, en un lieu que tu ne connais pas, dont tu ne connais même pas le nom, un fleuve d'Extrême-Orient dont on te cache le nom, dont le nom semble honteux parce qu'il veut dire « guerre coloniale » et qu'une guerre coloniale est déjà, dès cette époque, une chose dont on ne se vante pas, une chose pas prévue au programme de la vie et de la mort « pour la France », dans certaines familles tout au moins, un fleuve d'Extrême-Orient sur le delta duquel, vingt-cinq ans plus tard, pleuvront des voiles obliques de défoliants et des essaims de bombes à billes, sans que tu oses dire à Treize, dans la Citroën blanche volée, qu'à certains égards tu étais né là-bas, né à une vie bizarre que sa fille, penses-tu aujourd'hui, un jour aussi lointain dans le futur que l'était alors celui de la mort de ton père dans le passé, ne comprendrait plus. Mort pour la France... Mort pour des prunes, oui. Ou pour des piastres. Tué par son propre obus, en plus. Mais ça tu ne le sais pas à l'époque, évidemment. Ta mère fume, silencieuse, nerveuse, à jamais détruite : ayant absolument, rigoureusement décidé qu'elle le serait, sans doute. Ta vie à peine commencée et déjà marquée... Mais pourquoi, marquée ? Elle, la fille de Treize, après tout, son père est mort aussi quand elle était gamine, pour des raisons qu'elle ne connaît pas, et pourtant elle a décidé qu'elle ne serait pas marquée, que le bonheur serait sa réponse à elle. Bonne chance ! L'oncle, un vrai Français, pas héros pour deux sous, ça l'énerve prodigieusement, ce côté dramatique de sa sœur. Son beau-frère, il en a jusque-là. Encore plus encombrant mort que vivant. Obligé de faire le chauffeur des mômes, en plus... Fait sauter les vitesses (la boîte de vitesses était le point faible de la Frégate Renault). Rrrrraccc! Salade de pignons! Le corbillard à « flancs blancs » pour bourgeois post-Libération continue cependant son chemin hoquetant, cafouillant, mâchant ses dents vers l'Ouest. Ton frère et toi, vous vous tirez les cheveux, puis faites mine de dégueuler un peu sur le plastique « paille et noir » des sièges arrière. « Doucement les basses », énonce l'oncle, levant sa dextre du cercle de faux ivoire du volant. Une odeur de caoutchouc brûlé flotte dans l'habitacle. Les voitures, autrefois, sentaient toujours le caoutchouc brûlé. Ou alors (et en même temps) le chien mouillé. Mais le chien mouillé, c'était l'odeur normale, l'odeur RAS, tandis que le caoutchouc brûlé c'était le début des ennuis. Quand par hasard on ne percevait pas une nuance de caoutchouc brûlé, on avait tellement peur de la sentir qu'on finissait par la sentir. Ta mère fume des Navy Cut à bout de liège. « Tu ne crois pas que ça sent le caoutchouc brûlé » ? demande-t-elle à ton oncle, sur un ton qui manifeste qu'au fond ça lui est complètement égal, toutes ces histoires mécaniques. Et le reste, pendant qu'on y est.

A quoi rêves-tu, te demande la fille de Treize. A rien. A des souvenirs d'enfance. Winter a acheté la maison sur le canal. Il l'a aménagée, embellie. C'est là qu'il vit, seul, ou alors peut-être de temps en temps, quelques jours par-ci, par-là, avec une jeune prof, ou même une de ses élèves, je n'en sais rien. C'est là qu'il se saoule, seul, c'est là qu'il attend le retour de Cosette. Il traduit Virgile en regardant la pluie tomber sur le canal, il traduit jusqu'à ce que l'ivresse brouille ses yeux et son esprit. Son retour, je ne crois pas qu'il l'espère vraiment, mais il l'attend : ce n'est pas tout à fait la même chose, n'est-ce pas ? On peut attendre une chose qu'on n'espère plus, c'est même exactement ça qui est humain, à mon avis. Je sais de quoi je parle. De quoi tu parles, te demande-t-elle. Plus tard. Je te dirai plus tard. Et la mort, regarde : on l'attend sans l'espérer. Enfin, en général. De qui je te parlais ? Avant Winter, je veux dire. Elle ne sait plus. Tout ça trop embrouillé. Mais c'est la vie qui est ainsi, Marie, cette pelote emmêlée... C'est quand tu n'y comprendras plus rien, quand tu confondras tout le monde, que tu auras une idée de comment on était, de comment était ton père, entre autres. C'est exactement ça que je veux te dire : comment était ton père entre autres, entre nous. Portrait de groupe avec Treize. Ah, je me souviens, je te parlais de Nessim. Il ne faisait pas partie du premier cercle de La Cause, ni même du second. Trop riche, et puis trop poltron aussi. Le chapitre des bagarres de rue n'était pas ce dont il était le plus amateur dans le roman feuilleton de La Cause. Il s'y rendait de temps en temps, tout de même, pour rester dans le coup, muni d'une espèce de canne-épée à pommeau d'ivoire achetée aux Puces. Il s'arrangeait pour arriver en retard, lorsque le sort des poings américains et des gourdins avait tranché. C'était gentil de sa part de venir. Personne ne l'y obligeait. Il vous gênait même un peu, avec ses blousons en peau de zébu et ses foulards de soie, pour faire Apache... Vous l'aimiez bien, il était le compagnon de vos beuveries clandestines, c'était même lui qui payait l'addition, mais c'était quand même ce que vous appeliez avec un peu de mépris un « sympathisant » : une pomme pas vraiment digne de confiance, mais taillable et corvéable à merci. Il avait une vieille Bentley des années cinquante, tu l'avais obligé à la vendre pour alimenter les caisses de La Cause, moins la boîte à outils que vous aviez gardée, un coffret d'acajou enfermant une collection de pinces et de tournevis très pratiques pour bricoler revolvers et mitraillettes. Surtout, il louait une petite maison dans le XVIe arrondissement, non loin du domicile du général en retraite Chalais, PDG d'Atofram. Tu avais donc un jour annoncé à Nessim qu'il avait été choisi pour accomplir un grand destin. Cette Annonciation eut lieu chez lui, tu étais venu avec Treize pour donner plus de poids à la chose. Nessim était vêtu d'une robe d'intérieur grenat et chaussé de babouches. Il vous avait servi des bourbons, verres et bouteilles tintinnabulant sur un plateau d'argent. Eh bien, de quoi s'agit-il, vous demandait-il en caressant son fin collier de barbe. Il avait une tendance à la solennité qui lui venait de son éducation avec valets de chambre. Il était flatté mais inquiet. Si on allait encore l'obliger à vendre quelque chose… Tu ne savais pas par où commencer. On a décidé d'arrêter un ennemi du peuple. Naturellement, on ne peut pas révéler son nom. C'était un bon début. Il aurait l'honneur, lui, Nessim, de mettre sa maison à votre disposition comme base de départ. Inutile de lui préciser qu'il était désormais astreint au secret sous peine des pires châtiments. Il pouvait encore refuser, mais il fallait qu'il le fasse dans la minute. Nessim était blême. Avec un pan de son peignoir grenat il essuyait compulsive-ment, les ayant ôtés de son front moite, les verres de ses lunettes cerclés d'acier. Il n'avait pas imaginé que ses com-pagnons de saouleries occasionnelles lui feraient un jour la vacherie de cette confiance. Il remettait ses lunettes, vous regardait fixement, comme s'il doutait que ses tourmenteurs fussent bien vous : toi et Treize. Pas d'erreur. Et quel serait... euh, en quoi consisterait... son rôle ? Le cas échéant ? Pour ces détails, tu avais passé la parole à Treize : distribution des tâches qui faisait assez professionnel, à ton avis. Nessim était affolé, mais en même temps c'était ce genre d'émotion qu'il attendait de vous depuis longtemps. Pour aller s'arsouiller au Harry's, il n'avait pas besoin de vous. Il accepta. Et qu'est-ce qu'il est devenu, celui-là, te demande la fille de Treize. Il n'est pas ici ce soir ? Oh, il est mort. Assez vachement mort, même. Balancé dans le vide par une fenêtre de la tour Murr, à Beyrouth. Voilà où ça l'a mené, toutes ces histoires. C'était la mauvaise conscience qui avait fait de lui une manière de révolutionnaire. Dégoûté par l'injustice que représentait l'argent de sa famille. La Bentley, en fin de compte, ça ne lui avait rien fait de la vendre. Les bagnoles, il les jetait comme des chemises. Il avait eu sa première, une Austin Healey, à quinze ans. Au Liban, quand on est un gosse de riche, on peut conduire une Ferrari en culotte courte. Il est retourné à Beyrouth en pleine guerre. Côté « palestino-progressiste », bien sûr. Ne me demande pas ce que ça veut dire : ça ne veut rien dire. Ce qu'il avait retenu de nous, Nessim, c'est qu'il fallait être en guerre contre le plus intime de soi. Et il avait honte d'être heureux sur le dos des autres, lui aussi, honte d'avoir toujours eu des peignoirs en soie et des voitures décapotables et des gouvernantes puis des maîtresses qui allaient avec tout ça, et est-ce que c'était vraiment mauvais, cette honte, toi tu dois le penser, dis-tu à la fille de Treize, mais moi je ne sais pas, je n'en suis pas si sûr. Est-ce qu'il ne faut pas être en guerre contre soi, et pas seulement quand on est un riche héritier ? Toujours est-il qu'il s'est enrôlé dans le camp de ses pires ennemis. Oh, il n'est pas devenu sniper, ce n'était pas son genre, mais il a rendu des services, je ne sais pas lesquels. Il s'est engagé de ce côté précisément parce que c'était celui de ses ennemis. Plus précisément : parce que c'étaient les ennemis de la part de lui-même dont il voulait être ennemi. Musulmans quand il était chrétien, gueux, prétendument, quand il était riche. Tout ça était idiot, naturellement. Le chef du parti « progressiste » était le plus grand féodal du pays, pendant qu'il faisait distraitement liquider quelques membres de la famille de Nessim ses chevaux couraient l'Arc-de-Triomphe, et lui-même se retrouvait avec le père de Nessim aux ventes de Deauville ou de Chantilly, flattant l'encolure des mêmes yearlings comme ils avaient flatté le cul des mêmes dames damascènes, et ce n'est pas la peine de me regarder comme ça, dis-tu à la fille de Treize, ce que je viens de dire n'a rien de spécialement machiste : d'abord c'est la vérité, ensuite c'est de l'Apollinaire, OK ? Vêtus tous deux de flanelle grise, images jumelles clichées dans *Jours de France* pour exciter l'imagination antiploutocratique de Lucien des TEE. Il y avait deux gratte-ciel, deux tours plutôt, qui se faisaient face au-dessus des ruines de Beyrouth, de chaque côté de la ligne de démarcation. Béton crevé, incendié, cloqué, sinistre, peuplé de tireurs d'élite : d'un côté la tour Murr, de l'autre l'Holiday Inn. La mer toute proche, grande marge mauve, calme insolite. La tour Murr était le stand de tir des « palestino-progressistes ». Un jour, on a retrouvé en bas le corps disloqué de Nessim. Qu'est-ce qui pousse les gens à marcher vers les lieux où on va les tuer, l'embuscade, l'abattoir préparés pour eux ? Méfie-toi des Ides de Mars, et on se rend pourtant au Sénat. Très peu échappent à cette inconsciente fascination : les plus instinctifs, les plus animaux. Mais Nessim, compliqué, raffiné, angoissé, était le contraire d'un animal. A partir de vous, de ce jour

– mettons – où avec Treize tu lui avais annoncé le grand destin qui lui était réservé, il avait marché, somnambule, vers ce palier de béton dévasté de la tour Murr où des types barbus, sûrement (comme lui), en treillis sans doute (quand lui préférait le prince-de-galles), probablement défoncés à l'héroïne (quand lui était amateur de cocaïne), l'aideraient à en finir avec la haine de lui-même que l'idée révolutionnaire avait cultivée en lui. Beyrouth, tu y es retourné il n'y a pas longtemps. Faire une conférence à l'Université. C'est ça maintenant ton métier : homme de lettres… Tu as essayé de reconnaître les lieux où Nessim t'avait guidé autrefois, quand tu étais venu le voir, quelques mois avant sa défenestration. Tu faisais le journaliste, alors. Vous aviez marché au crépuscule sous les empilements de conteneurs grêlés de mitraille, certains soufflés comme du pop-corn par l'explosion, à l'intérieur, d'un obus de mortier, qui formaient une muraille de tôle entre les deux parties de la ville. Et sur cette muraille rouillée de part et d'autre de laquelle Beyrouth était arc-boutée, butée dans sa haine, enterrée vive dans cette terre haineuse du Proche-Orient, on voyait peints les noms des ports du monde entier, Singapour Yokohama Pusan Dubaï Buenos Aires, les noms du grand large, de la mer allée avec le soleil et les langues du monde, comme une invitation au voyage. C'est la seule fois de ta vie où tu as vraiment entendu des balles siffler pas loin au-dessus de ta tête, ce qui s'appelle siffler, ou grésiller comme des guêpes métalliques, des vrilles cherchant le crâne, le tien personnellement, comme au début du *Voyage au bout de la nuit*. Pas agréable, mais Nessim, si poltron autrefois, était devenu curieusement flegmatique, alors tu n'avais pas osé te jeter à l'abri quand lui marchait tranquille, mains dans les poches, fumant ses Benson (à moins que ça n'ait été des

Murratti). Ce flegme, c'était la mort qui venait. Des arbres avaient soulevé le macadam, la ville retournait à la végétation. Tu as essayé de retrouver ces lieux, mais en vain. On voyait encore des immeubles tellement éventrés, béants, fondus comme de la cire de bougie, qu'on aurait dit des grottes, avec des stalactites de béton ferrailleux. Des figuiers, des acacias poussaient dans des bouts de terrains vagues, des chèvres y mâchouillaient au milieu d'un tohu-bohu automobile. Mais de tous côtés le neuf, le clinquant soulevaient les ruines. La vie, qui s'appelait aussi le fric, faisait le ménage en grand. Ici aussi on passait du temps de l'Histoire au règne de l'argent. C'était moins sanglant, il fallait le reconnaître. Ta dernière promenade avec Nessim, quelques mois avant sa défenestration, avait été coulée dans les fondations d'une ville nouvelle entre marina et centre commercial, elle était désormais du domaine de l'archéologie. Comme celle, passablement zigzagante, que tu avais faite une nuit, en contrebas d'Achrafieh, en compagnie d'un vieux médecin militaire en retraite qui avait connu le lieutenant. Ce type avait été à Cassino, il avait amputé à vif sous les murs du monastère bénédictin, il se souvenait parfaitement du lieutenant. Putain ! C'était la première fois que tu rencontrais quelqu'un, qui ne fût pas ta mère, qui puisse te parler de ton père ! Tu avais bu de l'arak avec lui, aux bougies, dans une cave où tu avais échoué après que Nessim t'eut quitté (tu ne le reverrais plus). Le médecin militaire en retraite était un fameux pochetron, il tuait sans conviction l'ennui et l'angoisse de la vieillesse en offrant ses services à une organisation humanitaire dont certains chefs étaient d'anciens camarades de La Cause. Chacun selon lui se débrouillait comme il pouvait avec l'idée de sa propre mort, lui-même s'il était là ce n'était pas tellement par amour de l'humanité souffrante, elle n'avait que ce qu'elle cherchait, l'humanité, tel était son point de vue après un certain nombre de godets d'arak, et toi, que l'alcool portait comme toujours à une sentimentalité exacerbée, parfois belliqueuse et parfois fraternelle (mais là le fait que le médecin militaire en retraite ait été un compagnon d'armes du lieutenant te portait à une baveuse indulgence), toi tu partageais absolument sa manière de voir. *Za zdarovié!* Tu aimais bien boire en russe. C'était justement à Beyrouth, en 1941, que le médecin militaire avait fait la connaissance du lieutenant fraîchement débarqué d'Afrique équatoriale après avoir remonté le Congo et descendu le Nil, en pirogue ou à peu près. D'après lui il ne passait pas inaperçu, un jour prétendant entrer à moto dans le casino, un autre renversant un seau à glace, dans un restau de la corniche, sur le crâne d'un officier vichyste. Querelleur, arrogant, du genre à porter des foulards de soie blanche et à courtiser avec effronterie les femmes des bourgeois et des planqués. Où pouvait bien se trouver à présent le casino ? te demandais-tu alors, dans ce tas de gravats qu'était devenue Beyrouth. La ville où le lieutenant avait fait le jeune coq avait disparu dans les ruines de la ville où Nessim te guidait, comme ces ruines avaient elles-mêmes disparu aujourd'hui sous le béton de la reconstruction. Les quelques traits du lieutenant que le médecin militaire en retraite pêchait dans sa mémoire n'en dessinaient pas forcément un portrait très sympathique, il avait un côté frimeur à la Romain Gary, mettons, mais tu aimais ce que tu croyais comprendre de leur immodestie : un mépris sans doute assez désespéré pour la lâcheté de leurs concitoyens. Au nom de quoi ceux qui risquaient volontairement leur peau pour laver, autant que cela se pouvait, l'ignominie de leur pays, auraient-ils

dû se comporter comme de bons garçons ? Ceux qui se
faisaient un devoir de mourir pour qu'on pût accoler sans
rire, au nom de « Français », l'adjectif « libre », avaient
peut-être bien le droit de se montrer aussi insolents que ces
écrivains « révolutionnaires » qui n'avaient jamais envisagé
de se battre contre le nazisme, et trouvaient assez « libre »
pour eux la zone sud, ou les salons new-yorkais. Je ne sais
pas si je te fais comprendre une ou deux choses de nos vies,
dis-tu à la fille de Treize : mais on était pleins de méfiance
pour les intellectuels, leur amour de la déclamation, leur
inclination pour l'héroïsme confortable, avec salle de bains
et vue sur la mer... petit déjeuner au lit... Et à tort ou à raison c'est cette méfiance, la croyance qu'il n'y avait pas
d'intellectuel courageux, qui nous a poussés à devenir des
apprentis barbares. On était très jeunes, très radicaux, assez
ignorants aussi il faut bien le dire. Mais pas blasés, pas vac-
cinés contre le dégoût, et c'est ça qui compte. L'humanité,
à dire vrai, le médecin militaire en retraite n'en avait rien à
foutre. Il trouvait que c'était une chose encombrante. Ça
ne l'empêchait pas de la soigner, autant qu'il pouvait,
puisqu'elle trouvait toujours le moyen d'échouer aux
urgences. Vous étiez rentrés tous les deux, titubant, zigzaguant à travers le labyrinthe de la ville parfaitement noire
sous le ciel rayonnant d'une nuit méditerranéenne :
immense forme intacte (car l'obscurité dissimulait le travail
minutieux de la destruction) mais apparemment purgée de
toute présence humaine, paysage chiriquien de rues vides,
blanches de lune, où s'allongeait l'ombre de façades que ne
trouait aucune lumière, fenêtres obstruées de sacs de sable,
pas une lampe, pas une voiture, pas d'ivrogne noctambule
à part vous, un silence qu'on sentait fait de dizaines de
milliers d'attentes angoissées, d'insomnies, de respirations

retenues, et que brisaient de temps à autre de lointaines explosions attestant l'existence de vies cachées puisque certaines cherchaient, de cette bruyante façon, à en supprimer d'autres. Entre les blocs d'ombre de la montagne et la mer phosphorescente, ce désert à travers lequel vous erriez, le médecin militaire en retraite et toi, était si étrange (parce que fait de décors accoutumés à accueillir la vie, l'agitation, la lumière) qu'il invitait, racontes-tu à la fille de Treize (et même si on n'avait pas été dans cette dissociation intime qu'apporte volontiers l'ivresse), à sortir de soi pour s'envoler vers les étoiles pures et froides afin de contempler de là-haut cette agitation minuscule, ce résidu d'humanité incongru dans un décor purement minéral : titubant, trébuchant, zigzaguant, appuyés l'un sur l'autre, le médecin militaire en retraite et toi, toi ivre d'arak mais aussi de l'idée que tu marchais dans les rues par lesquelles le lieutenant était passé, en compagnie d'un type qui avait partagé avec lui l'épreuve d'extrême vérité qu'était la guerre. Comme tout à l'heure, lorsque je te raccompagnerai chez toi, dis-tu à la fille de Treize, parce que je te raccompagnerai, tu seras au côté d'un type qui a partagé des aventures picaro-métaphysiques avec ton foutu père, mon ami éternel. A travers les ombres d'un Paris qui n'existe plus. Tu vois, les histoires sont peu nombreuses, il est fatal qu'elles se répètent.

Enfin, voilà ce qu'est devenu Nessim, reprends-tu après un court silence consacré à examiner en ton for intérieur si la proposition vaguement borgésienne que tu viens de lâcher a un sens ou non (jugement mis en délibéré) : un corps disloqué sous les échafauds de béton de la tour Murr. Cet après-midi-là, des années auparavant, pendant que Treize et toi vous lui annonciez le grand destin que vous lui aviez réservé, dans le petit salon-bibliothèque de sa maison du XVIᵉ arrondissement, sa main tremblait un peu en portant le verre de bourbon à ses lèvres. Votre look (trench-coats, etc.), votre froide détermination, la brutalité du dilemme que vous lui posiez, tout ça lui rappelait des scènes de films, truands ou résistants, entre *Cercle rouge* et *Armée des ombres*, cela revenait au même à ses yeux, c'était l'irruption dans sa vie de fils à papa d'une fraternité hors-la-loi. Pour cela, il vous aurait embrassés. Mais en même temps son pragmatisme de riche lui suggérait que quelque chose était foireux dans cette histoire, que vous n'aviez peut-être ni l'étoffe de Pierrot le Fou ni celle de Jean Moulin, et qu'en conséquence il était suprêmement imprudent de lier son sort au vôtre. Sa main tremblait un peu en laissant tomber les glaçons dans le bourbon, mais il accepta. Il s'aperçut vite que ses mauvais pressentiments n'avaient pas été infondés. Pour planquer à l'aise en face de chez Chalais, afin de repérer ses habitudes, vous aviez décidé de vous déguiser en riches. Mais l'idée que vous vous faisiez des riches était à peu près aussi pertinente que celle qui amène les Dupondt, dans *Objectif Lune*, à s'attifer de fustanelles pour paraître Syldaves. Vous vous étiez acheté, aux Puces, des vestes croisées blanches, ou plutôt jaunâtres, sous lesquelles vous aviez glissé des faux bides de kapok. Avec vos fausses moustaches et vos lunettes noires, vous aviez l'air d'interpréter le rôle de garçons de café sud-américains dans une comédie musicale. Il y avait, à l'origine de ces grotesques déguisements, l'idée qu'un riche est nécessairement gros, et vieux, ou en tout cas pas jeune. Cet aveuglement était d'autant plus aberrant qu'un riche, un vrai, vous en aviez un sous les yeux : jeune, et mince, et barbu. Lui de son côté, qui savait à quoi ressemblait un riche (à lui, par exemple), était effaré de voir tous les jours ces paillasses, avec leurs vêtements passés à l'eau de Javel, sortir de chez lui pour aller se poster dans une voiture volée devant chez Chalais, rue des Marronniers (ou bien était-ce plutôt rue des Belles-Feuilles ? Enfin, il y avait de la végétation dans le nom). Avec un tel début, il prévoyait de sérieux emmerdements à venir.

3

Remember est une vieille DS gris argent, la beauté même avec sa gueule de raie aux yeux qui bougent. Comme souvent tu ne sais plus très bien où tu l'as garée, il te faut farfouiller du côté de la place des Fêtes, up and down Belleville, et au fur et à mesure que tu tournes évidemment la pelote s'embrouille... Tours noires sur le ciel œil au beurre noir, antennes à feux rouges, comme des hunes de navire. De la bruine sous les lampadaires orange, voiles descendant sur la ville comme les nappes de défoliants là-bas, sur les jungles du delta. En haut de la rue des Solitaires on voit les tas de béton de la place des Fêtes, BRZAN SPÉCIALITÉS BALKANIQUES RESTAURATION RAPIDE, rue des Annelets tiens j'ai un pote qui habite là, rue Arthur-Rozier, des arbres se silhouettent contre le ciel mauve au-dessus du toit de tuiles bas et long d'un ancien atelier, à l'angle de la place, en face de L'Arc-en-ciel restau midi et soir menu 65F, les bains-douches en brique pain d'épice ont une cheminée qui évoque un four crématoire. En contrebas la rue de Belleville brille sous le vaporisateur de la bruine, SANDWICHERIE FALAFEL, une sanisette et une cabine téléphonique aux glaces pulvérisées sous un acacia ombelliforme assez africain, le verre Sécurit en miettes évoque la glace pilée d'un cocktail, boire son dixième *mojito* c'est comme dévaler une pente neigeuse à skis, mais sans les skis, disait à peu près (il te semble) Papa Hemingway titubant dans les rues de la vieille Havane. Putain, où est-ce que tu as pu garer Remember ? Il te semble que c'était dans une rue en pente, avec l'avant braqué vers le ciel noir, mais évidemment des rues en pente, par ici, ça ne manque pas. BAR LE MISTRAL BOXES AUTO À LOUER ALIMENTATION GÉNÉRALE OPTICIEN LENTILLES DE CONTACT à droite la rue du Télégraphe. Hé, dis donc, c'est par là que tu as eu ton premier appartement bourgeois avec Judith, on peut dire ça comme ça, bourgeois : il devait bien avoir deux pièces (voire trois). C'était à la fin de La Cause, vous aviez décidé la mort dans l'âme de baisser le rideau, de vous disperser. En Allemagne et en Italie l'histoire de ces années-là s'enfonçait dans le sang. Vous gardiez assez de bon sens pour ne pas vouloir de ça, vous c'était juste alcool et défonce, un suicide par-ci, par-là, la vie, quoi… Tiens, il y a un petit jardin public à l'angle, maintenant, avec des jeux pour enfants, est-ce que ce n'était pas un cimetière dans le temps ? Boulodrome du Télégraphe, un espace sableux qui de nouveau t'évoque une ville africaine, et puis un mur en moellons, ah, le voilà le cimetière, surplombé par un double château d'eau en ciment. Sur le mur une plaque : c'est là que Claude Chappe, en 1793, fit « l'expérience du télégraphe aérien qui annonça les victoires des armées de la République ». Ô soldats de l'an II… La grande forge ronflait, alors. Une autre plaque, petite : « Ce repère d'altitude situé à 128 m 508 au-dessus du niveau moyen des mers est le plus élevé de Paris. » Imaginer les marées allant et venant à quelque cent trente mètres en dessous… et l'Histoire aussi allant et venant… pour finalement se retirer… jusant définitif… Maintenant, adieu les grandes vagues, c'est marée basse pour toujours, à nous les plaisirs vaseux de la pêche aux mollusques, les dangers des sables mouvants... Est-ce que tu as lu *Quatre-vingt-treize* ? demandes-tu à la fille de Treize. Tu as amarré son bras droit, et déployé au-dessus d'elle la voûte cabossée d'un parapluie. Non. Ça m'aurait étonné. Eh bien tu devrais. Victor Hugo, ça doit te sembler ringard, mais on était tout imprégnés de ces grands récits, alors. Bon, où est-ce que vous habitiez, Judith et toi, à cent vingt et quelque mètres au-dessus du fléau de la balance des mers ? Crèche laïque de Saint-Fargeau, et soudain cette étoile de rues, Borrégo-Devéria-Télégraphe, avec la brasserie de la Poste et le bar-tabac Le Cantal, oui, soudain tu en es sûr, c'était là à gauche, dans l'une de ces HLM assez lépreuses, avec une volée de marches pour grimper jusqu'au hall et la porte sang-de-bœuf de l'ascenseur... tout éraillée de dessins de bites et de culs... En face du bistro Le Mercure... Tu allais faire des tiercés au Cantal dans l'espoir du gros ticket... et surtout c'était le désœuvrement, le désespoir, il faut appeler les choses par leur nom, qui t'amenaient là, à siffler des ballons de côtes... à enchaîner les parties de flipper... tout seul. Judith, moins nulle que toi, ou plus pragmatique, travaillait. Où ? Tu ne sais plus. Toi, tu avais tâté un peu du camionnage, chauffeur livreur dans la boîte la plus sordide de la gare de Tolbiac, tu t'étais vite fait virer. C'est dans ces années aussi que Treize a commencé à se défoncer. Vous n'étiez plus révolutionnaires mais pour rien au monde vous n'auriez voulu devenir, en douce, des bourgeois. Vous ne croyiez plus en rien, n'aviez plus aucun but. Tout d'un coup, l'histoire du lieutenant te semblait très proche, sa mort absurde sur un rach du Mékong, déchiqueté par son propre obus, en service commandé, service des planteurs de caoutchouc, après avoir été un héros de la guerre anti-fasciste. *Fair is foul and foul is fair*, c'étaient les sorcières de *Macbeth* qui avaient raison. Marrant, devant Le Mercure sont justement garées deux bagnoles de ces années-là, une AMI 8 et une Simca 1000. Avec flancs blancs et galerie, la Simca 1000.

Une vieille DS gris argent, ça devrait se repérer de loin, tout de même. Une voiture historique... Le général en retraite Chalais en avait une comme ça, une Pallas gris perle... Lorsqu'il s'est garé et qu'il en est descendu, rue des Marronniers (mais d'autres disent que c'était la rue des Belles-Feuilles), tu lui as mis le canon de la mitraillette sur le ventre, une vieille Sten de la guerre, à chargeur horizontal, de celles que les Alliés, à la fin, parachutaient par milliers. C'était André qui vous l'avait passée, cette Sten, avec aussi un stock de bâtons de dynamite qui provenait de la mine, dérobé au porion. Les explosifs, tu t'en méfiais extrêmement. Tu avais lu quelque part (pas dans Proust, ça c'est sûr) que la dynamite ne pétait pas au choc. C'était la nitro, ça, le salaire de la peur. N'empêche : c'est une chose que de l'avoir lu, et une autre que d'en être sûr. Surtout que tu avais lu aussi, dans le même bouquin (un manuel de l'armée suisse, en fait), que la dynamite devenait dangereuse, instable, lorsqu'elle était trop vieille et qu'elle « suait ». Allez savoir si un bâton de dynamite, examiné à la lumière de cette considération, ne sue pas un peu ? juste un peu ? Il semble que non et puis, à bien y regarder... une légère rosée, peut-être ? Merde, on ne sait plus si ce n'est pas sa propre transpiration qui... *¡ Cabrón !* Ah, c'est sûr, dans *Pour qui sonne le glas*, Robert Jordan faisait moins de chichis... Ce stock de dynamite, moins quelques bâtons qui avaient servi à faire sauter un journal d'extrême droite, on est allé l'enterrer dans la forêt de Fontainebleau, avec Treize, quand tout a été fini, dis-tu à sa fille. C'étaient nos adieux de Fontainebleau, en quelque sorte. Sa mère habitait par là. Ta grand-mère, by the way. Une toquée, comme tu sais. Il avait pensé que c'était une bonne occasion pour aller voir « sa vieille », comme il disait. Elle était chef d'une secte fumeusement inspirée de Reich, Wilhelm, pas le troisième, Dieu c'était l'énergie sexuelle, l'orgone, enfin j'ai oublié la doctrine mais évidemment, avec des prémisses pareilles, tu imagines comment on accédait à la sainteté, et elle vivait dans un coquet pavillon, avec pelouses tondues et nains de jardin, en lisière de la forêt, en compagnie de son grand prêtre, un ancien flic d'une taille colossale. Pas tellement loin de chez le père de Nessim, sa baraque : mais alors, tout à fait un autre genre. Mais tu dois connaître ? Non, elle n'y est jamais allée. La papesse de l'orgone a coupé les ponts depuis la mort de son fils. Vous êtes maintenant rue du Télégraphe, de nouveau, il continue à bruiner mais heureusement tu as un parapluie sur la coupole bleu sombre duquel sont figurées des étoiles, Altaïr Véga la Croix du cygne Cassiopée et que sais-je, et ainsi tu marches sous une petite voûte céleste domestique en compagnie de la fille de Treize, tu as presque oublié que tu cherches la vieille déesse Remember, tu es un soleil précopernicien au centre du cosmos, trébuchant un peu mais pas trop au bras de la fille de ton ami éternel, tu sens son sein (et des serpents qui sifflent sur ta tête) contre ton bras et comme tu es un cuistre tu y vas d'une phrase archifameuse sur la loi morale et le ciel étoilé, mais à vrai dire ce n'est pas tellement à la loi morale que tu penses. La bruine fait onduler, dans la lumière orange des lampadaires, des voiles perlés qui te font penser à l'agent orange descendant sur le Mékong, brûlant les feuilles sous lesquelles se cachent les serpents, les singes, les grands papillons, les oiseaux iridescents et les guérilleros viêt-côngs. La papesse vous a offert l'apéro, à son fils et à toi, et voilà que l'ancien flic s'est mis en tête d'essayer votre voiture. C'était une Citroën encore, vous aimiez bien cette marque, une BX. Il songeait à en acheter une, justement, alors puisque l'occasion se présentait de faire un petit tour au volant... Vous étiez bien emmerdés. Il a fallu lui passer les clefs, sinon ça aurait paru suspect. La dynamite était toujours dans le coffre. Apparemment, elle ne suait pas, mais s'il se faisait rentrer dedans, allez savoir ce qui pouvait arriver... C'était vous qui transpiriez. L'ex-flic est parti faire le tour du quartier au volant de la bombe roulante, vous vous êtes restés à boire du Cinzano (ou bien c'était peut-être du Campari) en compagnie de la papesse, vous attendant à ce qu'une explosion énorme mette fin à la plaisanterie, et soudain Treize a été pris d'un fou rire, mais alors vraiment le fou rire terrible, il poussait des espèces de petits jappements épileptiques, il a dégringolé de sa chaise, et toi du coup tu t'y es mis aussi, et quand l'ex-flic est revenu, très content de la tenue de route, faisant tourner les clefs autour de son index, vous étiez tous les deux à hoqueter par terre avec la mère entre vous, suffoquant d'indignation, et son chien – parce que évidemment elle avait un chien –, son sale caniche (à moins que ça n'ait été un boxer) qui allait de l'un à l'autre, surexcité, couinant et léchouillant, pensant avoir affaire à des congénères, sans doute. Et vous êtes partis comme ça, pliés en deux, pleurant, balbutiant des excuses qui vous faisaient de plus belle rugir de rire, laissant la mère outrée et l'ex-flic perplexe. Et vous aviez encore des saccades de rire lorsque vous enfouissiez la dynamite dans une petite clairière, en prenant des repères pour le jour où, tel Jean Valjean déterrant sa cassette dans la clairière de Montfermeil, vous viendriez la récupérer : parce que vous ne doutiez pas que « les mauvais jours finiraient », comme disait la chanson de la Commune, et qu'il y aurait une revanche. Et maintenant, dis-tu à la fille de Treize, ton père est mort, moi je suis un vieil homme de lettres, la Révolution n'est décidément pas à l'ordre du jour, et il y a quelque part sous l'humus de la forêt de Fontainebleau (où ? j'ai complètement oublié, naturellement : peut-être même n'est-ce pas la forêt de Fontainebleau mais celle de Sénart, par exemple), quelque part sous la terre d'une forêt d'Ile-de-France quelques dizaines de cartouches de dynamite qui exploseront peut-être lorsqu'un bulldozer les déterrera, à la fin du XXIᵉ siècle ou plus tard, quand on rasera les arbres pour construire une cité nouvelle ou un aéroport ou un camp d'internement ou je ne sais quoi dont je n'ai même pas idée : et personne ne comprendra ce que ces explosifs faisaient là, on dira qu'ils dataient de la Deuxième Guerre mondiale, ou de la Troisième, si entretemps elle a eu lieu. Et c'est André qui nous les aura donnés, un jour de la seconde moitié du XXᵉ siècle, dérobés à un porion des Houillères du Nord et du Pas-de-Calais, avec une vieille mitraillette Sten provenant d'un lot parachuté par les Anglais en 1944. Je te disais donc, dis-tu à la fille de Treize, je te disais… quoi, au fait ? Vous arpentez de nouveau la place des Fêtes qui mérite si peu son nom désormais, CLINIQUE VÉTÉRINAIRE COLLÈGE GUILLAUME-BUDÉ PRESSING BLANCHISSERIE SANTA MONICA PIZZA GRILLADERIE ESPACE VIDÉO, vous traversez une espèce de forum extraordinairement minable avec une pyramide aiguë en plexi opalescent et une coursive sur de grêles pattes de fonte au milieu des blocs de béton jetés à la va-comme-j'te-pousse, épars, moches, pisseux, incohérents, des types encapuchonnés baladent un pitbull, qu'est-ce que j'étais en train de te dire ? demandes-tu à la fille de Treize, entre les piquets du marché de la place des Fêtes, sur la sinistre place des Fêtes mouillée et inclinée comme une plage de l'Enfer. Ah oui. Je te disais que j'avais planté le canon de cette Sten dans le ventre du général en retraite Chalais lorsqu'il descendait de sa DS Pallas. Il fallait le pousser à l'intérieur de la camionnette que conduisait Fichaoui-dit-Julot. Et Treize, qu'est-ce qu'il faisait ? te demande sa fille. Il assurait la couverture avec une carabine US de la guerre, une espèce de tromblon donné par André, encore (à moins que ce n'ait été par Walter). Mais auparavant, une autre fois, il avait quand même failli faire foirer l'opération. Et comment ? Elle a peur qu'une faiblesse, une lâcheté… Non, non, rassure-toi, rien de grave. Il avait été pris d'une terrible envie de pisser alors qu'on attendait dans la camionnette, et ça nous avait tous tellement fait rire qu'on avait été obligés de lever le camp. On pensait que Chalais allait opposer une résistance acharnée, alors je l'ai poussé de toutes mes forces avec la Sten vers la porte ouverte de la camionnette. Eh bien au contraire il s'est quasiment évanoui, si bien qu'emporté par mon élan je l'ai bousculé et nous sommes tombés tous les deux par terre, moi sur lui. Dis donc ! Et dans l'affaire le chargeur de la Sten s'est déver-rouillé (cette mitraillette était une vieillerie) et il a giclé dans le caniveau, le ressort, le poussoir, tout ça tintinnabulant dans le caniveau. Pas les balles, puisqu'on ne chargeait pas nos armes, pour éviter des conneries, des « bavures » comme on dit, justement dans ce genre de circonstances. Enfin tu vois le tableau. Le général et moi allongés sur le

macadam, et l'armurerie en vadrouille... Bon, on a ramassé
toute cette quincaillerie, et le général par le col du paletot,
plus mort que vif, et en voiture. Fichaoui a fait un démarrage de Grand Prix. C'est marrant, dis-tu à la fille de
Treize, mais quand j'y repense l'enterrement de la dynamite c'était un peu comme l'enterrement de notre jeunesse.
Une cérémonie magique. Tous ces bâtons explosifs au fond
du trou c'était comme des représentations, des fétiches de
ce qu'on avait été et qu'on ne serait plus. C'est peut-être
pour ça aussi qu'on était secoués par un rire nerveux, Treize
et moi. Et quelques années plus tard il est mort, en quelle
année déjà ? 1980 oui, alors six ans plus tard c'est lui qu'on
coucherait sous la terre, dans le petit cimetière du bled où
habitait sa mère, la papesse de l'orgone, en lisière de la
forêt de Fontainebleau ou de Sénart, non loin de la tombe
depuis longtemps oubliée de la dynamite. Et toi ce jour-là,
Marie, tu avais quel âge déjà ? six ans ? Non, quatre,
d'accord, quatre, et en tout cas tu ferais mine de ne pas comprendre ce qui arrivait, tu ferais des galipettes sur l'herbe
du cimetière en riant aux éclats, tu aurais déjà décidé de
réagir par le bonheur. Ta mère terriblement gênée, malgré
son chagrin, ne sachant que faire. Il y avait des feuilles
d'automne éclatantes dans la forêt, je me souviens, des fontaines de feu jaillissant dans le sombre, comme le jour où,
avec Treize, on avait enterré la dynamite.

A présent vous êtes adossés au muret granuleux du
métro, en face d'un magasin de fleurs, l'escalier descend
dans les ténèbres entre deux rampes chromées, deux parois
carrelées de céramique blanche, au-delà de la grille l'ombre
dévore tout. L'escalier des Enfers, penses-tu. Ce n'est pas
pour rien que le fleuriste à la surface, de l'autre côté de la

rue, s'appelle « Jardin d'Éden ». « Naissances, mariages, deuils », est-il marqué sur son enseigne. Tout le cycle... « Éden », c'est aussi le nom de l'hôtel de Berlin où les *Freikorps* sont venus arrêter Rosa Luxemburg. Ils sont tous là en dessous, penses-tu, au bas des escaliers. Rosa Luxemburg et le Che avec son visage sanglant, et le milicien tué devant Cordoue, et Gilles le jeune lycéen dérivant au fil de la Seine comme Rosa sur le Landwehrkanal ou comme Tamara dite Tania sur le río Grande (ou bien le río Masicuri ?), face tournée au ciel changeant comme le roi d'Apollinaire, le philosophe qui a étranglé sa femme, et Nessim, le lieutenant et Treize et Jean d'Audincourt et tous les autres... Et l'homme qui a été le héros de ta jeunesse (et qui demeure celui de ta vieuserie), Jean Cavaillès. Philosophe, logicien, saboteur, arrêté, écrivant en prison un livre d'épistémologie, libéré, de nouveau la dynamite, de nouveau arrêté, torturé, fusillé en 1944. Enterré dans la citadelle d'Arras sous la mention : « Inconnu numéro cinq ». Figure savante et tranquillement héroïque qui nous empêchait de croire absolument ce que je t'ai dit tout à l'heure, dis-tu à la fille de Treize : qu'il n'y avait pas d'intellectuels courageux. Et donc qui nous retenait de devenir vraiment barbares. Ce type, tu comprends, il ne fondait pas comme Sartre un groupe de discussion à Saint-Germain-des-Prés, non, ce n'était pas un malin, il faisait sauter des ponts, il s'introduisait, vêtu d'un bleu, dans la base de la Kriegsmarine à Lorient. Philosophe, logicien, saboteur. Un héros, oui, ce mot ne m'écorche pas du tout la gueule, au contraire. Il vient du fin fond de l'histoire humaine, du moment où l'homme s'affranchit des dieux. Une des choses dégradantes, une des choses désespérantes de ce temps, c'est son rejet de l'héroïsme. Ça veut dire qu'on ne croit plus dans l'humanité, ça. Un héros, ce n'est pas autre chose qu'un homme pleinement humain, le contraire de l'homme-marchandise. Et le contraire aussi de la créature humiliée devant Dieu. Une humanité sans héroïsme est bonne pour Dieu ou pour le marché, certains petits cyniques contemporains n'ont pas l'air de voir ça. Cause toujours : je sens que c'est ce que la fille de Treize a envie de me balancer. Et d'ailleurs c'est ce que je fais : je continue à jacter. L'escalier descend dans les ténèbres entre deux rampes chromées, en face du jardin d'Éden et de la sinistre cheminée des bains-douches. Il y a un bar, là, en dessous, dis-tu à la fille de Treize, le bar des morts. Cent vingt et quelques mètres plus bas, juste au-dessus du niveau moyen des mers. Ils sont tous là, assis sur des chaises en rotin, dans l'ombre. L'eau noire clapote sur la plage. Ils ne disent rien ou plutôt si, ils murmurent, certains chantonnent très bas. De vieux chants de guerre et d'espoir, la liberté guide nos pas, dans les rangs des yeux clairs fixent notre drapeau, que Boudienny nous mène par les routes anciennes, *El Ejercito del Ebro*, ils chantent ça comme des berceuses, à présent. Tu n'entends pas ? Elle n'entend rien. Mais si, écoute. Tu as les oreilles bouchées, ou quoi ? Tu l'entraînes dans l'escalier, entre les carreaux de céramique blanche, jusqu'à la grille. Écoute. Montez de la mine, descendez des collines camarades. Mais nous pauvres canuts n'avons pas de chemise. *Bella ciao. Dong-fan-ang hong, tai-yan-ang sheng...* Ah non, pas ça ! Pitié ! Pas *L'Orient rouge* ! Et il y a André, aussi, en bas, au bar des flots noirs. Celui qui nous a filé la dynamite et la Sten. Un vrai prolo brut de décoffrage, lui, de l'historique, mineur résistant avec un accent chti à découper à la scie, pas un malade mental comme Lucien ni une balance comme Gustave. Un camarade du fameux Charlie Debarge,

type au courage légendaire, organisateur du « Travail particulier » dans les mines, tué en 1942 les armes à la main.
Ça, alors, ça nous impressionnait, et moi ça continue de
m'impressionner. André, c'est la silicose qui a fini par l'avoir,
son énorme corps ne respirait presque plus, il est mort
asphyxié comme un poisson remonté des profondeurs de la
terre. Il a eu bien mauvais temps pour s'en aller, c'est son
seul point commun avec Mme de Pompadour. Il tombait
des giboulées de neige qui fondait sur les terrils, ça faisait
de la boue partout. C'était entre Roubaix et la frontière
belge, dans cette région qui est celle de *Germinal* à travers
laquelle vous aviez fui, toi et Treize, après l'affaire du
général Chalais : courées de brique, champs de betteraves,
massifs clochers d'ardoise, péniches pavoisées de linge
de corps, plates-bandes de pavés où resplendissait la gloire
des coureurs cyclistes, ferrailles des chevalements où les
roues des puits tournaient encore, Flandres de brume et de
mâchefer que commençaient à peine à éventrer les autoroutes. Le cortège funèbre d'André s'acheminait vers le
cimetière sous des averses de neige fondue, à travers un
quartier de courées que les philanthropes patrons des
Houillères, au siècle de Zola, avaient décoré de noms exotiques : estimant sans doute qu'il était plus doux d'asphyxier
rue de Panama ou d'être veuve rue du Détroit-de-Magellan.
Derrière le corbillard, levant le poing, brandissant des drapeaux rouges défraîchis, qui semblaient avoir été taillés
dans de vieux rideaux, trottinaient des retraités des mines,
des anciens FTP, boulistes et colombophiles, ou éleveurs
de pinsons, et vous qui étiez de cette génération que ces
symboles commençaient à faire rire, mais qu'ils faisaient
encore pleurer. Amédée (pâle, enfermé dans un manteau
long et sombre) était déjà un grand journaliste, Gédéon

(qu'une doudoune faisait ressembler à un point sur un i), rabbin à Montluçon, toi (duffle-coat), homme de lettres, Foster (manteau, gants de laine) ambitionnait de mourir préfet. Treize mangeait depuis quelques années les pissenlits par la racine.

C'est rue de la Terre-de-Feu, te souviens-tu, adossé au muret du métro Place-des-Fêtes, entre descente aux Enfers et Jardin d'Éden, sous le ciel étoilé du parapluie et la pluie qui dégouline du ciel mauve, c'est rue de la Terre-de-Feu (ou bien alors rue du Rio-de-la-Plata ?) que Roger le Belge avait fait sa théâtrale apparition : pas rasé, les poings enfoncés dans les poches d'une vieille parka maculée de graisse et de mazout, distinguant à peine le monde à travers ses énormes verres de myope dont l'un était étoilé comme par une balle de 22, mais en vérité c'était juste parce qu'un jour, dans le feu d'une discussion politique, Rolge (c'était son diminutif), ôtant brusquement ses lunettes de son front (tant les arguties sociales-démocrates de son interlocuteur l'avaient poussé à bout), les avait violemment, et par mégarde, heurtées contre une chope de Pils. Étant donné ses antécédents et sa dégaine, Rolge était probablement le type le plus repéré par les différentes polices politiques entre Amsterdam et Paris, et même bien au-delà, il suffisait sans doute qu'il paraisse quelque part pour qu'un clignotant s'allume chez les flics locaux, néanmoins il ne se déplaçait jamais sans un luxe de précautions extraordinaire, sautant en vol des trams, achetant un billet de train pour Knokke quand il comptait se rendre à Paris, s'installant dans un cinéma pour en ressortir un quart d'heure plus tard, enfilant les sens interdits avec sa vieille 4L : et c'est ainsi, comme un personnage d'espion dans un film comique, qu'il fit son apparition le jour de l'enterrement d'André, ayant passé la frontière à travers les jardins ouvriers, marchant à pas de loup sur la neige boueuse, adressant à la cantonade, de derrière ses hublots pétés, des clignements d'yeux qui signifiaient qu'il était là incognito, qu'on ne devait sous aucun prétexte lui serrer la main. Tiens, ça me fait penser à un type, dis-tu à la fille de Treize, adossé au mur de l'escalier des Enfers : figure-toi qu'il vit toujours dans la clandestinité, là, aujourd'hui, au début du XXIᵉ siècle, parce qu'il s'imagine qu'il a fait autrefois des choses considérables, extraordinairement illégales. Denis, il s'appelle : Denis Masseclous. On lui explique que même s'il avait tué quelqu'un – ce qui n'est évidemment pas le cas, le pire qu'il a fait c'est de participer à quelques distributions de tracts un peu musclées –, même dans ce cas-là l'affaire serait prescrite depuis longtemps : eh bien il secoue la tête, il nous regarde d'un air apitoyé, il sait, lui, que ce qu'il a fait est infiniment plus grave que ça, qu'un simple meurtre, que d'ailleurs le droit bourgeois... Est-ce qu'on a vraiment oublié à ce point nos principes marxistes qu'on fait confiance au droit bourgeois, maintenant ? Non non, « ils » sont toujours à ses trousses. Et aux nôtres aussi, d'ailleurs, « ils » attendent juste le moment favorable pour nous cueillir. Si on est assez émasculés, à présent, pour attendre tranquillement qu'on nous ramasse, c'est notre affaire. Mais lui, « ils » ne l'auront pas. Il nous regarde avec commisération. Il habite sous de faux noms, change d'adresse deux fois par an, a des boîtes aux lettres chez des amis, vivote de traductions et de boulots de nègre. Mais merde, Denis : qu'est-ce que tu as fait de si grave, à la fin ? s'énerve-t-on. Il nous regarde d'un air entendu : ce qu'il a fait, on le sait très bien. Ou alors si on ne le sait pas, pas si con, il ne va pas nous le dire. Il a creusé, apparemment, une mine formidable jusqu'au cœur du vieux monde, mais si on n'est pas au courant, ce n'est pas lui qui va nous livrer les plans. Pour ce qu'on en ferait… Je crois, dis-tu à la fille de Treize, qu'il est assez content comme ça : il a échangé un présent un peu compliqué contre un passé fabuleux qui rejaillit sur le présent et le rend grandiose. Il se débrouille comme ça avec le temps. Je suis tombé sur lui, il y a un mois, au zinc d'un bistro de l'Odéon, et il a fait mine de ne pas me reconnaître. Comment, tu ne me reconnais pas, Denis ? je gueulais. Denis Masseclous ! Je gueulais son nom, exprès. Ce connard était terrifié, il a littéralement pris la fuite.

Rolge, la première fois que tu l'as rencontré, il t'a désigné un building sur une grande avenue de Bruxelles, d'un mouvement de menton (il était au volant de sa 4L – à moins que ç'ait été une R6 ? En tout cas, une caisse minimum, pas une Aston Martin) : « L'OTAN, t'a-t-il dit sobrement : ça va sauter cette nuit. » Sur le ton professionnel d'un guide qui aurait annoncé aux touristes d'un autocar : « L'OTAN. Le bâtiment a été construit en 1950 en pur style international. » Avec juste un petit sourire en coin un peu fat, du genre « t'as vu les putains de tuyaux que j'ai ? », mais pas plus. En ces temps où rien ne semblait impossible, tu avais tout de même été un peu estomaqué, mais tu savais te tenir, tu n'avais pas montré de surprise ni posé de question indiscrète. La nuit venue, naturellement, rien ne s'était passé, la Troisième Guerre mondiale avait fait long feu. Roger le Belge était comme ça : bavard, vantard, dangereux, mais efficace tout de même pour certaines choses. Il aimait rendre service, sans trop s'interroger sur le genre de service.

C'était un porteur de valises dans l'âme, qui ne se demandait pas ce qu'il y avait dans les valises. Ou plutôt il le savait bien, mais il laissait aux autres, aux destinataires, la responsabilité des suites imaginables. Il avait commencé sa prodigieuse carrière à quatorze ans comme courrier de la Résistance. « Galopin », comme il disait, d'un vieux mot oublié. Arrêté, torturé, déporté, il avait réussi, à la faveur d'un bombardement, à s'évader du train qui le menait à Dachau, et avait traversé l'Allemagne à pied dans la neige et le feu de l'hiver 44-45. A Moscou, à vingt ans, on lui avait appris à faire des faux papiers et il avait serré la main du camarade Staline. Il en avait conservé une mauvaise photo découpée dans la *Komsomolskaïa Pravda*, et des talents de faussaire et de buveur de vodka qu'il mettait volontiers à la disposition des autres. Cette double spécialité avait failli lui coûter la vie un soir de 1960 où, après s'être un peu noirci, il avait fabriqué pour un clandestin du FLN-France un passeport suédois techniquement irréprochable au nom de Sigbjorn Wilderness (ou bien peut-être… enfin, un nom comme ça), taille 1,86 m, cheveux blonds yeux bleus : les frères algériens, qui ne cultivaient déjà guère le sens de l'humour, avaient dû se faire violence pour ne pas lui trancher la gorge. « Ils ont été sympathiques, se souvenait-il : ils m'ont seulement mis à l'amende. Une grosse amende. » A l'époque, Rolge gagnait sa vie en se faisant des sacs à main dans les beaux quartiers de Bruxelles et en peignant des faux Delvaux et Magritte, peintres qui mettaient la métaphysique à la portée des bourgeois et dont la cote commençait à monter en conséquence. C'est pour racheter sa peau qu'il peignit et vendit, assez cher, les deux toiles de Magritte cataloguées ironiquement sous les titres idiots *Un peu de l'âme des bandits* et *Les Mémoires d'un saint*. Rolge

prétendait aussi que dans le cours de ses activités de pick-
pocket il avait fauché par hasard, sur l'avenue Louise
(d'autres fois il disait la place de Brouckère), le portefeuille
d'une bourgeoise qui était la mère de Henri Michaux. On
ne pouvait pas s'empêcher d'aimer Roger le Belge. C'était
un type éminemment poétique, un anachronisme, une
vieille épave historique. Seulement, une trop longue habitude des petits trafics de la Révolution mondiale, ou de ce
qui en restait, l'avait rendu sceptique et même un peu
cynique. Il n'y croyait plus trop, sans doute, à toutes ces
histoires, mais à la longue c'était devenu son fonds de commerce, ou en tout cas sa carte de visite. Tel Bloch faisant
état de sa fréquentation des Guermantes, il se flattait de ses
relations avec les Black Panthers, l'IRA, l'ETA, les Tupa-
maros, les Montoneros, les Zengakuren, les Weathermen
et autres bandes où des aspirations à la sainteté côtoyaient
une nette tendance à l'assassinat. Il vous parlait d'Eldridge
ou d'Ulrike comme de vieux potes de bistro. Cela vous
énervait, et vous inquiétait, mais cela vous impressionnait
aussi. A l'en croire il avait piloté le Che, en 1965, dans les
jungles de l'ex-Congo belge, et c'était peut-être vrai, comment savoir ? L'équipée de Guevara en Afrique avait été
une telle pantalonnade... « J'étais son partenaire aux
échecs, il était fou d'échecs, il passait là-dedans la rage que
lui inspiraient l'amateurisme et la corruption des Congo-
lais. Sa manie était de jouer dos tourné à l'échiquier, il
m'annonçait son coup, je bougeais sa pièce, je lui disais ma
réponse, il retenait et visualisait toutes les positions de
mémoire, je n'ai jamais vu ça. Mais surtout, j'étais son
chargé d'affaires sexuelles. On lui offrait des filles partout,
à l'entrée de chaque village au-dessus du lac Tanganyika »,
me racontait-il dans les bars embués de Mouscrons ou de

Tournai où nous avions parfois rendez-vous pour arranger des affaires louches : « des vierges magnifiques, sombres et brillantes comme des disques en vinyle, avec des seins en obus, et nullement effarouchées, très contentes au contraire d'être livrées au grand révolutionnaire blanc. Seulement, Ernesto était furieusement puritain, et asthmatique en plus, comme tu sais : alors c'était moi qui me les tapais toutes à sa place, il en allait de l'avenir de la Révolution en Afrique, tu comprends : refuser ces filles aurait été une insulte grave, et le village se serait tourné contre nous. Déjà qu'on n'était pas très soutenus... » Et les chefs, lui demandais-je, n'étaient pas vexés de voir que c'était toi qui déflorais leurs Iphigénies, pas le Che ? « Bien sûr que non, parce qu'ils croyaient que c'était moi, le grand chef cubain, et pas ce barbu renfermé et suant, et haletant, qu'on appelait *Tatu*, « Trois » en swahili, et qui ne parlait même pas le Belge. » Rolge était devenu un peu égrillard, aussi, avec le temps et le désenchantement, il laissait entendre qu'il échangeait volontiers une livraison de plastic à Athènes, dissimulée dans les portières d'une Volkswagen (« la plus bombée de toutes les voitures, tu peux fourrer trente kilos dans chaque portière ») contre une nuit avec une jeune égérie de la résistance aux colonels. Mais on ne pouvait pas s'empêcher d'aimer un type qui avait traversé à pied l'Allemagne nazie, serré la main de Staline et couché avec les majorettes destinées au Comandante. A sa façon il était l'Histoire, ce vieux crasseux, et l'Histoire était à vos yeux le grand livre où tout était écrit, passé présent et avenir, le recueil des traditions et des prophéties.

C'était comme Démétrios : lui non plus on ne pouvait s'empêcher de l'aimer et de le respecter. Tout jeune, dans la

Grèce occupée, il avait été partisan, membre d'un groupe dirigé par un Anglais des SAS. Quand les Allemands l'avaient attrapé ils lui avaient mis sur la tête un casque avec de chaque côté des vis que l'interrogateur serrait lentement. Dans cet étau, Démétrios était devenu aveugle. Il avait été libéré en 43 par des partisans communistes de l'ELAS. Il ne pouvait plus se battre, alors il chantait pour les camarades, dans les bivouacs. Ça a l'air un peu trop homérique pour être vrai, mais ça l'est, vrai. Quelquefois la vie imite les lettres. Au cours de la première guerre civile, à la Libération, il avait été pris et torturé de nouveau, cette fois par des royalistes, dont l'instructeur était le même SAS qui commandait son premier groupe de partisans, j'espère que tu me suis, dis-tu à la fille de Treize. Après, Démétrios était devenu marin. Radio sur un cargo : il était aveugle, pas sourd. Un jour de 1947, son bateau avait appareillé de Port-Saïd pour Marseille lorsqu'il reçut un message lui enjoignant de se dérouter vers Le Pirée. Il ne le transmit pas au commandant. Il avait compris. La seconde guerre civile venait d'éclater, et l'équipage était un ramassis de rouges, des marins dans le style de ceux du croiseur *Aurore* : on voulait les jeter tous dans des culs-de-basse-fosse, si ce n'étaient des fosses communes. A Marseille, les dockers CGT firent grève pour que lui et ses camarades puissent débarquer et reçoivent le statut de réfugiés politiques. C'était quelques mois avant que le lieutenant meure sur un rach du Mékong, de l'autre côté du monde, déchiqueté par son propre obus. Aucun rapport, sauf que c'était le début de la guerre froide. Le lieutenant et Démétrios, de chaque côté de la Terre, se trouvaient dans des camps opposés de cette guerre. Ils avaient été dans le même contre le fascisme. Bientôt un transport débarquerait dans le port de

Marseille, avec d'autres, le cercueil du lieutenant, recouvert d'un drapeau tricolore. Tu n'aurais pas un an. L'aveugle ne verrait pas le bateau des Messageries franchir les jetées, mais il entendrait peut-être sa sirène. Comme tous les aveugles il était attentif aux bruits, et spécialement aux bruits des ports parmi lesquels s'était déroulée une partie de sa vie. Plus tard il ouvrirait un restaurant à l'Estaque. Bien plus tard, vingt ans peut-être, quelqu'un – qui, tu ne te souviens plus – te donnerait son adresse, te disant qu'il pourrait vous aider. Tu irais manger une paella dans ce restaurant, avec Treize (le cuistot était un ancien rouge espagnol, comme la femme de Démétrios). La mer jetterait des éclats sur les murs. Il y aurait sur un perchoir un perroquet dont les horribles stridulations reproduiraient vaguement l'hymne du cinquième régiment de la République espagnole, le bras armé des staliniens à Madrid : *con Lister y Campesino, no hay miliciano con miedo.* Tous les perroquets sont staliniens, d'ailleurs, dis-tu à la fille de Treize : staliniens ou fascistes, tu ne savais pas ? Ce bec, ces serres, ces cisailles, cet œil inexpressif… Ce goût pour le hurlement, cette passion de l'imitation… Enfin à l'époque, naturellement, je ne pensais pas tout à fait comme ça. Je trouvais que ce perroquet avait raison de brailler l'hymne du *quinto regimiento.* Je me trouvais dans une sorte de connivence avec lui, comme si on était membres d'une même société secrète. *¡No pasarán!* Ensuite, au moment de payer, on a demandé à voir Démétrios. On vient de la part de… de je ne sais plus qui, donc. Du camarade Schmoll, mettons. Mais c'était peut-être bien Fichaoui, j'y pense à présent. Et c'est comme ça qu'on a commencé à travailler ensemble. Démétrios est le type le plus courageux que j'aie rencontré. Sa maison était toujours ouverte aux amis recherchés, il trimbalait nos ustensiles, la nuit, à travers les barrages de police, dans sa voiture conduite par le coq espagnol, confiant dans le respect qu'était supposée inspirer aux flics sa plaque GIG, grand invalide de guerre. N'empêche, s'il s'était fait prendre c'était l'expulsion, et la Grèce, alors, c'était la dictature des colonels. Démétrios risquait sa vie pour cacher nos copains ou trimbaler nos presse-purée parce qu'il pensait que nous étions ses fils plus authentiquement que son propre fils. Je me souviens d'un soir dans les hauts de Marseille, dis-tu à la fille de Treize, la ville en contrebas s'éboulait en ombres et lumières brusques vers la mer où des cargos tiraient leur sillage, je ne sais plus où c'était exactement mais je me souviens du mur mauve que rayaient des traits blancs, et que ce paysage s'encadrait dans une pergola à quoi s'accrochait une treille. Et je me souviens d'avoir pensé avec tristesse que cette beauté était pour toujours refusée à Démétrios. Ce souvenir me surprend parce que, je te l'ai dit, nous n'étions pas sensibles à la beauté. Et pourtant, je suis sûr de ça : la sérénité qui émanait de ce crépuscule lumineux où les sillages volaient comme des plumes, et contre lequel se détachait le visage rongé d'ombre de Démétrios me disant que son fils le décevait, que son fils le trahissait, que cet idiot ne s'intéressait qu'aux bagnoles et aux filles, qu'il n'était pas comme nous. Et faire partie de ce « nous » m'apparut, ce soir-là, à la fois un honneur et une injustice, et la souffrance de Démétrios, à qui la lumière du crépuscule, et ses yeux morts, prêtaient un masque tragique – un masque de vieil Œdipe –, je la trouvais à la fois belle et insensée. Il me faisait, il me décrétait son fils – ignorant du fait que mon père avait, comme on dit, « rencontré la mort » avant de me rencontrer moi – en remplacement d'un fils qui, je le sentais en dépit de mon austère sectarisme, demandait seulement à vivre, avec le droit imprescriptible que chacun a d'être un con. Que Démétrios, le martyr à qui les fascistes avaient ôté la vue, l'aède-partisan qui chantait dans les bivouacs, que cet homme-là me fasse membre de sa famille m'emplissait de fierté, et aussi de crainte *(Domine, non sum dignus…)*, et enfin de gêne, parce qu'il me semblait que c'était au prix d'une usurpation. Je pensais ces choses en regardant les sillages rayer la mer. Le cargo mixte des Messageries qui avait ramené en France le cercueil du lieutenant, je l'avais appris bien des années après, lorsque « j'avais eu l'âge de connaître ces choses », s'appelait *Galapagos*. J'avais peut-être l'âge de connaître ces choses, dix-douze ans, par là, dis-tu à la fille de Treize, n'empêche, ce nom me faisait rire, « Galapagos », et j'étais atrocement gêné et honteux de cette envie de rire. Je me le répétais dans ma tête, des heures durant, « Galapagos, Galapagos », en essayant de pleurer, ou au moins de rester sérieux, et une formidable rigolade montait en moi, qui finissait par exploser. Ma mère, heureusement, ne savait pas la cause de mon hilarité, elle pensait que j'avais les nerfs fragiles, la tête à l'envers. Et c'était peut-être vrai, d'ailleurs.

Je pensais à ça aussi, ce soir-là, regardant les sillages rayer la mer. Et les Galapagos me faisaient me souvenir de cette histoire incroyable que raconte Jan Valtin – c'était un Allemand, un marin rouge, un cadre du Komintern. Et le Komintern ? Oh, écoute, tu regarderas dans une encyclopédie. Tu trouveras ça sur Internet. Il embarque sur un vieux paquebot, à Hambourg (ou bien c'est peut-être Brême) au printemps 1919. Les spartakistes ont été écrasés, Rosa Luxemburg a été tuée, son corps jeté dans le Landwehrkanal. Le bateau est rempli de révolutionnaires, de révoltés de toutes obédiences, d'hommes farouches qui fuient les pelotons et les corps francs. Une fois en mer, ils prennent le pouvoir. Les officiers se barricadent sur la passerelle et dans la salle des machines, dans le reste du bateau règne une liberté sauvage. Il y a des bordels, des tripots, des tatoueurs, des meetings et des assassinats politiques. On met l'avenir aux voix. Certains envisagent de devenir pirates dans l'Atlantique sud, mais la proposition qui rallie la majorité des suffrages est d'établir une république soviétique sur les îles Galapagos, et de demander aux bolcheviks des armes et des femmes. C'est drôle, ça me fait penser à une idée loufoque qu'on a eue, avec Treize, quand tout a été fini. Je te l'ai dit, on était quand même désespérés. Soulagés et désespérés. On n'avait pas l'intention de devenir des bourgeois, mais on sentait que ça allait être difficile. Alors, tout en éclusant des bières au Bar belge, à Port-Royal – c'était notre endroit –, on avait conçu l'idée d'un adieu burlesque à la Révolution. Tout le film une dernière fois, du début jusqu'à la fin, en accéléré. On aurait débarqué à quelques-uns, par la vedette, dans une petite île anglo-normande, Sark. Cette île, c'est un jouet, à dix en une heure, même avec des pistolets en plastique, on contrôlait tout. Il y a une espèce de souveraine, on la déposait, on l'embastillait. On aurait hissé le drapeau rouge sur le manoir de la Lady, proclamé le pouvoir des soviets, la collectivisation intégrale des terres, la bière et le whisky à l'œil : premier jour. Le deuxième, on aurait fermé les frontières, interdit la vente des journaux, décrété l'industrialisation à outrance et la planification, et mis le port (la taille d'un court de tennis) à la disposition de la flotte cubaine (les Russes nous semblaient trop mous, trop raisonnables,

les Chinois trop lointains). Le troisième, on aurait inventé un complot et arrêté certains d'entre nous. Tu serais Trotski-Lin Piao, disais-je à Treize, tu essaierais de t'enfuir en canot pneumatique. Lui préférait que ce soit moi. On verrait. Le quatrième commenceraient les procès. Une ferme serait réquisitionnée pour devenir un camp de travail. On n'avait rien prévu pour la suite, parce qu'il nous semblait que la patience de la Couronne britannique avait des limites et que notre spectacle ne resterait pas à l'affiche plus de quatre jours. On se défendrait héroïquement avec des mitraillettes à amorces et des pistolets à eau. Une fois de plus, la Révolution serait assassinée. Et qu'est-ce qui est arrivé ? te demande la fille de Treize. Rien. On n'a pas eu les couilles de le faire. Démétrios avait tort de me faire son fils. On était des tigres en papier, nous aussi. Et le bateau allemand ? Ah, là, c'est plus romanesque. Au milieu du canal de Panama, la moitié des candidats aux Galapagos a eu envie de débarquer. La lumière, les Amériques, la nature... C'étaient tous des prolos allemands, n'oublie pas, ils venaient d'un monde en feu et en ruine, un monde jonché de millions de morts, qui puait le cadavre, alors tu imagines... les perroquets, les papillons... toute cette virginité... Ils n'ont pas pu résister. Ils ont sauté par-dessus bord, avec leur balluchon, et nagé jusqu'à la rive du canal. Et là ils ont commencé à marcher dans la jungle, complètement paumés et trempés. Ils tombent sur une voie ferrée, ils se déshabillent et mettent leurs affaires à sécher sur les rails. Passe une locomotive, ils se retrouvent l'un avec un short, l'autre avec un pantalon qui n'a plus qu'une jambe, un troisième avec une chemise découpée en diagonale, enfin tous plus ou moins à poil. C'est comme ça qu'ils sont arrêtés. Cette histoire me revenait ce soir-là en regardant les sillages rayer le mur bleu de la mer, encadré de treilles, cette beauté crépusculaire qui ne pouvait plus apaiser l'esprit tourmenté de Démétrios. Cette face de statue aux yeux vides… Galapagos ! Galapagos ! Le nom ne me faisait plus rire, mais l'histoire des spartakistes à poil dans les jungles du Panama, si. Démétrios ne riait jamais. Est-ce que les héros ignoraient le rire ? J'avais peur de ne pas être un fils à la hauteur. Et c'est ce qui est arrivé, puisque je suis devenu, en fin de compte, une sorte d'homme de lettres, tu imagines… Une des choses qui m'ont fait mesurer à quel point le temps avait passé, changé, et moi aussi, c'est lorsque je suis retourné à Marseille, après que tout a été fini, et que je n'ai pas osé aller le revoir. J'étais sûr qu'il ne comprendrait pas, qu'il mépriserait mon scepticisme nouveau, lui qui n'avait jamais cessé de croire à la Révolution mondiale. Il passait ses nuits, après la fermeture du restaurant, à manipuler un énorme et antique poste de radio avec lequel il écoutait les ondes révolutionnaires du monde entier. Ici Radio Pékin. Suivaient les premières mesures de *L'Orient rouge. Dong-fan-ang hong, tai-yan-ang sheng*, « l'Orient est rouge, le soleil se lève ». Un soir, au Harry's, Angelo fin saoul avait entonné ces espèces de couinements chinois, c'était le soir d'un France-Galles fameux, la boutique était pleine de rugbymen braillant de mâles mélopées celtes et l'affaire avait failli mal tourner. Camarades ! Comrades ! Compañeros ! Le président Mao est le plus grand demi de mêlée du monde ! Indeed ! La Longue Marche : on recule pour mieux avancer ! Comme au rugby ! Tu parles… Les musculeux en cravate club ne l'entendaient pas de cette oreille. Ce n'était évidemment pas le genre de souvenir qu'on pouvait raconter à Démétrios. *Zhong-guo chu le yi ge Mao Zedong*… Les révisionnistes soviétiques ont soulevé une grosse pierre pour se la laisser retomber sur les pieds. Les révisionnistes sont des tigres en papier comme les impérialistes US. Le Bureau politique du glorieux Parti communiste chinois, sous la direction du grand camarade Mao Zedong, révèle que le complot de la clique antiparti de l'architraître Lin Piao... Ici La Voix du Vietnam émise de Hanoi. Debout les damnés de la Terre. Les héroïques combattants de la DCA de Haiphong, animés de la volonté de défendre la patrie socialiste contre les agresseurs impérialistes yankees, ont abattu... Deux divisions fantoches anéanties dans la province de Quang Tri... Ici Radio Havana. Un complot d'émigrés contre-révolutionnaires à la solde des... Ici A Voz da Liberdade. Contra o fascismo. Contra a guerra colonial. Por um Portugal livre e democrático! Ici Radio Magallanes. En réponse au sabotage des patrons camionneurs, le président Salvador Allende décrète la loi martiale... Je me souvenais du vieux visage de Démétrios, souffrant et rayonnant, les paupières fermées, serrées comme des poings sur ses yeux morts, je me souvenais de son visage crispé par l'attention cependant qu'il s'efforçait de capter, venus d'Afrique, d'Asie ou d'Amérique du sud à travers des orages de parasites, aussi déformés, dégradés, que s'ils arrivaient de la planète Mars, les flots de la rhétorique révolutionnaire. Comment voulais-tu que je le revoie? J'étais sûr qu'il me renierait comme un mauvais fils, et que je ne pourrais lui faire comprendre qu'un mauvais fils est tout de même un fils. Je ne voulais pas voir la peine que je lui causais, car je savais qu'il lui en coûterait de me déshériter moralement. J'avais le sentiment d'avoir abusé de la faiblesse de cet homme courageux, que c'était comme si j'avais profité de sa cécité pour voler quelque chose chez lui. Sans compter qu'il m'aurait demandé des nouvelles de Treize: et qu'est-ce que tu voulais que je lui dise? Qu'il était mort, d'accord, mais comment? Tu crois que la mort de ton père était présentable? Bien plus tard, il y a quelques années, je suis retourné à l'Estaque, assez de temps avait passé, j'étais prêt à revoir Démétrios, j'ai cherché son restaurant, mais à la place il y avait une agence bancaire.

Et te voilà, vous voilà, elle remorquée par toi sous la voûte céleste portative du parapluie, vous voilà de nouveau rue des Solitaires, dans le sens de la descente cette fois, vers l'Ouest donc RUE DE PALESTINE CHIRURGIE DENTAIRE AVOCATS À LA COUR ÉCOLE COMMUNALE DE JEUNES FILLES PHARMACIE DU VILLAGE BOUCHERIE BELLEVILLOISE RESTAURANT LA PERDRIX ROUGE qu'est-ce que c'est à ton avis : le rendez-vous des perdrix révolutionnaires? Oh pardon ça m'a échappé. L'église du Jourdain qui ressemble à une petite cathédrale. Putain, où est passée cette bagnole? Z'avez pas vu Mirza? Il me semblait pourtant que je l'avais garée par là. Enfin, entre Jourdain et Télégraphe, disons… dans une rue en pente… Zyeute bien, Marie, tu as de bons yeux, toi, t'as de bons yeux tu sais… Une DS, tu vois comment c'est : assise sur son arrière-train, prête à bondir, la gueule de squale tendue en avant, oui, un animal hybride, amphibie, mi-sphinge mi-requin, aux grands yeux tournants. Gris métallisé, une pièce d'argenterie. Tu la reconnaîtras de loin. Une bonne voiture aussi, soit dit en passant, pour trimbaler en douce des substances fulminantes : très bombées, les portières, peut-être même plus que celles de la Coccinelle. Rolge, il habitait un pavillon dans la banlieue de Bruxelles, à Waterloo. Ça m'énervait, cette adresse, parce que j'ai toujours été un peu bonapartiste, même à l'époque. Je ne m'en vantais pas, ça ne se faisait guère dans nos milieux. Le peuple de Paris, à l'époque où il était révolutionnaire, avait pourtant salué par des barricades les funérailles d'un général de l'Empereur, Lamarque : c'est même dans cette affaire que Gavroche est tué. Mais qui s'en souvenait ? Le peuple bonapartiste avait hérissé tout le secteur de barricades, en 1832, dis-tu à la fille de Treize, étendant le bras vers la rue des Pyrénées et celle des Rigoles et celle des Cascades et tout ce qui dévale vers Ménilmontant. Une baraque en meulière bourrée de vieux journaux jusqu'au grenier, tel était le repaire de Rolge, on circulait là-dedans en effaçant précautionneusement les épaules comme dans les tranchées d'une fouille, une tombe antique dont les parois auraient été des piles jaunies de canards et de revues, des millions de feuilles, de lignes de plomb sédimentées, toute l'histoire de l'Europe et du monde depuis la Libération, c'était le trésor de Rolge. Et c'était une tombe, d'ailleurs, une immense fosse commune que contenaient ces murailles de papier. C'est dans ces collections rongées par les souris de Waterloo que tu as vu pour la première fois mentionnée, en très petit dans un numéro du *Monde* de l'année 1948, la mort du lieutenant sur un rach du Mékong, non loin de My Tho, « au cours d'un engagement entre des éléments du corps expéditionnaire et des rebelles viêt-minh ». Tu avais, par sondages successifs, cherché cette année où, à peine né, tu avais été marqué, comme une carcasse de boucherie, à l'encre violette de la mort. De la mort et de l'ironie du sort. Les spartakistes à poil dans la jungle, les résistants tués par leur propre obus sur les canaux d'un fleuve d'Extrême-Orient… c'est ainsi que divaguait l'Histoire. Cet entrefilet dans *Le Monde* faisait passer la mort du lieutenant de l'état de malheur domestique à celui de *res gesta*, d'événement inscrit dans le Grand Registre, presque d'exploit : tant l'écrit (non l'image) a partie liée avec l'Histoire. Galapagos ! Galapagos ! Lorsque, un peu plus tard, vous vous prépareriez à cravater le général en retraite Chalais, PDG d'Atofram, tu lui donnerais le nom de code de « Galapagos » : parce que les trois premières lettres faisaient l'abréviation de son grade, mais aussi pour des raisons qui venaient d'autrement loin. Tu n'avais pas osé dire ta découverte à Roger le Belge, pas plus que, quelques mois plus tard, grillant avec Treize des cigarettes dans la Citroën blanche volée, tu n'oserais lui dire ce que t'évoquait le nom de My Tho que vous entendiez à la radio. Rolge hébergeait alors un déserteur de l'armée américaine, un grand Noir qui avait fui le Vietnam avec l'aide d'une pute pacifiste de Francfort. Black Jack, c'est ainsi qu'on l'appelait, dormait sur une couche d'*Humanités* des grandes années, entre *Esprit* et *Temps modernes*. Quand on arrivait chez Rolge au crépuscule, on voyait de loin sa baraque au bout de la route, sur la plaine de Waterloo, espèce de chalet de sorcière illuminé comme un Magritte fameux, et authentique celui-là.

Une fois j'ai bombardé le Vietnam, dis-tu à la fille de Treize. Pas des blagues. Je me souviens des résilles clignotantes de Haiphong montant de l'horizon à ma rencontre, l'herbe que j'avais fumée et le sifflement térébrant des huit réacteurs m'avaient rendu à moitié maboul, cinq heures déjà de ce bordel depuis qu'on avait décollé de Guam, Bob Dylan fredonnait en sourdine in the darkness of the night I seem to wander, to wander comment, déjà ? unhappy ? unrestly ? dans le cockpit du B-52 que les voyants des instruments ocelaient de lueurs pauvres. Le B-52, une des rares choses qui n'aient pas changé depuis ce temps-là.

Je l'ai déjà dit ? Ça ne fait rien. Je le redis. Quand c'est fini
n-i-nini ça recommence. On tourne autour de la ville,
autour du passé, du soleil noir de la mélancolie. L'anémone
et l'ancolie. La ville du Grand Gibet et de la Roue. Juste un
peu relooké, le B-52, et en avant non stop de *Dr Folamour*
à Desert Storm. C'est un avion qui donne l'illusion qu'on
n'a pas vieilli, qui date du temps où on roulait en deuche
avec des autocollants contre la guerre sur les vitres. Un
bombardier qui vous caresse le moral dans le sens du poil,
si je puis dire. J'étais dans le cockpit en train de me taper
une Budweiser pas trop fraîche quand les Congs ont éteint
toutes leurs putains de lumières, comme si on bombardait à
vue, Paulina L (j'avais baptisé le zinc du nom de la femme
que j'aimais) était encore à quarante nautiques de l'objectif,
le port de Haiphong. Je me souviens des bombes faisant
jaillir des fontaines de flammes dans la nuit bleue loin, très
loin là-dessous, des colonnes de flammes dans la nuit sépia
sous les ailes couleurs de lame de rasoir, les longues ailes
flexibles, les si graciles et troublantes ailes galbées moirées
de lune de Paulina L cependant que j'entamais, à 35 000
pieds, le virage impeccable qui nous ramènerait, mal rasés
et un peu stone, exaltés et fatigués et pas trop fiers, au fond,
vers l'aube sur l'océan Indien, les guinguettes de plage et
les filles à soldats. En bas les « héroïques combattants de la
DCA de Haiphong » tiraient des fusées à l'aveuglette, on
voyait leurs traînées cotonneuses se tirebouchonner à la
poursuite des leurres. Ces cons de Congs... On aurait dit
un minable feu d'artifice de Memorial Day dans le plus
minable des bleds du Mid-West. I'm beginning to doubt,
I'm alone and there is no one by my side. C'était à la Fête
des Loges, près de Saint-Germain, et je m'excitais sur
une machine électronique, Bombing Vietnam, qui m'avait

évidemment paru plus attirante, plus ironique que le Death Ring d'Indianapolis ou le plongeon en kayak dans les chutes du Niagara. Paulina L était à mes côtés, encore, sur l'ovale de son visage se succédaient des expressions d'enthousiasme juvénile et d'autres d'insondable ennui bourgeois. Tout de noir vêtue, comme à son habitude. D'autres fois je l'appelais Leïla, ma petite nuit. Elle avait... c'est drôle, oui, elle avait l'âge que tu as à présent, dis-tu à la fille de Treize. Je l'aimais et je crois qu'elle aussi et pourtant c'était comme si on ne s'aimait plus. Je l'aimais parce qu'elle était belle, tout simplement, mais aussi parce qu'elle était à mes yeux l'inexpérience qu'il me plaisait d'instruire, présomptueusement peut-être, despotiquement peut-être. Je l'aimais parce qu'elle était la jeunesse que j'étais en train de quitter alors, sans m'en apercevoir, une espèce d'avenir radieux qu'à la différence de l'autre, l'abstrait, le grandiose, je pouvais modeler à la forme de mes bras, de mes jambes : mais que je perdrais plus brutalement encore que l'autre. Et puis enfin je l'aimais parce que c'était écrit, parce qu'il devait en être ainsi, que c'était ça qui m'attendait. C'est irrationnel ? D'accord. Et pourquoi est-ce que vous ne vous aimiez plus ? te demande la fille de Treize. Ça... On vivait dans des mondes très éloignés l'un de l'autre. Moi, tu vois, j'étais encore dans tout ce théâtre... théâtre d'ombres... cette mythologie, si tu veux. J'étais un vieux fantôme. Elle peut-être plus dans le réel, je ne sais pas. Ailleurs, sûrement, très loin. Enfin tu vois, je ne suis pas très malin, je n'ai toujours pas compris.

Maintenant tu descends la rue de Belleville, comme entraîné par la pente ZHEN FA TRAITEUR ASIATIQUE BOUCHERIE DES BUTTES TRIPERIE CINQ À SEC BIJOUTERIE

PLAQUÉ OR ET ARGENT MASSIF FROMAGER FRUITIER le ciel
est entre jaune et rose on dirait une tranche de foie gras,
perles de pluie sur le pare-brise des voitures, BISTRO BAR À
VIN BUFFET FROID LA CAGNOTTE AUX JARDINS DE FRANCE
LE DRAGON GOURMAND TRAITEUR ASIATIQUE CARLA CHAUS-
SURES BOUCHERIE HALLAL un torse d'homme en plâtre avec
un slip rayé noir et blanc dans la vitrine d'une pharmacie
t'évoque, mais alors très confusément, un passage très tordu
d'un roman de Nabokov, est-ce que ce n'est pas *Le Don*? de
toute façon tu ne te souviens plus et d'ailleurs tu n'avais pas
compris grand-chose, de ça tu te souviens, CONSOMMEZ DE
LA TRIPERIE FAITES DES ÉCONOMIES. Jean d'Audincourt
habitait par là autrefois, avec Clara. Par là, mais je ne saurais plus dire où. D'ailleurs il est probable que l'immeuble
a été détruit. C'était un de ces petits immeubles de deux-
trois étages, avec des volets de bois écaillés sur la rue, les
toits pentus en zinc, qui devaient déjà être là au temps de la
Commune. Tu ne peux pas imaginer comme la ville était
différente alors, Marie, dis-tu à la fille de Treize. Et surtout
par ici, on était en plein XIXe siècle, il y avait une densité de
spectres qui était presque palpable. C'étaient des petites
maisons, des bouts de jardin, des ateliers, des escaliers, des
venelles pavées…Ce Paris ancien s'accordait bien avec nos
paysages intérieurs. C'est à l'époque du président Pompe
qu'ils ont commencé à raser tout le passé. Le président
Pompe avait composé une anthologie de la poésie française, mais il détestait le passé. Mort à l'Histoire, enrichis-
sez-vous… ses mots d'ordre ont gagné. En fin de compte il
était assez moderne, ce gros bougnat. Ce qu'on a pu le
détester… De Gaulle, avant, on avait beau s'efforcer…
pour les moins cons d'entre nous, en tout cas, c'était difficile. Mais lui, Pompe… Jean et Clara, c'est avant de partir

pour Sochaux qu'ils habitaient par ici. Je te l'ai dit,
Sochaux, chez nous, c'était un peu la Sibérie. L'immense
usine, les milices Peugeot, le froid, la cambrousse... Pas
une grande ville à l'horizon. La nuit, quoi. Si on les avait
envoyés là-bas, c'était pour les « rééduquer », comme on
disait. Tu penses... Ils allaient encore, de temps en temps,
au ciné, ils s'étaient refusés à vendre un piano droit sur
lequel il arrivait à Clara de jouer une *Étude* de Chopin, ils
avaient conservé dans leur maigre bibliothèque, bien en
vue, les *Écrits* de Lacan (derrière lesquels était planqué un
revolver). Tout ça était très hérétique. Même sa noncha-
lance à lui était suspecte, sa dégaine de Gaston Lagaffe :
dans ces années-là, il n'était pas jusqu'au corps qui ne fût
supposé témoigner de la pureté des positions de classe.
Jean était plutôt un Girondin, ça se voyait rien qu'à le
regarder. Il avait l'air placide et dédaigneux d'un chameau.
Ils avaient donc été envoyés se retremper là-bas. Bien plus
tard, il y a quelques années en fait, après la mort de Jean,
Clara m'a raconté la cité de transit à Audincourt, dis-tu à la
fille de Treize. Les torchons grouillant de cafards. Les
retours du boulot au petit matin, avec les assiettes sales lais-
sées par le dîner des « camarades », l'odeur de sauce tomate
et de tabac froids, les mégots plantés dans la sauce tomate
figée, l'encre de la ronéo vietnamienne sur les draps, les
cannettes vides dans le coffre à linge. L'envie de pleurer et
de dormir, mais non, pas le temps, il y a une « réu » tout à
l'heure, dans leur piaule. Le voisin yougo que sa femme
laisse cinq minutes, qu'elle retrouve pendu devant sa télé
allumée. Cette minutieuse tristesse, avec la brume qui tam-
ponne tout ça. Cette dureté de ceux qu'ils croyaient être
leurs amis. Et moi aussi j'ai été salaud avec eux, alors, dis-tu
à la fille de Treize. Jean d'Audincourt, en fait, ce qu'il a eu

de plus fastueux dans sa vie, ça a été ses obsèques. Parce qu'il est mort lui aussi. La mort est enfant de Bohême. A Saint-Louis-des-Invalides, les obsèques : comme un maréchal de France. Il y avait, sous les drapeaux criblés de mitraille et de soleil hivernal, des généraux, des préfets, des curés, des anciens gauchistes (c'est devenu une carte de visite). Tous en retraite. J'étais là, ancien gauchiste en retraite, assistant aux funérailles religieuses et militaires de mon ami Jean d'Audincourt, ancien gauchiste carrément mort. De quoi se marrer. Feuilles de chêne, faisceaux républicains, sabres et goupillons, légions d'honneur, étoiles rouges, sous les drapeaux des rois et des empereurs. Ces pompes patriotiques, c'était à cause de son père compagnon de la Libération. Ces vieux messieurs chamarrés, ces dames dont les fourrures évoquaient l'âge des cavernes, certains d'entre eux avaient dû en leur temps être des jeunes gens bien aussi intrépides, et pour de meilleures raisons, que nous ne l'avons été.

Un 18 juin d'autrefois, un de ces ancêtres héroïques avait invité Danton à déposer une gerbe en sa compagnie au mémorial de la Résistance du Mont-Valérien. Grande gueule chrétien de gauche, Dedieu était célèbre pour avoir « libéré la cathédrale de Chartres ». Ça voulait dire quoi, « libérer la cathédrale de Chartres » ? te demandais-tu (même à l'époque où, en fait de questions, tu te posais le strict minimum). Les Allemands étaient retranchés dans les confessionnaux ? Ils envoyaient des V2 depuis la crypte ? Ça n'était quand même pas l'Alcazar de Tolède, la cathédrale de Chartres... Décidément les intellos étaient incurables. Même courageux, il y avait quand même en eux un fond de charlatanisme. C'était comme Hemingway « libérant » le

Ritz. Danton était alors recherché pour appel au meurtre contre agents de la force publique. Là encore c'était un peu excessif comme qualification, mais le ministre de l'Intérieur, l'infâme Saint-Marcellin, ne faisait pas dans la finasserie rhétorique et il fallait reconnaître que Danton, en tant que directeur de votre journal, avait couvert des articles dont la délicatesse ne sautait pas aux yeux. Ce libérateur de Chartres, s'il l'avait invité, c'était pour emmerder le président Pompe qui avait déclaré que quant à lui, les résistants l'emmerdaient. Sa gerbe de roses rouges dans les bras, Danton vous représentait donc, vous la chienlit gauchiste, les « casseurs », les prétendus « nouveaux résistants ». Parce qu'attention, dis-tu à la fille de Treize : l'emphase et même la boursouflure, nous aussi on connaissait, malheureusement. Tout a marché comme prévu, les flics se sont jetés sur Danton au moment où il posait sa gerbe, il s'est un peu débattu, ça a fait toute une agitation de pétales écarlates et de diaphragmes photographiques, de matraques et de décorations, des lunettes ont volé, des insultes historiques, ils l'ont traîné par terre et lui ont passé les menottes au son du *Chant des partisans*, ça a fait un grand scandale qui plus encore que nous a réjoui le compagnon de la Libération. Danton a été entaulé, bien sûr, mais de toute façon il y serait passé tôt ou tard, alors ça valait le coup de tomber comme ça. A Saint-Louis-des-Invalides je regardais ces vieux résistants, Dedieu n'y était plus, il était mort dix ans avant, et je me demandais à quoi aurait ressemblé le lieutenant. Il aurait été là, sans doute. Il y en avait sûrement, dans l'assistance, qui l'avaient connu. Tout de même, ces décorés, ce n'était pas le fils qu'ils enterraient, c'était le père, préventivement. Il ne tarderait pas à y passer, en effet. Son fils lui aurait donné le privilège d'assister à ses propres funérailles. Lui, Jean d'Audincourt, qu'est-ce qu'il avait à voir avec ça ? Grandes orgues, *Requiem allemand* de Brahms, bêlements de l'éloquence catholique contemporaine. Sous les dessous chics de l'histoire de France, rayonnants de poussière dorée et de verges de soleil bleu, il y avait toute notre vieillissante petite troupe, Amédée, très à l'aise lui avec les rhinocéros, Angelo, Fichaoui, Judith, Chloé, Foster, et même Gédéon : emmailloté dans un blouson Prisunic, barbichu, sa calvitie faîtée d'une kippa, avec cette curieuse façon néandertalienne de se tenir, un peu voûté, bras ballants – lui qui était si peu préhistorique, si profondément historique. Lointain comme autrefois, mais affectueux : d'une affection malhabile, presque timide, qui était la marque des années, des distances qui nous avaient séparés. Gédéon était rabbin à Montluçon, il n'avait jamais eu beaucoup d'humour et ce n'était pas son nouvel emploi qui allait lui en donner, mais il voulait manifester par quelque familiarité qu'il ne nous avait pas complètement oubliés, qu'il y avait toujours entre nous les lambeaux d'un lien ancien. Seulement, tout son être était si éloigné de la familiarité qu'il n'en connaissait, des formules et des usages, que quelques stéréotypes probablement glanés dans les Tintins de son enfance (parce que, si étrange que cela parût, il y avait tout de même une époque très reculée où il avait bien dû lire Tintin). « Comment vas-tu, vieille branche ? », c'est comme ça qu'il m'a salué, en me balançant une claque formidable entre les omoplates, sur le parvis où on attendait frileusement, après l'*Ite missa est*, le cercueil : une pure viennoiserie vernie, guillochée, crêtée de fanfreluches et de pommes de pin, qui ressemblait à un carrosse ou à une pièce montée, et dont j'avais honte parce que je m'en sentais un peu responsable.

Jean d'Audincourt était devenu journaliste, grand reporter comme on dit, et puis à Sarajevo un éclat d'obus l'avait tué. Tu étais allé chercher son corps, tu pouvais bien lui rendre ce service-là. Tu avais emprunté un avion affrété par une ONG française, un Iliouchine 76 (ou bien un Antonov ?) piloté par des Ukrainiens. La grosse baleine en duralumin était pleine de palettes de sardines à l'huile serrées dans des filets, tous ces tas de boîtes de conserve s'étaient couchés vers l'arrière au décollage d'Ancône. Au-dessus de l'Adriatique, les Ukrainiens en salopette kaki se baladaient dans la carlingue, boîte de bière en main, contemplant d'un œil perplexe mais fataliste ces empilements branlants dont l'écroulement risquait non seulement d'écrabouiller les quelques connards de belles âmes occidentales dont tu étais (ça, ils n'y auraient vu aucun inconvénient), mais carrément de faire faire la culbute à l'avion. *Niévazmojna, niévazmojna*, rien à faire : tes vagues souvenirs de russe te permettaient de capter ça. Néanmoins, l'estimation du risque variant énormément selon les traditions nationales, fondamentalement ils s'en branlaient. Ils étaient affrétés par des Français pour trimbaler de la bouffe à des musulmans, déjà ça ne les enthousiasmait pas. S'il n'avait tenu qu'à eux, ils auraient préféré boire de la Slivovic en compagnie des Serbes qui tout à l'heure, tiraillant depuis les collines autour de ce fucking Sarajevo, disaient-ils aux belles âmes occidentales, obligeraient leur avion-cargo à effectuer un plongeon qui ne convenait ni à son âge ni à son embonpoint. Les milliers de boîtes de sardines à l'huile étaient destinées à l'enclave de Srebreniça, lorsqu'elles finiraient par y arriver les assiégés n'auraient plus le loisir de s'en pourlécher les babines en rendant grâce à l'Union européenne et à ses étoiles mariales, cela ferait une bonne semaine qu'ils seraient couchés dans la chaux vive. Le bordel dans le cockpit de l'Iliouchine, éclairé par une verrière résillée à la façon des bombardiers de la Deuxième Guerre mondiale, évoquait plutôt une chambre d'étudiants que l'idée qu'on se fait d'un avion militaire (même slave) : photos de starlettes scotchées aux parois, types vautrés à droite à gauche, éteignant leurs clopes dans des boîtes de Coke ou de bière que l'inclinaison de la grosse ferraille aérienne faisait rouler jusque sous les pieds des pilotes. Une perruque de fils électriques serpentant sur le plancher de tôle perforée (certains raboutés avec du sparadrap) reliait le navigateur au reste du monde, par l'intermédiaire d'un anachronique manipulateur morse. Bon. Ces types devaient quand même connaître leur boulot, en dépit des apparences. L'obèse machine volante, suspendue au cintre de l'aile, entamait son piqué vers Sarajevo. A travers les vitrages on voyait filer de furieuses guenilles de nuages. Une sirène se mit à hululer, et comme tu avais à ton actif des milliers d'heures de vol au ciné ou dans les livres (tu avais bombardé l'usine à gaz de Teruel aux commandes d'un Potez de l'escadrille España, aussi), tu savais que c'était l'avertisseur de décrochage. L'Ukrainien en chef mit des volets et des gaz, les réacteurs en remirent dans l'aigu, toute l'espèce de véranda vitrée de l'Iliouchine fonçait en excès de vitesse dans la plume, poussée au cul par les mastabas de sardines à l'huile qui, inclinées maintenant vers l'avant, menaçaient de se déverser en avalanche et de vous balancer tous, mercenaires ukrainiens et belles âmes occidentales, pêle-mêle dans le ciel bosniaque au milieu d'une gloire de boîtes mordorées. Une seconde sirène se mit à gueuler, tu l'attendais depuis un moment, celle-là, tête rentrée dans les épaules, c'était l'indicateur de proximité du sol. Il y avait un type coiffé d'écouteurs affalé tout à l'avant dans le bow-window, l'angle du piqué le tassait inexorablement dans le fond du verre, il semblait être là pour écraser le frein au dernier moment. En attendant il se signait frénétiquement, à l'envers, à l'orthodoxe. Le gris s'ouvrait, éclatait, fusait autour du nez vitré de l'avion qui semblait plonger presque à la verticale. Soudain, le temps d'un battement de cils, les ruines de Dobrinja bondissaient vers vous dans le potage jaunasse, les feux de la piste noyés de brouillard vers lesquels l'avion redressait en tanguant. Au bout, pieds dans la gadoue, clope au bec, mains dans les poches de son battle-dress, sinistre, t'attendait Angelo.

Il se prenait désormais pour Malraux, ce qui n'était pas après tout la pire façon de vieillir. Ce type dont l'absence de sens pratique était proverbiale, expliques-tu à la fille de Treize, qui avait démoli une voiture en essayant de passer son permis et n'avait plus jamais remis ça, ce type à qui il était arrivé de faire appel à un électricien pour changer une ampoule, qui prenait son verre de bière pour un cendrier, et presque inversement, qui perdait ses clefs et ses cartes, oubliait ses codes, mettait son linge sale dans un lave-vaisselle, enfin la liste de ses bévues était longue et pittoresque, ce type-là avait été fichu de monter de bric et de broc une espèce de centre culturel à Sarajevo : il y avait de quoi rire et d'ailleurs lui-même, il lui arrivait d'en rire. Sans doute était-il, dans cette sinistre vallée, à la recherche d'une chose désormais introuvable, notre passé. Pas un passé intime et nombrilique, mais au contraire ce qui l'avait fait communiquer par moments, en rêve, avec de grandes et violentes histoires à présent presque oubliées, les garibaldistes, les

Brigades internationales. Oui, c'est ça, dis-tu à la fille de Treize : le cœur même, la beauté de la Révolution c'était l'internationalisme, l'histoire des révolutions est pleine d'horreurs et même d'ignominies, ce qui n'est pas la même chose, mais cette idée-là, l'internationalisme, il n'y en a pas de plus grande, de plus sublime même, dans toute l'histoire morale de l'humanité. Tu vois que je ne mâche pas mes mots. Un internationaliste, un vrai je veux dire, un pur, un qui va risquer sa vie pour d'autres qu'il ne connaît pas, qui fait le libre choix de mettre tout en jeu sans aucun intérêt personnel, Orwell en Catalogne ou Malraux à Alcala de Henares (oui, lui, n'en déplaise aux fines bouches, aux culs serrés), ça a à voir avec cette part de l'humanité qui se mesure aux dieux et qu'on appelait, et que j'appelle toujours, l'héroïsme. Et si votre passé était introuvable, pensais-tu dans le véhicule blindé qui vous emmenait Angelo et toi vers PTT building, le quartier général des forces de l'ONU, ce n'était pas seulement parce qu'il était du passé, que seule la littérature, peut-être (et encore, tu n'y croyais pas trop), permettrait de revisiter fugitivement, c'était parce que à l'époque même où il était du présent son essence était d'être chimérique. Cela faisait un bon moment déjà qu'on avait renoncé à se mesurer aux dieux. Ce qui rendait parfois Angelo ridicule aux yeux du monde, c'est qu'il était moins futile que les autres, moins cynique. Il était « démodé » parce qu'il ne croyait pas que l'Histoire, autrement dit le récit des spectres, la leçon des fantômes, fût démodée. Ou, le croyant, le constatant, il « ne voulait pas le savoir », comme on dit. Dans le VAB peint aux couleurs d'oie blanche de l'ONU, qui cahotait sur ses énormes pneus vers PTT building, Angelo contemplait dévotement une célèbre photo de son héros, clope au bec et mèche sur le front, un tirage signé de Gisèle Freund qu'il avait payé la peau du cul, fait encadrer sur les quais et qu'il t'avait chargé de lui apporter pour orner son centre culturel. Il tenait l'icône sur ses genoux, arrimée d'une main (l'autre cramponnée à la poignée qui pendait du plafond de la boîte de conserve blindée), la cigarette calée au coin des lèvres (des siennes, pas de celles de la photo), les yeux humides d'émotion, on sentait qu'il y avait de la transsubstantiation dans l'air, ce qui t'énervait un peu. Ce qui m'énervait un peu, racontes-tu à la fille de Treize. Je n'ai rien contre Malraux, au contraire, j'étais étudiant et déjà gauchiste lorsqu'il a prononcé son oraison funèbre de Jean Moulin, c'était un ministre de De Gaulle mais j'étais quand même allé l'écouter rue Soufflot, dans le vent glacial, et non seulement ça ne me gêne pas de dire que j'ai pleuré ce soir-là en l'écoutant, mais je tiens à te dire que j'ai la gorge nouée de nouveau à chaque fois que j'entends ce discours ou même que je le lis. Je suis foutrement content d'être allé écouter Malraux ce soir-là et pas François Mite à la Bastille en mai 81. Alors tu vois. Mais quand même cette façon qu'avait Angelo de pomper l'âme de son maître par ses yeux embrumés, ça m'énervait un peu. Depuis qu'il s'était évanoui en présence de Mao, le goût de la vénération ne l'avait pas quitté. Tu aurais quand même pu prendre une photo de Che Guevara, lui dis-je pour l'énerver un peu, à son tour, la célèbre où il est couché mort, les yeux ouverts, semblable à un Christ de Mantegna, entouré d'assassins militaires, sur le lavoir de l'hôpital (ou bien peut-être de l'école ?) de Vallegrande : non ? Ne m'emmerde pas, hurle-t-il pour couvrir le rugissement du moteur : tu sais bien que ça revient au même. Sauf que Guevara n'a pas laissé d'œuvre littéraire. Pas facile de causer dans ces engins dont l'insonorisation ne fait pas partie des arguments de vente. Et comme on ne voit pas la route, les virages, les changements de régime vous prennent en traître. A certains moments, enfermé dans cette carlingue aveugle, on a l'impression que le type aux commandes qui, lui, voit vaguement quelque chose, a décidé d'escalader les décombres d'un immeuble, à d'autres pour des raisons inconnues il s'arrête et alors on n'entend plus que le halètement du gros moteur et le grésillement de la radio. Il est bien sûr interdit de cloper, mais Angelo est devenu si populaire parmi les militaires français, une vraie mascotte, qu'on lui laisse enfreindre tous les règlements de sécurité : il enfume l'atmosphère surchauffée du VAB, secoue ses cendres sur les bandes de la mitrailleuse, puis il entrouvre une écoutille et propose sa tronche de raton laveur (il a les yeux très cernés, les oreilles décollées) aux éventuels snipers.

A l'époque où je vais chercher à Sarajevo le corps de Jean d'Audincourt, Treize est mort depuis longtemps, je sais bien, dis-tu à sa fille : mais si je te raconte quand même ça c'est parce que ton père était une partie de nous, de cet être multiple, entre héros et clown, qui s'appelait « nous ». Je suis au courant, te répond-elle, tu l'as déjà dit. Oui, mais attends : comme une partie de cette espèce d'éponge du « nous » vit encore, ton père vit en partie à travers ça, OK ? Et inversement on est un peu morts à travers lui et Jean d'Audincourt et Nessim. C'est une sorte de société d'assurance fraternelle et romanesque, à la vie à la mort, tu comprends ? On met tout ensemble, on se partage le pot. Les uns nous aident à mourir – un rude apprentissage, très nécessaire –, les autres aident les morts à survivre. C'est le vrai communisme, ça : à chacun selon ses besoins. Je ne plaisante pas. Au fait, ton père, tu sais d'où lui venait son surnom, quand même ? Non ? Vraiment ? Ta mère ne t'a pas… ? Elle déteste cette époque, d'accord, mais de là… Je pensais tout de même… Eh bien voilà, ça vient d'une photo, une des très rares photos de ce temps-là. Je n'en ai pas d'autre, en fait. Elle a été prise pendant l'été de 1969, tu te rends compte, sept ans avant ta naissance, déjà on ne prenait plus de photos, ça évoquait trop les vacances bourgeoises, les cousines à la plage… du Rohmer… Et puis surtout, ce n'était pas la peine de faciliter le travail de la police. Mais là je ne sais pas pourquoi, l'été, l'enthousiasme, quelques verres peut-être au buffet de la gare… on a pris une photo de groupe en débarquant du train de Paris à Guingamp. Guingamp ou Saint-Brieuc, mais je crois bien que c'était Guingamp. On allait travailler chez des paysans, s'endurcir, apprendre à mettre les mains dans la merde tout en gagnant les campagnes à la Révolution, on appelait ça des « longues marches », en référence à la Longue Marche chinoise bien sûr, d'un rien on faisait une épopée, c'était à la fois ridicule et beau, c'est en tout cas ce qu'il me semble aujourd'hui. Sur cette photo, devant la gare, on dirait une équipe de foot, il y a Jean qui n'est pas encore d'Audincourt, tête de chameau un peu dégoûté, ou de lama peut-être, lunettes noires, une veste en tweed avec des revers qui montent jusqu'aux oreilles, Clara, cheveux frisés courts, nez en trompette, robe indienne, Angelo, cheveux bouclés, trapu, oreilles décollées, gilet peau de léopard, Fichaoui-dit-Julot, petit, mains dans les poches, mèche déjà grise, Judith en jeans effrangés, grande bouche, les cheveux remontés derrière la nuque. Pompabière visage sanguin, moustaches tombantes, ressemble de façon inattendue à Flaubert, Momo Mange-serrures, crâne ras, a l'air d'un astucieux bagnard, moi je fais un peu mousquetaire, avec un grand tarin et des cheveux mi-longs, Victoire et Laurent se tiennent par le cou (tandis que moi je ne suis même pas à côté de Judith), ils ont tous deux un sourire éclatant, Danton est déjà un peu grassouillet, il rigole, on voit qu'il a les incisives supérieures séparées, je crois que ça s'appelle les « dents du bonheur »? Ça fait onze. Le douzième c'est Delacroix. Beau gosse, frimeur, Perfecto noir, foulard blanc autour du cou, une manière déhanchée de se tenir... Lui, il avait vraiment pété dans la soie, comme Nessim, il était né dans une famille de grands industriels et ça se voyait un peu trop. Eh bien bizarrement quand tout a été fini il n'est pas retourné chez les riches, il est resté assez gueux, journaliste échotier dans un canard à scandales, louvoyant entre flics et voyous, copain des uns et des autres, un peu, renseignant peut-être un peu les uns et les autres, je n'en sais rien, mais si c'est le cas je suis sûr que c'est pour le sport, l'excitation de faire l'agent double, the fun of it, pas autre chose. Amateur de coups foireux et de pétards mouillés, distributeur de tuyaux faramineux. Il y a eu une époque où je l'ai un peu revu, j'avais besoin de ses relations pour trouver un flingue parce que bizarrement, stupidement, je n'ai gardé de ce temps-là aucun ustensile. Pour quoi faire? Oh, rien de spécial. Mais il faudra bien en finir un jour, Marie. Avant que le cancer ou la cirrhose ne s'occupent de moi. Ou la maladie de la vache folle (la forme humaine, comme ils disent)... Et je me sentais assez loin de lui, les proxos, les dealers, les mœurs, les stups, les machines à sous, leurs sanglantes petites guerres à tous ceux-là, leurs accords secrets, ce n'est pas mon univers, même pas mon imaginaire, je ne suis absolument pas lecteur de polar, et en même temps je le voyais tout crade, avec ses Nike puantes et un sac à dos, à cinquante balais, avec un reste de beauté encore mais usée, soufflée, plus chic du tout, écrivant ses sombres histoires dans un torchon que jamais aucun bourgeois, aucun intello ne lirait, s'imaginant à tort ou à raison menacé par un gang, écouté par un service du Quai des Orfèvres, parlant un langage codé au téléphone, paranoïaque et assez mythomane sans doute : et je me disais qu'il y avait quelque chose dans sa vie absurde – et notamment ça, peut-être : d'être absurde – qui n'était pas sans rapport avec notre vie d'autrefois, du temps de La Cause. Toujours est-il que Delacroix en blouson de moto, foulard blanc autour du cou, c'est le douzième sur la photo. Le nombre des apôtres, je te fais remarquer (si jamais ça te dit quelque chose, les apôtres, dis-tu à la fille de Treize : et de nouveau elle te tire un petit triangle de langue rose), qui a inspiré à Alexandre Blok un poème célèbre. La neige vole le vent vadrouille Douze hommes partent en patrouille Bretelles noires des fusils Dans les lumières de la ville, tu connais ? Non. D'ailleurs moi non plus, à ton âge, Blok, *Les Douze*, ça ne m'aurait rien dit, absolument rien. Excuse-moi. Je suis énervant, de temps en temps. Souvent, même : d'accord. C'est tout à fait par hasard, bien sûr, qu'on était douze ce jour-là, débarquant du train à la gare de Guingamp (ou de Saint-Brieuc) pour aller évangéliser les campagnes. Ce même train Paris-Brest que de longues locomotives noires à roues-soleils rouges tiraient vers la côte d'Émeraude de mon enfance. On était douze ou plutôt treize : douze à prendre la pose et Chris, le treizième, qui prenait la photo. Exclu du champ pour « immortaliser » les autres, comme on dit : mais exclu aussi comme si une superstition nous avait interdit de paraître à treize sur ce portrait de groupe, le seul qui atteste, je crois, que tous ces gens, vivants et morts, se sont bien rencontrés un jour. Un jour de juillet 1969, à la gare de Guingamp, ou de Saint-Brieuc, dans les Côtes-du-Nord, qu'ils appellent maintenant d'Armor. D'où le surnom de ton père, qui ne l'a plus quitté : numéro treize, puis simplement le chiffre, parce qu'autrement c'était trop long. L'invisible, celui qui n'est pas sur la photo. Je te raconte ça, cette histoire de l'origine du nom de ton père, mais je l'avais complètement oubliée. Je ne me souviens plus si j'ai eu un tirage, sans doute, mais je l'ai vite détruit : on se méfiait des photos, comme je t'ai dit. Donc, je ne savais plus pourquoi il s'appelait comme ça. C'est à Sarajevo que la mémoire m'est revenue. Dans le portefeuille de Jean d'Audincourt, qu'on m'a remis, il y avait cette photo. Jaunie par le temps, noircie par le sang. Les sels photographiques avaient tourné, on avait l'air dans l'obscurité d'une bande de spectres plaqués or.

Le Che n'était pas un écrivain, d'accord, hurlais-tu à Angelo par-dessus les rugissements du moteur, mais tout de même la dernière phrase de son carnet, « nous sommes partis à dix-sept sous une lune très petite », c'était aussi parfaitement beau que la dernière phrase de Rimbaud, « dites-moi à quelle heure je dois être transporté à bord », non ? Adressée, cette phrase, au directeur à Marseille des Messageries maritimes, la compagnie, soit dit en passant, qui rapatrierait le corps du lieutenant quelque soixante ans plus tard. La littérature, est-ce que ce n'était pas en fin de compte un tas de variations plus ou moins profondes, plus ou moins véridiques, autour du thème de la dernière phrase, une façon de tourner autour du pot, du point où les mots s'arrêtent ? Angelo lâchait une gerbe d'étincelles dans l'air neigeux, rabattait l'écoutille, se raclait la gorge et te lâchait, sarcastique à son tour, eh bien dis donc, ce genre de vaste considération... c'est toi qui fais du Malraux, à présent... A PTT building, château des courants d'air qui était le terminus des lignes militaires, tout le monde, jusqu'aux officiers supérieurs, portait la main à la tempe pour saluer Angelo. Le général, un grand frimeur de hussard qui se piquait d'être un intellectuel, descendait de son bureau quatre à quatre pour lui serrer civilement la pince. Des colosses au crâne ras, au regard enfantin, venaient lui rendre compte d'exploits que leur modestie n'empêchait pas d'être à demi imaginaires. Ils avaient démoli au canon de 20 la salle de bains d'où tirait un sniper, des choses de ce niveau-là. Planté dans la neige mazouteuse, souillée par les échappements, labourée par les chenilles, Angelo recevait avec affabilité les hommages, échangeant une cigarette par-ci, une plaisanterie par-là. Il était flatté de la familiarité que lui témoignaient ces petits fonctionnaires en qui il s'efforçait de voir, contre toute apparence, des soldats de l'an II. Elle le rachetait (comme autrefois la camaraderie des prolétaires) de sa vieille honte d'être un intello, aussi acceptait-il sans discuter leurs tartarinades. Et eux, voyant qu'il les gobait, finissaient par y croire un peu, et se trouver vaguement héroïques. Chacun était content. Toi, piétinant dans la neige, embarrassé du portrait de Malraux qu'il t'avait refourgué et dont tu avais bien envie de le coiffer, ce con qui faisait sa revue des troupes, toi tu trouvais ça risible. Mais en même temps, dis-tu à la fille de Treize, le rêve que ce cinglé poursuivait, c'était peut-être celui que les plus inquiets, les plus exigeants de notre génération, née juste après la guerre, avaient cherché sans le savoir (ou bien, le sachant, sans se l'avouer) à travers les figures baroques de la Révolution : que juin 40 et tout ce qui s'ensuivait n'aient pas eu lieu, toutes ces saloperies dont on avait honte sans en être responsables, qui étaient comme une putréfaction, une gangrène dans le corps de la France. Avec toute sa crédulité, ses imaginations martiales, Angelo essayait de se persuader qu'il avait retrouvé, par-delà les infamies du siècle, une forte et généreuse patrie, que *La Marseillaise* était de nouveau un chant de guerre pour la liberté. J'aurais bien aimé y croire, moi aussi, dis-tu à la fille de Treize, que tu sens assez éloignée de ces nostalgies (elle doit trouver ça « ringard »). Ça aurait été plus confortable. La vie, tout ça.

Et soudain, là, presque à l'angle des Pyrénées, devant une palissade de chantier que longe un Arabe avec un sac en plastique sur la tête pour se protéger de la pluie, luisante, effilée, perlée d'eau, assise comme un dogue sur son arrière-train, il y a la DS Remember. Ah... Vous voici enfin assis dans le vieux cuir noir, la fille de Treize et toi. Tu sens l'odeur ? lui demandes-tu. Hein ? C'est l'odeur du temps. Odeur du temps brin de bruyère Nous ne nous verrons plus sur terre. C'est de l'Apollinaire, encore. Le plus beau poème de la langue française, peut-être. Cela me fait penser... c'est bizarre mais il n'y a pas longtemps, dans un train, j'ai rencontré Paulina L à soixante-dix ans. Elle était assise de l'autre côté du couloir. C'était elle, exactement, avec le petit retroussement au bout du nez, les yeux profondément enfoncés, les belles pommettes, ses traits si délicats, sillonnés de rides... Paulina avait la peau terriblement fine et fragile, elle avait déjà à vingt-cinq ans, lorsqu'elle m'a quitté, deux plis autour de la bouche, comme deux parenthèses, je crois qu'elle s'efforçait de ne pas trop rire pour ne pas les accentuer (elle y arrivait assez bien). Là, de l'autre côté du couloir, sur le paysage qui filait à l'envers,

cette vieille dame avec un béret blanc sur des cheveux gris
bouclés, un sweater bordeaux, une jupe écossaise beige,
c'était de façon stupéfiante Paulina L toute froissée par le
temps, jolie encore mais toute froissée par le temps. Quel
âge peut-elle avoir? me suis-je demandé. Soixante-dix-
soixante-quinze, sans doute. On est donc en... au-delà de
2030. Depuis combien de temps suis-je mort? Pense-t-elle
parfois encore à moi? Regrette-t-elle de n'avoir pas fait sa
vie avec moi? Et ce type en face d'elle, ce vieux qui dort
en bavant dans sa cravate, c'est donc ça le con pour qui elle
m'a quitté? A un moment elle s'est levée pour aller au
wagon-bar, et je ne sais pas si tu pourras comprendre ça,
dis-tu à la fille de Treize, mais je l'ai suivie et il s'est trouvé
qu'alors le train a commencé à tanguer et qu'elle a failli
tomber et je l'ai retenue, et je ne sais pas si tu pourras comprendre ça mais j'étais au bord des larmes, de tenir dans
mes bras la femme que j'avais tant aimée, que j'avais tant
souffert de ne plus tenir dans mes bras, cinquante ans après
qu'elle m'avait quitté, bien longtemps après ma mort...
Elle m'a dit merci monsieur avec un joli sourire épuisé, elle
n'a pas eu l'air de me reconnaître mais c'est normal puisque
j'étais mort depuis longtemps. Tu vois ma petite nuit, ai-je
eu envie de lui dire, tu as attendu trop longtemps, maintenant je suis mort, c'est malin... Nous ne nous verrons plus
sur terre Et souviens-toi que je t'attends. Contact. Le bruit
majestueux du moteur de la DS, la suspension qui monte
avec des déclics, le volant à une branche qui tressaute avec
de petits soupirs, tout ça voluptueux... les yeux qui tournent, chavirent... Lampadaires blancs sur le ciel mauve,
Simon Bolivar part en courbe plongeante vers les Buttes
MEGA KEBAB SPÉCIALITÉS TURQUES un MacDo à l'angle
avec un grand Noir en survêt' qui passe un balai sur le car-

relage blanc, quelle heure est-il deux heures, la rue de Belleville plonge entre les torrents des caniveaux vers le lac sombre de Paris FRAICHEUR DE VIE COSMÉTIQUES PARFUMS des façades crémeuses dévalent sous un ciel bleu-vert ardoise étoilé de lampadaires roses, là-bas la grande aigrette rouillée de la Tour avec le pinceau de lumière bleue qui vient de si loin, de mon enfance, éclairant les dessous, les jupons des nuages, un éclat trente secondes, le ciel paraît en marbre. Le cercueil de Jean d'Audincourt t'attendait, posé sur des tréteaux, dans la cour de PTT building. Enveloppé dans un grand sac de jute, et à voir comme le tissu se hérissait bizarrement, semblant recouvrir non un cercueil mais un carrosse, tu avais commencé à suspecter que les foutus croque-morts avaient casé Jean dans le modèle le plus cher, le plus grotesquement tarabiscoté, un machin kitsch qui avait dû rester en rayon depuis l'époque austro-hongroise, et dont même les plus nouveaux riches des apparatchiks de la défunte Yougoslavie n'avaient pas voulu. La guerre est toujours bonne à quelque chose. Il fallait faire vite, les Ukrainiens de l'Iliouchine (ou de l'Antonov) étaient pressés de repartir. Une sorte d'agent consulaire en prince-de-galles et nœud pap, accroupi entre deux transports blindés, avait fait bouillir sur un camping-gaz une casserole de cire afin de sceller le colis des armes de la République. Un peu de neige tombait. Malraux en trench-coat, clope au bec, était adossé au pneu énorme d'un VAB. Malraux, le vrai, pas son portrait, le commandant de la brigade Alsace-Lorraine, escogriffe secoué de tics, en canadienne et béret, mitraillette en bandoulière, le lieutenant l'avait paraît-il rencontré pendant le terrible hiver 44-45, alors qu'ils occupaient des positions voisines autour de Strasbourg menacé de nouveau par la contre-offensive allemande. La légende

entretenue par ta mère voulait qu'ils aient ensemble organisé une battue aux lapins afin d'améliorer l'ordinaire de la
troupe. Évidemment, c'était moins prestigieux que de discuter de Martin du Gard ou du *Râmâyana*, mais c'étaient
quand même des souvenirs présentables. Chasse au lapin à
la mitraillette dans les fourrés d'Erstein scintillants de
givre. Ta mère racontait ça pour la nième fois dans la Frégate Renault (ou bien était-ce une Onze Citroën?) roulant
vers la côte d'Émeraude. Les chars Tigre de Rundstedt
autour de Strasbourg. L'oncle pianotait nerveusement des
doigts sur le volant de plastique crème. Malraux, le colonel
Berger, ça ne te disait rien, tu comprenais juste que c'était
un type important, bien que mauvais chasseur de lapins.
Trop secoué de tics pour viser juste, selon elle. Tu pensais
à cette partie de chasse dans les collines d'Alsace en regardant le portrait de Malraux appuyé contre le pneu énorme
d'un transport blindé face au sac de jute qui enveloppait
le cercueil, ou le carrosse, de Jean d'Audincourt. L'agent
consulaire essayait de ne pas se brûler les doigts, qu'il
avait longs et soignés, avec la cire. Angelo était au garde-
à-vous, ou peu s'en fallait. Plus tard tu serais assis dans la
soute vide de l'Iliouchine, assourdi, abruti par le hululēment des réacteurs. Affalé sur un cadre de toile à côté de
toi, rotant, un pochetron ukrainien téterait une boîte de
bière. Devant vous le cercueil de Jean d'Audincourt,
hérissé sous le jute comme une cathédrale emballée
par Christo, serait sanglé à l'endroit où s'étaient entassées, à l'aller, des palettes de boîtes de sardines. Dans
cette étrange chapelle funéraire te reviendrait le nom
d'un bouquin qui avait eu le Goncourt, dans le temps : *Les
Funérailles de la sardine*. Et de nouveau venu de très loin,
de ton enfance, gronderait au-dedans de toi le rire devant

la mort, le rire contre la mort. Galapagos! Galapagos!
C'était, songerais-tu, comme si tu étais dans la cale du
cargo qui avait ramené le lieutenant quarante-sept ans
auparavant.

4

Mort sur un rach du Mékong, donc, le lieutenant, quelques mois après ta naissance : ça faisait que tu connaissais ce mot-là, rac ou rach, bien avant de lire *Un barrage contre le Pacifique*. Mot aujourd'hui disparu, entré dans la langue avec la conquête de la Cochinchine, sans doute, et sorti sur la pointe des pieds après Diên Biên Phu. Sorti en catimini de la langue française comme elle-même s'était retirée du Vietnam, réduite désormais à quelques traces bien plus rares, plus mortes que celles du latin chez nous, un « veston » proposé à la vitrine d'un tailleur, une « Villa Les Roses » oubliée sous les festons mauves des bougainvillées, un sigle « RF » mal martelé au fronton d'une poste. Le temps de ta vie était aussi le temps qu'il avait fallu à ta langue pour devenir une rareté archéologique dans cette partie du monde : et certes elle ne l'avait pas volé. Tué sur le rac ou rach Kim Son, « au mille 64 du Mékong », disaient les documents militaires. Feuilles de papier jaunies, cassantes, cornées, scarifiées de menues déchirures, blasonnées de tampons, imprimées à l'encre violette comme les cartes des restaurants ouvriers d'autrefois, ou les carcasses d'animaux de boucherie, et que tu relisais dans la chambre 501 de l'hôtel Huong Duong, à My Tho,

quarante-cinq ans après sa mort. Huong Duong, avais-tu
appris, voulait dire tournesol, héliotrope, ainsi ton retour à
la source se faisait-il sous l'œil du soleil rouge. Murs lépreux,
humides, un peu moussus. Trois lits à moustiquaires, mais,
ayant allongé la somme de sept dollars, tu avais droit à la
piaule pour toi tout seul. En contrebas de la coursive sur
laquelle ouvraient les chambres, dans l'entrée d'un canal,
des grappes de bateaux de pêche gîtés, déhanchés l'un sur
l'autre, drapeaux rouges à étoile d'or claquant au mât,
éclairés par des tubes de néon blancs et verts, pétaradaient
de tous leurs groupes électrogènes. Les toits de tuiles pago-
dés d'un grand bâtiment colonial se détachaient sur le noir
du Mékong. « Flottille amphibie Indochine Sud. Madame,
j'ai l'honneur de vous faire connaître les circonstances du
décès de votre époux le lieutenant R. Il était parti en mission
sur le fleuve comme il le faisait souvent. Il avait appareillé
le 14 mars au matin sur la VP 42 se dirigeant vers Vinh
Long. » Qu'est-ce que ça veut dire, VP ? Vedette patrouil-
leur, je suppose. « Vers neuf heures la VP 42 eut à interve-
nir contre une forte bande rebelle qui encerclait un des
postes tenus par l'armée. C'est au cours de cet engagement
que votre époux fut atteint au cœur par les éclats d'une
balle explosive sur la passerelle de la vedette. Il mourait
aussitôt… » « Flotille amphibie Indochine Sud. Objet :
décès personnel officier. Monsieur le Ministre, j'ai l'honneur
de vous rendre compte des circonstances du décès du lieutenant R. Le 14 mars 1948 à 8 h 15 la VP 42 quitte My Tho
pour se rendre à Vinh Long puis Cai Be. Le lieutenant R.
prend passage à bord pour régler, avec le chef d'escadron
commandant le sous-secteur de Cai Be, les détails d'une
opération à entreprendre. A 9 h 00 au mille 64 du Mékong
une vive fusillade attire l'attention du commandant de la

VP, l'enseigne de vaisseau D. Il se dirige vers le poste du rach Kim Son qui est attaqué par une forte bande rebelle. Il pénètre dans le rach et ouvre le feu avec les deux canons de 20 avant et arrière et la mitrailleuse de 12,7 bâbord. Les rebelles décrochent. Pour les mettre définitivement en fuite et dégager plus largement le poste, la VP 42 se porte plus avant dans le rach et recommence son tir. Au cours de ce tir un projectile du canon de 20 arrière qui tirait sur l'avant du travers explose sur le hauban bâbord du mât. Une grêle d'éclats s'abat sur la passerelle, blessant mortellement le lieutenant R. et le second maître de manœuvre G. Le lieutenant R. mourait aussitôt. La VP 42 fait immédiatement demi-tour et regagne My Tho pour débarquer ses blessés. Le second maître de manœuvre G. décédait à l'hôpital à 13 h 45. Je vous joins copie de la lettre que j'adresse à l'épouse... » Un certain sens du récit. Efficace. Présent de narration. Des surcharges (lettres, chiffres) aux crayons rouge et bleu sur ce document. Trace rouillée d'un trombone. Et puis ceci aussi, dans la marge de gauche, au crayon noir, encadré : « classer ». Classer quoi ? Les circonstances de la mort ? La mort elle-même ?

Ça grouillait sur les biefs, en descendant vers le Mékong, sampans à la proue ornée d'un grand œil vermillon pour effrayer les démons, percés de sabords par lesquels passaient des têtes d'enfants rieurs, édentés, rasés contre les poux, gabares tripatouillant l'eau au bout de longs arbres d'hélice, croulant sous des faix de végétaux inconnus, et puis des sortes de gondoles chargées des mêmes légumineuses presque phosphorescentes dans le crépuscule, et que faisait glisser sans saccades le mouvement de femmes debout sur la poupe, coiffées du chapeau conique en feuilles de lata-

nier, jetant l'aviron loin en avant, le ramenant d'un mouvement ployé des bras jusqu'à le laisser flotter dans le sillage,
un peu comme s'il s'agissait d'un filet, recommençant ce
geste lent, parfaitement identique à chaque fois (ô éternité
ressassée de l'Asie ! ô lieu commun !). Des fanaux à pétrole
s'allumaient avec le soir, sur les berges, sur les bateaux,
donnant à tout ça un air lointain de fête vénitienne. Un
type très maigre en short et chemise caca-d'oie était venu
te parler, sur le sampan, il se souvenait de quelques mots de
Phap, de français. C'était le maire d'un village du delta. Je
suis un vieil homme pauvre, c'est comme ça qu'il s'était
présenté. Les communistes tous riches, monsieur, les gens
des campagnes pauvres. Il s'accrochait à toi, squelettique,
confiant dans le fait qu'à part lui et toi personne ne comprenait le *Phap* sur cette barcasse. Mon père communiste,
dans la résistance aux Français depuis 1938, monsieur. Ce
sont les gens du Tonkin qui dirigent tout. Ils nous aiment
pas. Le Tonkin... Il utilisait le vieux nom colonial pour
désigner le Nord. « Dans le Tonkin les hommes sont en
cage » : ce refrain te revenait, là, sur le pont du sampan,
dans le vent poisseux, une vieille bonne chantait cette chanson triste, tu étais petit enfant, dans la maison de la côte
d'Émeraude, elle était née à la fin de l'autre siècle, au
moment de la conquête. Tu cherchais au fin fond de ta
mémoire d'autres bribes de cette chanson, mais rien à faire.
Une odeur de terre, de pourriture, de fumée de bois flottait
dans le soir. C'était où, le rach Kim Son ? Peut-être justement était-on en train d'y passer ? Tu ne savais pas où on
était, on naviguait maintenant dans une nuit piquée de
faibles lueurs, tu scrutais l'obscurité ou plutôt les obscuri-
tés, car il y avait un remue-ménage d'ombres, certaines
vraiment noires, d'autres marc de café, ou imperceptible-

ment dorées, ou bien encore veloutées comme des peaux de champignon, certaines liquides, d'autres mates et terreuses, des voiles de suie, des pavillons de cendre, on sentait des formes ténébreuses grouiller comme quand on change un décor sur un plateau de théâtre, on croisait des sampans noirs et massifs comme des cercueils. Flottille amphibie Indochine Sud. Toute cette affaire était assez shakespea-rienne, jusqu'aux espèces de sorcières de *Macbeth* qui s'affairaient, dans le château arrière, à préparer un infâme rata, éclairées en contre-plongée par les rougeoiements des braises, environnées de tourbillons de fumée. Tu avais dû te farcir la grasse tripasse arrosée d'un tord-boyaux puisé dans un seau de plastique, sous l'œil en coin des paysans, et il t'avait semblé que tout ça, le remuement de la nuit, le brouet des sorcières, participait d'une initiation, d'une des-cente aux enfers.

« République Française. Feuille de renseignements. Lieutenant R., Forces amphibies sud. Mort par suite des blessures par accident contractées en service commandé. Importantes plaies de la région scapulo-vertébrale gauche par éclats d'obus. Signé : médecin capitaine N., médecin-chef de l'hôpital, rayé, l'Infirmerie de My Tho. » « Répu-blique française. Ministère de la France d'Outre-Mer. Infir-merie de garnison de My Tho. Certificat de cause de décès. Nous soussigné N., médecin capitaine des troupes colo-niales, certifions avoir examiné le nommé R., lieutenant, commandant la flottille amphibie. Cet homme était atteint d'importantes plaies de la région scapulo-vertébrale gauche par éclats d'obus. En foi de quoi nous avons délivré le pré-sent certificat pour servir et valoir ce que de droit. » Les par-ties manuscrites de ce certificat sont remplies à l'encre bleue, d'une écriture assez jolie et rapide et, pourrait-on dire, moderne : on peut dater les écritures comme les visages. Le formulaire porte en haut à gauche, imprimées, ces précisions sur lui-même qui attestent que la bureaucratie ne laisse rien au hasard : « Hauteur : 0,360 m. Largeur : 0,230 m ». C'est avec un tel souci du détail qu'on maintient envers et contre tout des empires, sûrement. Tu ne pourras dormir, cette nuit, à l'hôtel Huong Duong. Trop excité par la proximité des lieux où est advenu l'événement qui t'a bien malgré toi façonné. Le centre obscur de ta vie, creusé ici, sur les bords du Mékong, alors que tu étais à peine né. C'est à partir d'ici que s'élargissent les ondes de la mélancolie qui a baigné ton enfance, c'est dans cette eau noire que se forment leurs cercles concentriques. La chute d'un corps, ici, ou pas loin d'ici, au mille 64 du Mékong, le cou et l'épaule gauche tailladés comme par la lame de la Faucheuse. « Cet homme était atteint d'importantes plaies de la région scapulo-vertébrale gauche par éclats d'obus. En foi de quoi nous avons délivré le présent certificat pour servir et valoir ce que de droit. » Il sert ce soir, avec d'autres papiers jaunis, cassants, imprimés à l'encre violette, à cette veillée qui a attendu près d'un demi-siècle. C'est ici que tout a fini pour lui, que tout a commencé pour toi. Ce lieu à quoi les hasards de la toponymie ont donné le nom de My Tho, les hasards d'une guerre oubliée en ont fait le foyer de ta mythologie personnelle. Tu ne le savais pas, tu as mis longtemps à comprendre ça. Ces histoires t'emmerdaient, cette tristesse, ta mère murée dans son deuil. Galapagos ! Galapagos ! Tu voulais en rire. Mais non, tu ne t'en sortirais pas comme ça. La certitude qu'il n'y avait pas de victoire, que le courage était toujours malheureux, Trintignant toujours descendu dans la neige, à la fin, par les salauds, que l'important était de bien se tenir, de couler pavillon haut, comme ce vaisseau, le *Vengeur du peuple*, dont les manuels Mallet-Isaac reproduisaient la fin héroïque, drapeau cloué à ce qui reste de mât, pendant les guerres de la Révolution : voilà la leçon qui passait insensiblement en toi, sans même qu'on te l'inculque, plutôt par une espèce de capillarité morale. Allez être « moderne » avec un bagage pareil... Les exemples que tu apprenais, que tu retenais, c'étaient ceux de belles défaites. Père, gardez-vous à gauche, Père, gardez-vous à droite. Tout est perdu, fors l'honneur. La Garde meurt et ne se rend pas. Gagner était une ambition assez vulgaire, et d'ailleurs hors de propos. Le génie de ton pays n'y excellait pas (on disait encore ça, « mon pays », et même « ma patrie »). D'autres savaient faire ça mais le tien, d'Azincourt à Juin 40, non. Il fallait donc être Charles d'Orléans ou Charles de Gaulle, ou Cambronne, enfin des gens capables de tirer quelque rude beauté de la défaite, des artistes de la déroute. La Révolution, son cortège d'assassinés, « frappés, assommés, enchaînés dans les bagnes », comme disaient les paroles de *L'Appel du Komintern*, au fond c'était sans doute par ce côté tragique qu'elle t'avait séduit. Rosa, le Che. Quand par hasard elle triomphait, évidemment, la perspective changeait. Mais, grâce à Dieu, il lui arrivait encore assez souvent d'être écrasée. Dans la chambre 501 de l'hôtel Huong Duong, tu continuais à feuilleter cette petite liasse de papiers datant d'un demi-siècle, que tu avais apportés dans tes bagages bien que tu les connusses depuis longtemps par cœur. De toute façon le caquètement des bateaux de pêche et la chaleur humide t'auraient empêché de dormir. « Flottille amphibie Indochine Sud. Saigon le 7 avril 1948. Inventaire des effets appartenant au lieutenant R. : 1 malle en bois 2 serviettes de toilette 16 chemises blanches avec col 3 vestes blanches 2 paires de chaussettes noires 6 pantalons kaki 2 shorts kaki 1 nœud papillon 1 valise de cuir à soufflets 1 veste d'officier en drap 1 paire de babouches 2 boîtes de talc 4 pantalons blancs 5 paires de chaussettes blanches 1 paire d'épaulettes... » Tu connaissais cette liste par cœur, dirais-tu plus tard à la fille de Treize : ce n'était pas plus difficile que d'apprendre *Le Cimetière marin* ou *Le Bateau ivre*, hein ? et au fond c'était la même chose. Le lieutenant était une des figures de l'immense procession. Pas un révolutionnaire, non : mais un homme courageux, un antifasciste. Un patriote, comme on disait encore. Qui croyait en ces choses venues du fond des temps, de la République romaine, qu'on apprenait alors à l'école. Qui croyait qu'il y avait dans Tite-Live et dans Plutarque de quoi définir ce qui faisait humaine l'humanité. Alors il avait été Français libre, combattant de la Libye à l'Alsace et jusqu'au cœur de l'Allemagne, et puis ensuite volontaire pour le Corps expéditionnaire. C'était Leclerc qui commandait, un des rares chefs incontestables. Beaucoup de résistants, même des communistes, des FTP, s'étaient engagés pour l'Extrême-Orient. Le frère de Raymond de la RATP, par exemple. Il y avait sans doute, penses-tu, une volonté de continuer cette vie ascétique, dangereuse, fraternelle, qu'ils avaient partagée pendant les années tragiques, une peur de retomber dans le cloaque des intérêts, c'est-à-dire de la vie sans intérêt. Et puis aussi probablement l'idée fausse, mais répandue à l'époque, de la « mission civilisatrice de la France », etc. Après tout, c'était le créateur de l'École publique, Jules Ferry, qui avait aussi été à l'origine de la conquête de l'Indochine. Et puis tout simplement la fascination que suscitaient ces mots, « Extrême-Orient ». Et qu'ils suscitent

toujours, en dépit de la banalisation du monde. *Far East*...
Extrême-Orient... Les Russes disent *Dalnyi Vostok*... On
n'est plus du tout Christophe Colomb quand on part en
Amérique, mais on est toujours un peu Marco Polo quand
on va vers l'Extrême-Orient. Alors il était parti là-bas, en
Cochinchine, pour y mourir, à neuf heures du matin, au
mille 64 du Mékong, tué dans une guerre injuste, comme
on dirait plus tard. Une guerre coloniale. Une guerre
impérialiste. Tué par l'explosion d'un obus de 20 tiré par la
vedette à bord de laquelle il se trouvait. Tous les impérialistes sont des tigres en papier. Ils soulèvent une grosse
pierre pour se la laisser retomber sur les pieds. On aurait
dit que c'était pour évoquer la mort du lieutenant que Mao
avait trouvé quelques-unes de ses images les plus célèbres.
« ... 8 caleçons courts 1 cravate noire 1 cravate civile 1 paire
de gants de cuir 1 paire de souliers blancs 1 paire de souliers
jaunes 1 blaireau 1 rasoir mécanique 1 brosse à dents 1 croix
de guerre 39 1 médaille de la Résistance 1 revolver Colt
1 pistolet automatique avec chargeur. » « Il avait appareillé
le 14 mars au matin sur la VP 42 se dirigeant vers Vinh
Long » : c'est con, mais tu trouves quelque chose de racinien
à cette phrase administrative. « A peine nous sortions des
portes de Trézène... » Mort d'Hippolyte.

Vers minuit, le canal sur lequel naviguait le sampan avait
débouché dans le bras nord du Mékong. Au-dessus du
fleuve une vague lumière rayonnait. Dans l'entrepont le
maire dormait, recroquevillé, il avait l'air d'un vieux bébé.
Une lampe à pétrole faisait briller des pieds, des jambes
nues, des visages bouche ouverte sous des chapeaux. Sous
tes fesses (tu occupais une sorte de transat) quelque chose
bougeait. Quelque chose enfermé dans un sac sous tes

fesses, un être pas gueulard du tout, un peu remuant. Une poule ? Un démon ? Peur qu'il te morde le cul, l'être, mais non. Il flottait une odeur aigre, faite de quoi ? Poisson séché, fiente, fruits pourris ? Sueur, aussi. Odeur d'Extrême-Orient. Tu avais vu devant toi ce halo faiblement lumineux sur lequel les palmes des aréquiers, éclatant au bout du long fût gracile, dessinaient comme des étoiles noires. Tu étais monté sur le pont. A droite brillaient les lumières d'une ville : My Tho. C'était là, au fond de cette fosse d'ombre moite. Le sampan passait devant des bungalows à véranda dont l'un aurait pu être la maison du lieutenant telle que te la révélait une petite photo noir et blanc à bords dentelés : une véranda surélevée sous un toit de tuiles où de bizarres échancrures découpaient des écailles comme sur celui d'une pagode, un escalier au bas duquel six marins portaient à l'épaule le cercueil recouvert du drapeau tricolore. « Il mourait aussitôt. La vedette fit immédiatement demi-tour et rentra à My Tho. Tous ici nous regrettons cet officier plein d'allant et de calme réfléchi. » Une très petite photo jaunie, à bords dentelés : le cercueil est au bas de l'escalier, sous la véranda, porté par six marins en tenue claire. Formant la haie, un peloton présente les armes. On distingue un uniforme blanc, au milieu, et à gauche deux fantômes qui paraissent être deux robes blanches. Hauts arbres grêles sur le ciel blanc. L'éloignement et la nuit ne permettaient pas de discerner, du pont du sampan, de quand dataient les bungalows à véranda. De la guerre française ? De l'américaine ? Cette chose incroyable, inacceptable mais incroyable aussi parce que si loin, aux antipodes, la mort, la mort d'un homme de trente ans, incroyable, invérifiable parce que survenue en un temps où l'Asie du Sud-Est était encore un monde infiniment lointain, un temps où la distance n'avait pas été abolie par les transports aériens, les télécommunications, la télévision, etc. : comment y ont-elles cru, te demandes-tu sur le pont du sampan, dans la nuit poisseuse, comment ont-elles fait pour accepter, accueillir cette croyance, ta mère, sa mère à lui, comment ont-elles cru à cette chose incroyable, la mort d'un homme de trente ans, leur mari, leur fils, en un lieu du monde dont elles n'avaient pas la moindre idée, la moindre représentation ? « Ça n'est pas possible », dit-on communément : mais à présent, à l'époque du « temps réel », mille témoignages nous prouvent, dans l'instant presque de la mort, qu'elle n'est que trop vraie. Mais alors ? Cette minable petite photo, ces lettres à l'encre violette émanant de la « Flottille amphibie Indochine Sud », parvenues combien de temps, de jours, de semaines après que la faux de la Mort eut presque détaché sa tête de son épaule gauche ? « Nous soussigné N., médecin capitaine des troupes coloniales, certifions avoir examiné le nommé R., lieutenant, commandant la flottille amphibie. Cet homme était atteint d'importantes plaies de la région scapulo-vertébrale gauche par éclats d'obus. En foi de quoi nous avons délivré le présent certificat... ». Cette chose inacceptable, incroyable, mais à laquelle elles ont dû croire. Dans ces papiers que tu connais par cœur, mais que tu as tout de même apportés avec toi comme s'ils constituaient une sorte de laissez-passer pour ces régions extrêmes de la mémoire où tu t'aventures, ces antipodes de la mémoire où tu te hasardes, il y a une lettre du lieutenant à sa femme, ta mère : et sur les timbres bistre à 37 centimes marqués « Indochine– Poste aérienne » où l'on voit, assez mal dessiné, un avion monoplan, monomoteur, à train fixe, un peu genre *Spirit of Saint-Louis*, on lit très bien les cachets de la poste : My Tho, Cochinchine, 10 h 30, 14. 3. 48. Si la République a un génie, ce n'est sûrement pas celui des armes, ni celui du commerce, cela a peut-être été – mais c'est bien fini – celui de l'École, mais c'est plus sûrement celui de la Poste (rien de plus beau d'ailleurs, à Saigon-Hô Chi Minh, que la Poste centrale, due paraît-il à Eiffel). Sur le cachet des postes de Cochinchine, donc, on lit bien nettement, un demi-siècle après, l'heure et la date d'affranchissement de la dernière lettre du lieutenant : 10 h 30, le 14 mars 48, soit une heure et dix minutes après sa mort sur le rach Kim Son, au mille 64 du Mékong. Sa tête gisait à demi séparée de son épaule, sur la vedette qui redescendait à toute vitesse le Mékong, à la base de son cou béait une grande ouïe sanglante, écumante comme celle des poissons que tu verrais débarquer, cinquante ans plus tard, sous l'hôtel Huong Duong – cette chose inacceptable, incroyable, elles l'avaient crue – cependant que sur l'enveloppe bleu télégramme l'inexorable administration postale tamponnait la première heure de sa vie éternelle.

Sur le pont du sampan tu ne pouvais détacher tes yeux de ces feux fourmillant dans l'ombre, c'était là la nébuleuse primitive d'où tu étais issu. On était tout près du big bang, ici. « Au cours de ce tir un projectile du canon de 20 arrière qui tirait sur l'avant du travers explose sur le hauban bâbord du mât. Une grêle d'éclats… » C'était là, sur cette rive, que tu avais été décapité à peine né, ton père arraché de toi comme la tête du père de ses épaules, et tout ce qui s'ensuit. Et parmi ce qui s'ensuivait, dis-tu à la fille de Treize cependant que, parvenu au boulevard de Belleville, tu fais faire demi-tour à la déesse Remember car tu viens de t'apercevoir que tu t'es trompé de direction, que tu t'enfonces dans Paris comme un gros bombyx fasciné par la lumière de la tour Eiffel alors que c'est la mise en orbite périphérique que tu voulais, parmi ce qui s'ensuivait il y avait la certitude que l'Histoire était une tueuse ironique, qu'on pouvait et même qu'on devait rêver d'en faire sa maîtresse mais qu'elle aurait toujours notre peau, le sourire aux lèvres. L'un des marins du sampan voulait absolument te forcer à descendre dans l'entrepont, tu ne comprenais pas pourquoi étant donné qu'il t'exhortait en vietnamien, il te harcelait doucement, te prenant la main, puis le bras, essayant de te tirer vers l'échelle, abandonnant, revenant une minute plus tard, recommençant, s'obstinant, s'entêtant, humble, inlassable, en un manège qui aurait de toute façon été exaspérant mais qui là, te distrayant de la contemplation fascinée de ces lueurs nocturnes où tu voyais le vrai commencement de ta vie, te donnait carrément envie de le balancer par-dessus bord. Imagine, dis-tu à la fille de Treize (cependant que la déesse Remember enfile la rue de Belleville dans le bon sens cette fois, nez braqué vers le ciel et la direction du soleil levant), imagine un valet de chambre qui, dans la bibliothèque du prince de Guermantes, viendrait constamment déranger avec un plateau de petits fours, une tasse de thé, un téléphonage importun, Marcel absorbé dans la révélation de l'Art, de la vraie vie, du Temps retrouvé. Elle n'imagine rien du tout à vrai dire, la fille de Treize. Enfin pas ça, en tout cas. Ça ne fait rien. Elle a le temps de se renseigner. De s'instruire, comme on disait autrefois. Ce marin, tu lui faisais vertement valoir que tu ne voulais pas être dérangé, que ta vie entière, peut-être, s'était écoulée dans l'attente de ce moment, qu'il y avait là, quelque part dans la nuit, un fantôme dont ta présence sur le pont, au-dessus des noirs tourbillons, pourrait apaiser l'existence inquiète. Tu étais, essayais-tu de faire comprendre à ce marin, comme Ulysse descendant aux Enfers à la rencontre des ombres de Tirésias et de sa mère, Anticleia. Va te faire foutre. Il n'entravait rien à tes considérations. A la fin, désespérant de te convaincre, il alla réveiller le maire. Le squelettique vieillard t'expliqua que le sampan ne s'arrêtait pas à My Tho, remontant plus avant la nuit et le Mékong, s'enfonçant plus loin dans le delta de la nuit vers Vinh Long et Cai Be qui étaient la destination, aussi, de la VP 42. Dans l'entrepont un sabord était ouvert au ras de l'eau noire, laquée de lumière. Une pirogue naviguait bord à bord. Putain, pour le coup, c'était la barque de Charon ! « Il mourait aussitôt. La vedette fit immédiatement demi-tour... » Feux de la rive filant tout proches à présent, lampes à pétrole, tubes de néon, sur lesquels se découpaient des coques de bateaux de pêche, des bouquets de palmes, des forêts de pilotis, des toits de tôle. La pirogue était plaquée contre la coque, le marin y lançait ton sac, t'invitait à y monter, tu y sautais, un instant elle restait collée au sampan, ventousée par son sillage, vous fonciez immobiles, moteur pétouillant à fond, sur une vague noire et moirée, le mouvement semblait paralysé comme dans un cauchemar, puis vous vous écartiez lentement du sampan qui plongeait dans la nuit, remontant le Mékong vers Vinh Long et Cai Be, vers le rach Kim Son, le marin et le maire te faisant de grands gestes d'adieu au sabord. Le courant violent creusait des vagues où s'éparpillait la lumière, la silhouette anachronique du sampan, avec son guibre recourbée et son château arrière, s'effaçait dans la nuit, vaisseau fantôme dont les lignes évoquaient le galion sur lequel Camões, poète et soldat, avait fait naufrage au large des bouches du Mékong, non loin d'ici, il y avait pas loin de cinq siècles.

La pirogue passait le long de grappes de bateaux de pêche amarrés ensemble, gîtés l'un contre l'autre, violemment éclairés, jacassant de tous leurs groupes électrogènes, portant au mât le drapeau rouge à étoile d'or dont tu te souvenais d'avoir vu un exemplaire en calicot, avec un drapeau écarlate écartelé de la croix gammée noire, dans la maison de la côte d'Émeraude : c'étaient, t'avait dit ta mère, des prises de guerre du lieutenant. C'est ainsi que tu t'étais formé ta première idée de la guerre : un jeu consistant à s'emparer des drapeaux de l'ennemi. A Saint-Louis-des-Invalides, au-dessus du cercueil kitsch de Jean d'Audincourt, bouffés de mites et de mitraille, traversés de rayons où dansait la poussière, pendaient les drapeaux russes d'Austerlitz. Ils avaient vu le soleil de Napoléon et le grand ciel bleu du prince André, dis-tu à la fille de Treize. Histoire de mettre les choses au point. Ça te dit quelque chose, le grand ciel bleu, le prince André à Austerlitz ? hasardes-tu ensuite, mais pas sur un ton sarcastique cette fois, non, plutôt du genre qui ne demande qu'à rendre service. Le prince André ? Eh bien, à franchement parler... pas tellement. Alors tu y vas de ta petite explication, parce que tu as l'âme d'un pédagogue, d'un Pygmalion, parce que tu débordes d'histoires et d'Histoire, que tu ne sais plus très bien à qui offrir tout ça, mais tu y vas à tâtons parce qu'à dire vrai ça fait longtemps que... enfin tu mélanges un peu Kant et Tolstoï, la loi morale et le grand ciel bleu, les profondeurs vertigineuses de l'âme, la mesquinerie de la gloire et du pouvoir humains... Ça pourrait être du Bossuet, aussi, tu t'emmêles un peu les pinceaux. Bref tous ces drapeaux rouges claquaient dans la nuit, rougeoyaient dans les halos de néon et d'acétylène, et il y avait sous l'un d'eux un type entièrement à poil, assis sur le plat-bord d'un bateau de pêche, qui chiait tranquillement dans l'eau, s'écartant les fesses des deux mains, puis il lâchait une fesse pour nous faire bonjour, puis il recommençait son labeur. L'Asie n'est pas pudibonde. Et ce drapeau rouge à étoile d'or, songeais-tu en répondant au salut du chieur, ce drapeau que le lieutenant avait arraché à quelque « bande rebelle », selon la terminologie officielle de l'époque, et qui était maintenant le drapeau des pêcheurs de crabes et des chieurs nocturnes, c'était aussi celui que tu avais brandi dans les manifs, et par exemple ce jour où tu t'étais fait démonter la gueule mais où tu avais connu Chloé. Ça avait été tout ça, ce drapeau : une « prise de guerre », un manifeste, un chiffon. Le lieutenant y avait vu une guenille sanglante bonne à arracher, comme le drapeau du Reich nazi. Toi, les gens de ta génération, vous aviez cru y reconnaître l'emblème des pauvres du monde dressé contre les puissants du monde. Les pêcheurs du delta y voyaient un fanion comme ceux qui marquaient la position de leurs casiers. La pirogue s'enfonçait dans un canal bordé de hauts pilotis en troncs d'aréquiers, crabes bleus et rats grouillaient là-dessous, au fond il y avait une échelle, c'était là que tu débarquais.

Remember prenait de l'altitude, refaisait tout le chemin parcouru tout à l'heure en piqué, MacDo où le Noir en survêt' balayait toujours le carrelage blanc, MEGA KEBAB SIMON-BOLIVAR palissade de chantier l'Arabe au sac avait disparu la pluie un peu les essuie-glaces (sur la Traction il y avait une mollette pour les actionner manuellement mais ce n'était pas une Traction c'était une Frégate Renault, non, sur la route de la côte d'Émeraude ?) ATOUT CŒUR CADEAUX GADGETS BOUCHERIE HALLAL CONSOMMEZ DE

LA TRIPERIE CARLA CHAUSSURES LE DRAGON GOURMAND TRAITEUR ASIATIQUE AUX JARDINS DE FRANCE SERGENT MAJOR BISTRO BAR À VINS BUFFET FROID « LA CAGNOTTE » BIJOUTERIE PLAQUÉ OR ET ARGENT MASSIF 5 À SEC CHOCOLATS FRANÇAIS DE NEUVILLE pourquoi ce « français » on se demande, le chocolat refuge du patriotisme peut-être, on n'est pas encore tout à fait suisses pourtant mais vaut guère mieux, BOUCHERIE DES BUTTES ZHEN FA TRAITEUR ASIATIQUE. Le lendemain tu avais d'abord parcouru les allées du marché, le long du canal, entre des bassines où grouillait la chair nacrée de grenouilles écorchées vives, des canards et des porcelets barbotant dans la boue, des étals de poissons-chats palpitant sur des feuilles de bananier. Une brume lumineuse couvrait le Mékong, des vaisseaux fantômes, semblables à celui qui t'avait déposé là, passaient dans ce plasma. Plongé dans cette demi-hébétude que la jacasserie tonale, la puanteur bigarrée, le kaléidoscope de l'Extrême-Orient communiquent inévitablement aux esprits simples occidentaux (si inévitablement que tu te demandais si une part de la saoulerie éprouvée ne procédait pas du fait de reconnaître ce formidable lieu commun et d'en être néanmoins submergé), tu avais commencé à fouiller dans les stocks de vieux papiers vendus au poids, mille dongs le kilo : espérant y dénicher quelque chose, lettre, photo, page de journal, document administratif, n'importe quoi datant de l'époque où le lieutenant était parti d'ici un matin. « Il était parti en mission sur le fleuve comme il le faisait souvent. Il avait appareillé le 14 mars au matin sur la VP 42 se dirigeant vers Vinh Long. » En fait, au milieu de liasses de papier pelure couvert d'une dactylographie violette en vietnamien, dans lesquelles tu te plaisais, de façon absolument gratuite, à imaginer des rapports de police, tu étais tombé sur un exemplaire en français des *Quatre Essais philosophiques* du Grand Timonier. Éditions en langues étrangères, Pékin 1966. Voilà qui te rappelait des souvenirs. Qu'est-ce que vous aviez pu les rabâcher, ces fadaises… « D'où viennent les idées justes ? Tombent-elles du ciel ? Non. Sont-elles innées ? Non. Elles ne peuvent venir que de la pratique sociale. » Ça, c'était envoyé… « En général, est juste ce qui réussit, est faux ce qui échoue. » Tu feuilletais l'opuscule au style prudhommesque dans lequel les meilleures têtes philosophiques de ta génération avaient prétendu trouver la plus haute des pensées. Qu'est-ce qui vous avait pris ? « Quand ces données sensibles se sont suffisamment accumulées, il se produit un bond par lequel elles se transforment en connaissance rationnelle, c'est-à-dire en idées. » Pas plus compliqué que ça. Tu le voyais bien, le bond… le grand bond en avant des données de l'expérience sautant dans la pensée, hop ! A pieds joints ! Kangourous ! Impayable, ce Mao ! Tu te marrais en lisant ça au bord du canal, les gens commençaient à regarder d'un drôle d'air ce *Phap* tout seul qui rigolait en lisant Mao (ils savaient que c'était lui, il y avait son nom et son portrait en grand sur la couverture). On n'avait jamais vu personne trouver des vertus humoristiques à la prose du Grand Timonier. Quelquefois le style, tout en restant prudhommesque, se teintait d'une nuance XVIIIe siècle due sans doute aux études classiques des traducteurs : « Or si le prolétariat cherche à connaître le monde, c'est pour le transformer ; il n'a point d'autre but. » Ce « point » était admirable. Tu te souvenais d'avoir pris des notes sur ces platitudes comme tu en avais pris, des années auparavant, sur Kant ou Hegel. Et encore, toi… tu n'étais pas vraiment un philosophe. Mais Gédéon ! Il te semblait à présent que ce qui

vous fascinait dans ces textes, c'était précisément leur rusti-
cité. Il y a un charme de la laideur, une séduction de la non-
pensée, il y a une volonté d'être faible et idiot. En ressas-
sant les versets obtus du Grand Timonier, vous aviez sans
doute le sentiment confus de faire le sacrifice de votre
intelligence. Cela était bien, puisque votre prétendue intelligence faisait de vous des intellectuels bourgeois : premier
pli. Mais d'un autre côté, s'il fallait vraiment sacrifier son
intelligence pour tirer quelque profit des œuvres de Mao,
c'est qu'elles étaient... : second pli. Qu'elles étaient quoi ?
te demande la fille de Treize qui a du mal à te suivre dans
le dédale de cette pensée masochiste. Qu'elles étaient
un ramassis de lieux communs, tiens. Soupçon, doute inavouables. Je te disais : deuxième pli. La pensée fanatique,
contrairement à ce qu'on croit, qu'on pourrait croire, n'est
jamais d'un seul tenant, d'un seul mouvement. Attention !
Là c'est important ce que je te raconte, dis-tu à la fille de
Treize qui, calée contre la portière, te regarde en coin avec
ironie. Enfin, une ironie gentille. Pour mieux faire ta
démonstration, tu as arrêté la déesse Remember en double
file devant l'église du Jourdain. La pensée fanatique, c'est
une pensée repliée sur elle-même, en zigzag, en accordéon
(tu mimes la chose avec les mains), et sa violence vient de
là, du fait que le dernier pli essaie de tenir tous les autres
serrés, tassés, écrasés sous lui. Je hais les Juifs, ou l'Occident,
ou les femmes, parce que je les admire, ou les crains, ou les
envie, parce que je me méprise, etc. Choses inavouables.
Tassons bien le ressort. La brutalité de l'invective est à pro-
portion de cet effort pour écraser les spires de pensées
inavouables. Tu mimes comme tu peux tout ça avec les
mains. Attention ! Ce sont des idées justes, ça, dis-tu à la fille
de Treize, de façon bouffonne, pour atténuer ce qu'avait de

solennel ta précédente apostrophe. D'ailleurs, elles ne tombent pas du ciel, elles me viennent de la pratique sociale. Oh oui… Elles me viennent en bondissant de la pratique sociale des cons et des fanatiques. Et tu mimes ça aussi, hop ! et cependant que tassée contre la portière elle te regarde en coin, avec une sympathie un peu ironique, tu coulisses toi en douce quelques regards sur ses jambes allongées vers le centre de la voiture (la DS, je l'apprends à ceux qui ne le sauraient pas, est une traction avant, et en conséquence le plancher est plat et dégagé entre les sièges), ses jambes qui… oui, enfin, qui luisent un peu dans la nuit. Beaucoup, même. « D'innombrables phénomènes du monde objectif sont réfléchis dans le cerveau par le canal des cinq organes des sens. » Oui. « Les organes de la vue, de l'ouïe, de l'odorat, du goût et du toucher. » Bon dieu ! Pensées inavouables. Philosophie dans le boudoir.

Les essais prétendument philosophiques de Mao (qui d'ailleurs, à titre personnel, pratiquait, lui, la philosophie dans le boudoir, se faisant livrer, le vieux verruqueux, de jeunes Gardes Rouges : si quelqu'un vous avait soutenu cela à l'époque, vous auriez pu le tuer), les essais prétendument philosophiques et toute cette tisane chinoise, c'est au nom de ça, en rabâchant ça, en vous abrutissant, vous droguant avec ça que vous en êtes venus à respecter des prolos qui étaient des psychopathes, des maquereaux, des balances, ou simplement des mythomanes. TEE, Juju, ou Gustave, par exemple. Faussement, bien sûr : on les respectait faussement. N'oublie pas ce que je t'ai dit, dis-tu à la fille de Treize : la pensée en spires. On les respectait, au fond, parce qu'on les méprisait, parce qu'on les méprisait de nous respecter, parce qu'on se méprisait de les mépriser, et ainsi

de suite. Ce Gustave était un vieux dégueulasse, un ancien
mineur aussi, comme André, mais alors pas du tout la
même trempe. Ce qui l'intéressait, lui, c'étaient les caleçon-
nades. Les flics le tenaient comme ça, avec des histoires de
mœurs d'ailleurs assez minables, quelques flagrants délits
d'exhibitionnisme. On l'ignorait, bien sûr, on a appris ça
des années plus tard, quand tout a été fini et que Foster a eu
accès à des dossiers du ministère de l'Intérieur. Le vieux
saligaud nous avait allègrement balancés, c'était à lui par
exemple que Foster devait son séjour à la Santé. Personnellement, dis-tu à la fille de Treize, ce n'est pas ce que je lui
reprocherais le plus, mais Foster, évidemment, ça lui
déplaisait. Ce gros Foster, il était tout fier de nous montrer
qu'il avait accès désormais à quelques secrets d'État de quatrième catégorie, quelques flicailleries. Il nous avait convo-
qués – Gédéon, Amédée, Danton et moi, Treize, mais non,
Treize était mort depuis plusieurs années, on est après 81,
je te le rappelle – le fameux 10 mai 81, l'aurore radieuse du
président Mite ! Il jabotait, ce couinant Foster, avec ses
petites révélations. Il était passé de l'autre côté de la barrière, il était au pouvoir. Quelque part dans les chambres de
bonne du pouvoir, mais quand même. C'était comme s'il
l'avait pris, le pouvoir. Il s'en cajolait la barbe de satisfaction. Il avait des dossiers, les concierges de l'immense
immeuble du pouvoir, dans lequel il occupait une man-
sarde, lui faisaient rapport. Attention ! dis-tu à la fille de
Treize : ce que je vais te dire est encore une idée juste, issue
de la pratique sociale : il n'est pires gogos du pouvoir que
certains anciens révolutionnaires. Tu te souviens de cette
phrase de Victor Serge que je t'ai citée tout à l'heure – il y
a une éternité : « Comme ils sont contents de voir enfin des
revues depuis les tribunes officielles. » Donc on était là,

dans cette brasserie de la Bastille (ou bien peut-être de la République), pour apprendre de la bouche de Foster que Gustave nous avait balancés dans toute la mesure de ses moyens. Et ça ne m'étonnait pas vraiment, mais il y avait des détails pittoresques, on pourrait même dire : romanesques. Par exemple, lorsque le commissaire des RG allait accueillir cette grosse taupe à la gare du Nord, il l'emmenait illico dans une boîte des Champs (il savait, il était payé pour savoir que la cuisse excitait Gustave) où il lui proposait du champagne : et l'autre refusait, préférant boire une bière. Ça, c'était beau ! Ça, c'était le Peuple ! Zolesque ! Le flic se tapant son champagne Mercier, l'autre sa Kronenbourg, le flic cravaté, nœud de cravate desserré pour correspondre à un stéréotype, veste marron sans doute, Gustave suant dans une grosse laine à fermeture Éclair, les rideaux de velours grenat, la fille en string, gros nichons pigeonnant autour du pif cramoisi de Gustave, le flic peinant à comprendre les délations débitées avec un abominable accent chti, Gustave se creusant la tête pour voir s'il ne pourrait pas trouver encore quelque chose à balancer... en raclant bien... Quand on a commencé, paraît-il, c'est plutôt un soulagement de continuer... comme quand on dégueule... mais surtout Gustave voudrait bien une autre Kro... un autre petit pelotage de fesses... mais oui, mon vieux, bien sûr. Te gêne pas. Et le flic paie et range l'addition dans son portefeuille et Gustave étouffe un rot et est mélancolique soudain, il sait que maintenant il va devoir aller nous rejoindre... la réunion du bureau politique où certes il n'y a pas de strip-teaseuse... ni même peut-être de Kronenbourg... et puis tout de même ça le gêne un peu d'être une balance... et puis il va falloir s'efforcer de retenir ce qui pourra intéresser monsieur le commissaire, la prochaine fois. Parce que les flics ne sont pas comme ces connards d'élèves des grandes écoles qui forment l'essentiel du bureau politique de La Cause, ils n'admirent pas systématiquement ce qu'il raconte, au contraire ils mettent en doute, ils le cuisinent, ils demandent des preuves : raison pour laquelle il est porté, lui, Gustave, à respecter les flics qui le méprisent et à mépriser les intellos qui le respectent. Enfin, etc. : j'espère que tu as retenu le coup de la pensée-ressort, Marie, dis-tu à la fille de Treize. Et enfin le commissaire des RG raconte tout ça, les éléments factuels de tout ça, dans ses rapports, et Foster, dix ans après, est tout fier de nous mettre au parfum. Et nous, naturellement, dis-tu à la fille de Treize, on était bien emmerdés. Qu'est-ce qu'il fallait faire ? Aller péter le bar-tabac dont la vieille épave avait reçu la gérance à Lens (ou à Douai, je ne sais plus) en récompense de ses mouchardages ? Depuis qu'il était devenu kabbaliste, Gédéon ne se sentait plus tellement concerné par ces histoires de jeunesse. Amédée de son côté s'occupait désormais de politique sérieuse, stratégies de communication, recentrages, créneaux électoraux, chiffrages des programmes, cotes de popularité, des trucs ayant pignon sur rue. Il dînait avec les Excellences, c'étaient ces dernières qui le désiraient, le priaient à dîner, il ne se voyait pas participer à une minable expédition punitive. Danton avait toujours été un doux, ça n'était pas aujourd'hui qu'il allait changer. Toi, si Treize avait encore été là, tu aurais bien imaginé d'aller à Lens (ou à Douai) casser un peu de vaisselle. Tu voyais ça dans le style western (en la matière il n'y en a pas d'autre qui vaille), vous seriez arrivés mains dans les poches au bistro du glavioteur (parce qu'en plus de balancer, il crachait partout, Gustave), salut, Gus, tu nous remets ? Tu aurais bien vu Trintignant dans le rôle de toi jouant ton rôle. Vous auriez fait durer le plaisir, commandé des demis, bu à la santé du bon vieux temps, laissé mijoter un peu le dégueulasse, et puis soudain un balayage de l'avant-bras et voilà toute la verrerie par terre, quelle rigolade quand même... Tu vois, dis-tu à la fille de Treize : ton père, c'était le type avec qui j'aurais fait ça, cette vengeance à la fois un peu infantile, gamine, anachronique, et puis juste tout de même, c'était pour moi ce genre de type-là, je ne peux rien te dire de plus véridique. Tu comprends ? Signe que oui, que ce n'est pas la peine de lui faire un dessin. Et qu'est-ce qu'on a fait finalement ? Rien. On a eu tort. On aurait dû au moins lui envoyer un poisson mort par la poste, quelque chose comme ça. Pas plus, bien sûr, pas pire, mais quand même ça. Ne rien faire revenait à dire que toute notre histoire avait été une fantaisie, un rêve, si nous trahir ne méritait même pas un coup de pied au cul. Ne rien faire, c'était accepter que l'éponge passe sur ce qui avait été nos vies. Ce jour-là, on est vraiment devenu des fantômes. Il aurait suffi d'un poisson pourri par la poste... Et pourquoi vous ne l'avez pas fait ? Mais parce qu'il n'y avait plus de « nous », de « on », de « vous », justement. Il n'y avait plus que des « je ». Qu'est-ce que tu veux faire avec ça ? Et au nom de quoi ? Avec Treize, on aurait fait quelque chose : avec Treize, on se souvenait de la horde, de cet oubli de soi, de ce courage qu'on puisait dans les autres... On n'était peut-être plus qu'un vieux couple, mais avant, autrefois, dans une autre époque on avait été des milliers, des millions... Notre amitié était ce qui restait de la grande, de l'universelle fraternité. On était des survivants, on avait survécu à l'hécatombe de la fraternité. Alors avec lui, on aurait fait quelque chose, oui. Mais seul...

Gustave, ce qui le fascinait dans la bourgeoisie, c'étaient ses supposées turpitudes. TEE croyait que les bourgeois ressemblaient tous au baron de Rothschild, lui les voyait plutôt adonnés à une débauche, une fouterie permanentes. La bourgeoisie enflammait terriblement son imagination, la lutte des classes pour lui était un immense classé X. Alors quand une fille de mineurs avait été retrouvée tuée et violée dans un terrain vague, et qu'un juge un peu toqué, excité par la presse de caniveau, eut inculpé le plus gros pharmacien de l'endroit, Gustave avait senti son heure venue. Le sordide fait divers allait devenir un symbole de la lutte entre les opprimés et leurs oppresseurs. L'affaire avait multiplié en lui les ressources de cette « intelligence prolétarienne » à l'école de quoi il fallait se mettre. Il crépitait d'idées, ses yeux lançaient des éclairs, la salive lui barbotait entre les chicots pendant qu'il vous faisait part, au bureau politique, de ses spéculations. Le pharmacien vivait maritalement sans être marié, c'était bien une preuve, ça. Sa grue était une gouine, il l'avait entendu dire au bistro, de là à penser… Il avait entendu dire au bistro qu'elle portait des culottes de soie rouge et parfois, on n'allait pas croire… parfois pas de culotte du tout. Il avait appris par le garçon boucher qu'il arrivait au pharmacien de commander des steaks de 800 grammes. 800 grammes ! Il fallait nous faire un dessin, ou quoi ? Gédéon qui avait été le plus brillant des jeunes philosophes de l'École, le disciple de ce vieux maître dont le grand public n'apprendrait le nom que le jour où il étranglerait sa femme, Gédéon hochait gravement du chef. Parfois il demandait à Gustave de répéter, comme si sa pensée était trop complexe pour lui : pas de culotte du tout ? 800 grammes, vraiment ? Gédéon, caressant sa barbiche, observait un long silence afin de nous laisser méditer l'enseignement qui venait de nous être balancé, tel un steak sur le comptoir. Se mettre à l'école du prolétariat c'était comprendre *concrètement*, comme Gustave, ce qu'était l'ennemi de classe. La théorie, l'extorsion de la plus-value, tout ça c'était bien beau, mais ce qui comptait c'était la *vie*, et la *vie* c'était que la bourgeoisie ne portait pas de culotte et s'envoyait un petit kilo de viande à dîner. Il se tournait vers Danton, qui n'osait trop manifester sa consternation : il faudrait faire un article là-dessus dans le journal, OK ? Dans le langage des larges masses françaises (c'était comme pour le Vietnam et pour tout). Danton bredouillait que oui, bien sûr, que ça serait fait. Tout ça dans un langage *vivant*, bien sûr. Cette mort.

Tu sais... tu vas voir à quel point je suis ringard, dis-tu à la fille de Treize. Remember est repartie, sur coussin d'air, soucoupe volante gris argent, silver ghost en pilotage automatique. Fouille la nuit de ses yeux intelligents, à droite à gauche en remontant Belleville, les boucheries hallal les poissonneries les chocolats français les traiteurs asiatiques le tabac « La Gitane » les volailles les produits régionaux CADEAUX TORTOLA SERRURERIE CHEZ PETIT LOUIS CAFÉ-BAR une fille noire dans une cage de verre téléphone on dirait qu'elle prend sa douche dans la lumière, on vole silencieux (pas toi) hydropneumatiques. A travers l'épaisseur nocturne de la ville. Silencieux, pas toi, flot de paroles au contraire, toi, d'histoires, de considérations à la va-comme-j'te-pousse, à l'emporte-pièce, à la mords-moi-le-nœud. Écoute, dis-tu à la fille de Treize : tu vas voir à quel point je suis ringard. Ce que je crois, c'est qu'on a été la dernière génération à rêver d'héroïsme. Maintenant ça paraît ridicule, ça vous paraît bon pour des cloches, et à vrai dire vous ne voyez même plus ce que ça veut dire, je sais. Mais le monde n'a pas toujours été si ennemi du romantique. Le monde n'a pas toujours été si cynique, si malin. Si averti, ricaneur, « on ne me la fait pas »... Auparavant, les jeunes gens avaient volontiers ce genre d'imagination. Il fallait que la vie soit épique, sinon à quoi bon ? Il fallait côtoyer les gouffres, affronter le mystère. C'est un vieux désir humain, il y a tout un tas de mythes et de poèmes qui racontent ça. Se mesurer aux dieux, aux monstres, découvrir des terres insoupçonnées, explorer cette région inconnue qu'on est soi-même devant la mort. *L'Iliade* et *L'Odyssée*, quoi. Depuis deux mille ans, pas mal de jeunes gens ont rêvé d'être Achille, ou Hector, ou Ulysse. Et contrairement à ce qu'on croit à présent ce désir pouvait très bien se conjuguer avec celui d'écrire, de penser. Même, il arrivait que l'un aille difficilement sans l'autre. Il y avait une commune racine de rejet de la monotonie. Il y a eu des poètes, des romanciers, des philosophes soldats, agents secrets, et ça n'était pas les plus minables, tu sais. Sans remonter jusqu'à Cervantes et Camões, Faulkner qui n'était quand même pas, parmi les écrivains du siècle, le plus ballot, le moins profond, Faulkner a été terriblement déçu que l'armistice de novembre 1918 l'empêche d'aller faire le moderne chevalier dans les ciels d'Europe. C'est comme ça. Et Hemingway, plus rapide, avait filé sans hésiter vers les champs de bataille. Cendrars n'est plus très à la mode, ça n'empêche qu'il a inventé la poésie française moderne avec Apollinaire, et il était légionnaire, engagé volontaire. Et Apollinaire, on pourrait en parler aussi... Je sais que vous êtes tous pacifistes, à présent. Et moi aussi, si tu veux que je te dise que c'est plus agréable de vivre en paix. Et eux aussi, ceux qui ont connu la guerre et qui y ont survécu, ils le disent. Mais voilà, on n'écrit pas avec ce qui est agréable, on ne pense pas avec ça. On écrit, on pense avec ce qui blesse, ce qui tue. Et même c'est avec ça qu'on vit vraiment. Pas avec le « principe de précaution ». Écrire (ou peindre, etc.) n'est pas intrinsèquement philanthropique. Progressiste, encore moins. Un grand écrivain vert, tiens, j'aimerais voir ça. Et même un grand peintre. Bon, alors la Révolution ça a été la dernière épopée occidentale, après quoi tout le monde est allé se coucher. La Révolution, à présent, c'est devenu un gadget, une pacotille bourgeoise. Une fanfreluche. Regarde, écoute, lis autour de toi, Marie : nos élites se disent toutes « révolutionnaires », à présent. Je parle de la bourgeoisie moderne, celle qui fabrique des images, des histoires, pas les attardés qui s'obstinent à fabriquer des rails ou des tôles, bien sûr. Je parle des vrais maîtres, ceux que ma génération a inventés, hélas. La Révolution, c'est devenu leur décor, leurs beaux atours. La bourgeoisie moderne est « révolutionnaire », elle a inventé ce formidable trompe-l'œil pour dissimuler ses privilèges. Mais avant que ça devienne un style prisé par les pages « tendances » des magazines chics, la Révolution, c'était le dernier avatar du vieux rêve d'héroïsme : je parle là pour un jeune intellectuel dans les années soixante, pour qui la nécessité économique ne primait pas, je parle de ce que je connais. Et on ressentait d'autant plus ce besoin d'héroïsme que la France de nos pères, en général, en avait si abominablement manqué... Naître juste après Vichy, tu sais, ça donne des envies d'épopée... Alors, vendre du café et des flingues en Abyssinie, mener une armée de chameliers le long de la mer Rouge, une escadrille au-dessus de la sierra de Teruel, une bande à l'assaut de La Havane, mourir au bord d'un canal à Berlin, c'était ça l'horizon confus de nos ambitions. Confus, esthétisant, mais pas minable. Romantique, oui, je crois qu'on peut le dire. Il y avait là-dedans une supercherie, puisqu'on ignorait ce qu'était l'exploitation économique ? D'accord. Et aussi parce que notre volonté de nous effacer dans un être collectif avait pour origine le classique désir individualiste d'avoir un destin. C'est sans doute pour ça, pour expier ce péché litté-raire, ce travers « bourgeois », qu'on a été si crédules après, si ridiculement humbles devant des mecs comme Gustave ou Juju. C'est sans doute parce qu'on sentait qu'il y avait au fond de nous quelque chose comme un mensonge qu'on a été si déplorablement obsédés par la faute, des maniaques de la culpabilité. Et c'est pour ça aussi que l'instrument de notre punition a été l'ironie : on voulait trop avoir des destins, eh bien, on a eu des destins de Pieds Nickelés. La tra-gédie se répète en comédie, et à trop vouloir du drame on écope d'une farce. C'est l'ironie du sort.

GÉNÉRALE CASHER SURGELÉS SPÉCIALITÉS TURQUES ET GRECQUES la bouffe au moins ignore la guerre machines à laver blanches illuminées dans la nuit hublots ouverts LE BEL AIR LAVERIE DÉPÔT TROC BIBELOTS BRONZES HOR-LOGES OBJETS DÉCO ENLÈVEMENT GRATUIT barres de néon bleu exactement de la couleur de ces appareils antimouches qu'on voit dans le tiers-monde VIDÉO FUTUR N° 1 DES VIDÉOCLUBS EN FRANCE ALIABED SUPERBAZAR FRANPRIX, tu passes la cinquième après Pixérécourt, levier de vitesses au volant ça ne se fait plus, la gueule de raie argentée s'envole dans un bruit d'aspirateur mais aussitôt tu dois rétrograder car la rue monte raide soudain vers Télégraphe à 128 m 508 exactement au-dessus du niveau moyen des mers, falaise de marbre au sommet de laquelle tu as habité avec Judith lorsque ses cheveux glissaient soyeux entre des petits seins que tu aimais caresser, néons très bleus encore très clignotants TRECA EPÉDA DUNLOPILLO SIMMONS SOMMIERS MATELAS MEUBLES SALONS DE CUIR CANAPÉS CONVERTIBLES MOBÉCO GROS DÉTAIL LES GRANDES MARQUES AUX MEILLEURS PRIX très bleus encore très clignotants SANDWICHS GRECS FRITES FALAFEL ses petits seins que tu aimais caresser et mordiller aussi, oui sûrement. On en était où ? Ah oui les prolos. Juju c'était un féroce, c'est au moins la réputation qu'il avait. Qu'il se faisait, et qui vous convenait. Un prolo de Sochaux, déjà, ça ne pouvait pas être un rigolo. Les usines Peugeot, à l'époque, si loin dans l'Est et le froid, si dures, c'était un peu, pour les petits bourgeois que vous étiez, ce que devaient être les forêts de la Germanie pour un Romain de la décadence : un avenir farouche y était en gestation, parmi les danses barbares et les sacrifices humains. Même les mines du Nord-Pas-de-Calais, trop proches de Paris, trop syndicalisées et politisées, trop civilisées, donc, n'étaient pas revêtues de ce prestige effrayant. Renault-Billancourt, n'en parlons pas. Se rendre à Sochaux, c'était plonger dans une crevasse de l'espace-temps : province absolue, sans métropole, patronat de droit divin, climat sibérien. Le Jura : le nom même avait quelque chose de sauvage, entre rugissement et râle. Qui se risquait à aller dans le Jura ? Les Alpes, les Pyrénées, c'étaient les sports d'hiver, les Vosges, des vignobles et des images d'Épinal, mais le Jura... On sentait que l'Oural n'était pas loin. Parmi les militants de la « base ouvrière » il y en avait un, un nommé Walter, un gros rougeaud assez placide avec des rouflaquettes et un bec-de-lièvre, qui taquinait le poisson-chat sur le Doubs. Le silure, exactement. Jean d'Audincourt était parti une fois en expédition avec lui, dans les brumes glacées. Ils étaient rentrés bredouilles mais il t'avait raconté, dis-tu à la fille de Treize, que Walter utilisait des jerrycans de vingt litres comme bouchons pour ses lignes, ça donnait une idée des bestiaux qu'il espérait pêcher : saloperies visqueuses, pustuleuses, à moustaches et yeux érectiles, espèces de limaces géantes des grands fonds, noires comme des sous-marins atomiques mais nerveuses et mauvaises comme des crocodiles, grimpaient sur les berges, rampaient sur leurs griffes-nageoires pour aller se taper des canards, des porcelets, des chiens... des petits enfants, disait-on... Walter, espèce d'Achab franc-comtois, avait rencardé Jean d'Audincourt tout en regardant ses bidons danser dans le brouillard. Pour les petits enfants, selon lui, on exagérait. Enfin c'était comme ça, le Jura : le cœur des ténèbres, la préhistoire, un pays de monstres métaphysiques où s'accumulaient, croyait-on, les énergies catastrophiques nécessaires à l'allumage des Révolutions. Juju était le chef de la « base ouvrière » de Sochaux. Un petit râblé, tout en muscles compacts et voix rauque, un petit matelot qui aurait bien plu à Genet. Quelques années plus tard, il se tuerait magnifiquement sur une route de cette contrée que la rigueur de ses hivers fait nommer « petite Sibérie » : sa voiture faucherait tout un bosquet de sapins avant de s'arrêter, embrochée par le toit sur un tronc cassé. Dans son armure automobile, Juju rigoureusement écrabouillé. Une mort de chevalier au rabais, de Don Quichotte de troisième main, mais c'était tout de même quelque chose, un petit pas vers l'épopée, comme la chasse au grand poisson-chat. Il y avait de la tristesse et de la beauté là-dedans : la caisse amoureusement fignolée dans la cour de la cité, gonflée, customisée, décorée d'une crinière de flammes peintes, parée, bichonnée pour l'ultime tournoi, le grand soleil au-dessus de la neige, le ciel bleu, les arbres noirs, et puis plus rien. Un énorme fracas qui retombe, silence revenu sous les branches. Rideau. Tu sais, dis-tu à la fille de Treize, souvent j'ai l'air de me moquer, mais… Il y en avait beaucoup que je n'aimais pas trop, c'est vrai, Juju par exemple, mais quand même tous cherchaient quelque chose de plus grand qu'eux. La fraternité, la Révolution, l'aventure, quelque chose. Sinon, ce n'était pas la peine. Ce Juju, il avait cru trouver en nous, grâce à nous, aux bribes d'Histoire qu'il apprenait de nous, à ses vanteries, à notre crédulité, le moyen d'être plus grand qu'il n'était. Puis c'était retombé, alors sa modeste imagination s'était rabattue sur sa Ford Escort. Le temps d'une ligne droite avalée pied au plancher, d'un virage en dérapage contrôlé, il se prenait pour Jo Schlesser, Jean-Pierre Beltoise… les héros automobiles de l'époque. Ça n'est pas que ridicule. Tous, on se bricolait des destins comme on pouvait, c'est ça qui nous unissait. Bon. *Requiescat.* Juju ne se faisait pas trop prier pour raconter, comme en confidence, qu'il avait fait partie du groupe de têtes brûlées qui, en juin 68, défendant l'usine occupée, avaient précipité des CRS dans des bacs à acide. Cet événement fabuleux était une des légendes qui traînaient après Mai (comme une prétendue mutinerie sur le porte-avions *Clemenceau*). C'était peut-être nous, à La Cause, dis-tu à la fille de Treize, qui l'avions inventée, on en était bien capables. C'était peut-être Treize. C'était peut-être Angelo, un soir de cuite au Harry's, ou bien Danton, pour que Gédéon lui foute la paix. Plus probablement c'était une de ces rumeurs qui naissent de rien, de ce rien qu'on appelle l'air du temps : et Juju, l'ayant entendue, y avait trouvé un rôle qui lui convenait, qui l'exaltait. Puisque d'autres, nous, étaient assez idiots pour trouver ça exaltant... En tout cas, il allait auréolé de cette gloire douteuse d'avoir dissous des CRS dans l'H_2SO_4.

Le souvenir que tu en gardes, de ce redoutable Juju, est pourtant assez éloigné de cette mythologie. Un été, vous aviez organisé un « stage ouvrier », une espèce d'école où les prolétaires « échangeaient leurs expériences », pour reprendre les mots de l'époque. L'amusant de la chose, racontes-tu à la fille de Treize, l'incongru c'est que le lieu qu'on nous avait prêté était un château des environs d'Illiers, dans la Beauce, qui avait été le modèle du château des Guermantes dans la *Recherche*. Enfin le modèle, d'ailleurs, je ne sais pas très bien ce que ça veut dire étant donné que ce château de Guermantes on ne le voit jamais, si je ne me trompe, dans Proust : on marche vers lui quand on fait une promenade le long de la Vivonne, de ses nymphéas, mais je crois qu'on ne va jamais jusqu'au château, est-ce que tu te souviens, toi ? demandes-tu à la fille de Treize. Et comme elle ne se souvient pas, mais alors pas du tout, tu continues : le côté de Guermantes, en fait, n'a pas de fin, de borne, c'est le courant, le miroir de l'eau, le mirage du nom, de l'Histoire. Enfin tout ça semble très éloigné de Juju de Sochaux, mais pas du tout, attends, tu vas voir. La propriétaire du château, la duchesse de Guermantes de notre temps, en somme, était une bourgeoise baba cool, une rousse plutôt accorte et drôle portant de longues virevoltantes robes indiennes, il me semble. Enfin pour les robes, je ne suis plus sûr, dis-tu à la fille de Treize, mais ce dont je suis sûr c'est qu'elle était séparée de son mari qui était peut-être bien un comte, un machin comme ça, mais pas forcément, et qu'en tout cas j'avais été assez tenté de trahir La Cause pour essayer de devenir châtelain à Illiers, mais comme d'habitude je n'avais pas osé. Cette comtesse Nicole (ou bien peut-être Juliette ? Mais je crois que c'était Nicole) était donc plutôt une Verdurin, en fin de compte. Du comte, ou du mari, le vestige le plus visible était une Oldsmobile décapotable remisée dans une grange. Une Oldsmobile ou une Buick, une Roadmaster, c'est possible. Qu'est-ce que ça change ? Bleue, en tout cas. Tous mes désirs inavoués de stupre et de trahison de classe, je les avais reportés sur l'engin aux longues cuisses scintillantes. J'aurais aimé, connard, faire le tour du parc au volant du voluptueux roadster. Faire ronronner les douze cylindres en V. V comme Vietnam. V comme le sexe féminin, et la pliure d'un livre. Je l'ai déjà dit, peut-être ? Hélas la bagnole était équipée d'une direction et de tas de machins électriquement assistés, ce qui s'appelait à l'époque *servo-command*, je crois, et qui n'existait pas encore sur les petites caisses européennes, et depuis le temps que ce con de comte n'était pas revenu la batterie était à plat. Et les pneus aussi, et l'Oldsmobile ou la Buick gisait dans le foin où j'aurais aimé me vautrer avec la comtesse Nicole, ou Juliette, sans que j'ose le lui dire, ni même me le dire, tu te rends compte ? demandes-tu à la fille de Treize. Oh ça, pour se rendre compte, elle se rend compte. Quel nœud... Donc, le stage ouvrier avait dressé ses tentes sous les arbres du parc. Spécialistes des choses qui requéraient un certain degré de professionnalisme (cassages de gueule sophistiqués, kidnappings, faux papiers, convoyages de matières dangereuses, pique-niques révolutionnaires), vous aviez été chargés, Treize et toi, de la logistique de l'affaire. Vous aviez passé des nuits et des nuits, penchés sur l'indicateur Chaix, à concocter des itinéraires ferroviaires propres à déboussoler les sbires du Quai des Orfèvres : il ne fallait pas qu'ils puissent suivre un imprudent, ou un distrait, jusque du côté de Guermantes. Juju par exemple, vous l'aviez baladé à Dijon, puis de là à Lyon où en courant vite il avait pu attraper, en sens inverse, le train de Paris dont il était descendu à Laroche-Migennes où une voiture l'attendait. Les trains s'arrêtaient à Laroche-Migennes, autrefois. Laroche-Migennes dans l'Yonne. Vous passiez un temps fou à ces entrechats, Treize et toi, et Fichaoui, et Judith, et tous ceux qui s'occupaient à La Cause des coups tordus, zigzaguant à travers Paris comme des passereaux affolés, tenant à jour votre annuaire des immeubles à double issue, entrant par une porte sortant par l'autre, sautant des métros au moment où les portes se refermaient, traversant coudes au corps les grands magasins ou les gares aux heures de pointe, pour aller d'un point à un autre la ligne droite était interdite, le labyrinthe était votre spécialité, vous déplacer était une activité qui requérait pas mal de patience et d'imagination. Enfin personne n'avait raté de correspondance, personne n'avait semblait-il, et selon la délicate expression, de morpion au cul, tout le monde était arrivé au château : Reureu l'Hirsute à qui des soies de sanglier poussaient jusqu'aux plis des coudes et des genoux (il montrait volontiers cette merveille à Nicole), Pompabière, Momo Mange-serrures, un autre à qui le délabrement intestinal causé par le gros rouge avait valu le peu enviable surnom de La Chiasse, enfin la horde d'Issy-les-Moulineaux au complet, Gustave le glavioteur, le vieux dégueulasse, André des mines, que la silicose étouffait, dont on suivrait un jour le cercueil, rue de la Terre-de-Feu, TEE et sa gueule de clown sinistre, Juju H_2SO_4, d'autres encore, il n'y avait pas tant de prolos que ça à La Cause mais on avait fait le plein, Simon (ou bien était-ce Gérard, son nom?), un jeune OS de Billancourt, mélancolique et malingre, qui dissimulait comme un vice honteux le fait qu'il jouait du violon, et qui finirait vingt ans plus tard au Front national, Saïd, un drogué des chevaux qui oubliait un moment l'esclavage salarié en laissant sonner dans sa tête le fracas des sabots de son enfance sur la plage de Rabat. Et puis il y avait Raymond, un retraité de la RATP, un des rares dont je garde un souvenir ému, dis-tu à la fille de Treize. Il avait un frère qui après avoir été FTP s'était engagé dans le Corps expéditionnaire en Indochine, il avait peut-être bien connu le lieutenant, et puis il avait fini par déserter, il avait disparu et quand on avait entendu de nouveau parler de lui il était devenu une sorte de roi en Nouvelle-Guinée selon Raymond qui à vrai dire n'en était plus très sûr, les dernières lettres remontant à plus de dix ans. Ce destin fabuleux, englouti par la jungle, le faisait rêver sans qu'aucun soupçon de jalousie vienne ternir l'évocation du roi des Papous, Raymond était un type très généreux. Il aurait aimé sans doute qu'on lui fasse connaître Conrad plutôt que Mao. Dans ses yeux bleu délavé, son sourire extrêmement doux, modeste, passait tout le regret d'une éducation qu'il n'avait pas eue et qu'il admirait chez nous, les jeunes intellos de La Cause – il disait « intellectuel » en appuyant beaucoup sur le « u », et c'était le seul qui n'utilisait pas ce mot comme une insulte, au contraire, il le dégustait comme une confiture exquise. Et nous on en était gênés et un peu furieux puisque notre éducation, c'était justement ce dont on voulait se purifier et se racheter à l'école du prolétariat, comme on disait. Entre Raymond et nous le quiproquo était complet. Sa passion pour les lettres l'incitait à écrire de petites compositions dans le style Sully-Prudhomme qui mettaient

Gédéon, prié d'en juger, à la torture. Raymond faisait tout à l'envers, il respectait le savoir que nous honnissions, quand il fallait agir il penchait toujours pour la solution la plus pacifique alors qu'on attendait des ouvriers qu'ils nous enseignent la violence. De ce point de vue-là, Juju était autrement rassurant. Avec lui, le monde était à l'endroit. Emballez c'est pesé, comme il aimait à dire.

RESTAURANT ASIATIQUE LE MAOFA MIAMI CAFÉ RESTAURANT FRANCO-LIBANAIS machines à laver vert turquoise éclairées dans leur vitrine comme des putes de Hambourg SOLEIL DES DRAGONS DÉGUSTATION RAPIDE PLATS À EMPORTER, la rue de Belleville plonge vers Haxo puis remonte vers les Lilas SANDHU BRENDA PRÊT À PORTER FÉMININ FLEURS TEINTURERIE PRESSING BOUCHERIE MUSULMANE LES TROIS FRÈRES FLEUR DE LYS DEUILS MARIAGES BAR RESTAURANT DES MOULINS LE ZODIAQUE BAR PMU PARISTAMBUL SANDWICHES PIZZAS TURQUES. Il y avait tout de même des choses qu'on n'encaissait pas, Treize et moi, dis-tu à sa fille. On n'avalait pas tout, il ne faut pas croire, mais on la bouclait, c'est vrai. On n'en parlait qu'entre nous, et encore pas de tout, sans doute. Se mettre à l'école du prolétariat, il y avait des fois où c'était difficile. Les entrecôtes de 800 grammes du pharmacien, les culottes de soie rouge de sa poule, franchement on s'en foutait. Et ça n'était pas seulement qu'on s'en foutait : ça nous dégoûtait de faire comme si ça nous intéressait. Je me souviens d'une fois où nous avions parlé de cette affaire, Treize et moi. On était allés dans la petite ville du Nord où ça s'était passé, Gustave et Gédéon nous avaient demandé de préparer « l'arrestation », comme on disait, du pharmacien. On était allés là-bas, accablés, on avait vu la maison, près de la massive église en brique, le terrain vague, la route nationale qui filait entre les terrils, rectiligne, on avait trouvé une bonne raison pour arrêter les frais : la gendarmerie à 500 mètres en ligne droite, sans un virage, une côte, un feu rouge entre elle et le lieu du crime, les pandores à vol d'oiseau, nous dans la ligne de mire, pour ainsi dire. Trop risqué : on avait inventé cette mauvaise raison pour se tirer des vélos. Gédéon, il me l'a dit des années plus tard, avait été soulagé, au fond de lui-même, par notre dérobade, il n'avait pas insisté. Je me souviens, dis-tu à la fille de Treize, d'en avoir parlé quelques jours plus tard avec ton père – ça me fait drôle de l'appeler comme ça, « ton père ». Je me souviens qu'on traversait le pont Mirabeau et qu'il y avait de la brume sur la Seine. Ou bien c'était peut-être le pont de Grenelle, ou celui du Garigliano, mais c'est curieux, je suis sûr de ça, la brume sur la Seine. Et Treize me demandait pourquoi nous avions menti, pourquoi nous n'avions pas été assez courageux, assez honnêtes, tout simplement, pour dire qu'on refusait cette mission parce qu'elle était imbécile, déshonorante. Au lieu de s'inventer des raisons ? Et je lui répondais, énervé, que je n'en savais rien, que d'ailleurs l'essentiel on l'avait fait : refuser d'y aller. Mais non on n'a pas refusé, il insistait, on n'a pas refusé, on a saboté, et ce n'est pas pareil, moralement. Moralement ! Tu me fais rire, lui disais-je. Moralement ! Et lui, ce con, ton père, dis-tu à la fille de Treize, commence à me boxer, là, au beau milieu du pont. A me boxer pour rire, mais pas complètement. Et alors... qu'est-ce que je te disais ? Ah oui, j'y suis : l'école du prolétariat. On voulait bien s'y mettre, mais quand même il y avait des limites. Des fois où c'était difficile. La bande d'Issy, par exemple, quand ils étaient bien chargés au Kiravi (ou bien au Préfontaines), il leur arrivait d'aller faire la chasse aux pédés dans les pissotières de la porte de Versailles. Parce qu'il y avait ça aussi, à l'époque : des pissotières. Des tasses. Des vespasiennes, le mot me revient, je l'avais oublié. Espèces de petits donjons de tôle ajourée, couleur wagon, à l'intérieur de quoi l'eau coulait sur des lames d'ardoise. Curieusement c'est la libéralisation des mœurs, ou libéra- tion, je ne sais plus comment on dit, qui a sonné le glas de ces utiles édicules. Encore une chose qui a disparu, comme les lames Gillette et les clous des passages cloutés, et l'His- toire. Et pas les B-52. En tout cas Reureu l'Hirsute, Pom- pabière, Mange-serrures et La Chiasse partaient de temps en temps en expédition, bien kiravisés, ou gévéorisés, ou kronenbourisés, ça dépendait, vers les tasses de la porte de Versailles. Les pédés, les pédros, comme on disait, on ne peut pas dire que notre tolérance à leur égard s'élevait bien au-dessus de l'intelligence moyenne de l'époque, mais de là à organiser contre eux des embuscades... On ne voyait pas, Treize et moi, pourquoi il aurait fallu se mettre à l'école de ça... Encore, nous, on voulait bien faire des efforts, essayer, mais ce qu'on avait du mal à admettre c'était que Gédéon lui aussi s'écrase devant ces rustiques. Fasse mine d'apprendre d'eux. Notre humilité volontaire, elle devait au moins être rachetée par la gloire de Gédéon. C'était en quelque sorte notre délégué dans l'incontestable. Nous, c'était une affaire entendue, on était des intellectuels bourgeois ou petits bourgeois (quoique... à vrai dire, dis-tu à la fille de Treize, cela me semblait un peu prétentieux de me prendre pour un intellectuel, quant à être un bour- geois... Nessim, d'accord, mais moi ?). Mais Gédéon s'était élevé de cette condition misérable jusqu'à celle de *dirigeant*. Or un dirigeant, aussi longtemps du moins qu'il restait dirigeant, échappait aux déterminations de classe. Lénine,

Mao n'étaient pas des petits nobles, des paysans moyens de la couche supérieure : c'étaient des dirigeants, des « Grands Dirigeants », même, avec des majuscules. L'incarnation miraculeuse de l'Homme nouveau. La perfection des dirigeants était, pour l'homme ancien et corrompu, une raison d'espérer. Nous qui étions prêts à risquer notre peau en attaquant des convois de CRS, en cravatant des patrons, Gédéon nous rabrouait comme des cancres : mais ça c'était dans l'ordre, cette règle du désamour-propre, nous l'avions choisie. Ce qui n'était pas dans l'ordre c'était que lui, dont l'infaillibilité était comme la transmutation de notre imbécillité, s'abaisse à réfléchir aux 800 grammes de barbaque... aux sous-vêtements de soie rouge... Là, on ne comprenait plus. Treize surtout. Il était plus rebelle que moi, je crois, dis-tu à sa fille.

Bref, tous les camarades ouvriers étaient arrivés à bon port sous les tentes du parc. Des autocars de touristes japonais lettrés soulevaient la poussière des allées et l'étonnement des prolétaires qui se demandaient ce qui pouvait bien amener des Nippons dans le château d'une progressiste toquée. Gustave la balance assurait avec Gédéon la direction des débats. « L'agrégé en grèves », c'est ainsi que par complaisance se désignait le gros dégueulasse. Reureu l'Hirsute, Momo Mange-serrures, Pompabière, La Chiasse, Simon, Juju, Saïd, Raymond, TEE, Walter et d'autres, une grosse vingtaine, assis sous une grande tente militaire, écoutaient. Quand la bande d'Issy y était allée un peu fort sur le litre, elle apostrophait grossièrement l'orateur. Gédéon s'employait à découvrir dans ces invectives quelque élément sensé à partir de quoi il tâchait de bricoler une réconciliation : c'était ce qu'on appelait, en franco-maoïste,

« résoudre les contradictions au sein du peuple ». Tom, le greffier des débats, un élève de l'École lui aussi, était d'un naturel mesuré et courtois qui était loin de lui valoir la considération générale. Lorsque la pensée de l'un ou de l'autre devenait difficile à suivre, il toussotait, levait timidement la main et priait qu'on précisât un peu : camarade, qu'est-ce que tu veux dire, *concrètement* ? Dans une pétaudière qui évoquait souvent le Club des cordeliers tel que le décrit Chateaubriand dans les *Mémoires*, on l'aurait cru à la Chambre des lords. Il se ferait connaître d'un très petit nombre, vingt ans plus tard, par des ouvrages savants sur l'infini dans les écrits kabbalistiques. On parlait, on s'insultait, on « échangeait des expériences », on « systématisait », on « tirait des leçons ». C'est fou ce qu'on pouvait tirer de leçons, de tout. On jouait au volley, les jeunes, pas les silicosés. On bouffait le sempiternel riz-sauce tomate que Roselyne et Karin, environnées de vapeur d'amidon, avaient mitonné sur les grandes cuisinières de fonte du château. Roselyne, dans la vie civile, jouait du violon dans un cirque, debout sur la croupe d'un cheval. Son père avait été un des héros du ghetto de Varsovie. Quand il s'agissait d'aller coller rue des Rosiers des affiches exaltant la « juste lutte du peuple palestinien », c'est elle qui se dévouait. La peur au ventre, m'avouerait-elle bien plus tard, des années plus tard, d'autant plus qu'elle n'était pas si sûre d'être d'accord avec les textes simplistes desdites affiches. Mais elle aussi avait appris cette grande et perverse leçon selon laquelle ce qu'il convient de faire, c'est justement ce qu'on n'a pas été préparé à faire, ce qu'on n'attend pas que nous fassions. Elle me dirait ça des années plus tard, racontes-tu à la fille de Treize : bien après que tout a été fini, elle a eu un accident, le cheval s'est emballé à cause d'un fauve, elle s'est bousillé la colonne vertébrale. Elle ne marche plus, elle se déplace en fauteuil roulant, elle vivote en donnant des leçons de violon. Elle a de très beaux yeux bleus. Karin a les yeux noirs. Son père était un diplomate du Reich nazi, il a disparu dans un bombardement à la fin de la guerre, en Prusse orientale, à Koenigsberg. Il était fonctionnaire du Reich mais pas nazi, paraît-il. Juste un serviteur de l'État allemand. Pourquoi pas ? Plutôt chrétien-social, paraît-il. On fait volontiers crédit aux diplomates d'une élégante inutilité qui les disculpe des crimes essentiels, n'est-ce pas ? Ce père disparu était la honte et l'espoir de Karin. Haut fonctionnaire du Reich nazi, mais pas nazi voulait-elle croire. Mort, certainement, sous un bombardement russe, mais on n'avait pas retrouvé son corps et avec les Russes on ne savait jamais, on pouvait tout imaginer, y compris qu'il soit vivant dans un goulag sibérien, ça s'était déjà vu. Le père de Karin était nazi-pas nazi, mort-peut-être vivant. Un disparu absolu : bien plus radicalement effacé que le lieutenant ou que Treize, dis-tu à sa fille. Désintégré. Et donc complètement explosif. Karin était plus âgée que nous, mais quand même elle n'était pas bien vieille, eh bien dans sa courte vie elle avait drôlement raclé sa caisse, elle avait été ouvrière dans une usine de Chemnitz, en RDA, d'où sortaient les fameuses Trabant, ces pétrolettes carrossées boîtes de conserve dont la chute du Mur a fait des objets chics, puis elle avait réussi à passer à l'Ouest où elle était devenue entraîneuse dans un bar à Munich (ou bien à Hambourg, mais je crois que c'était à Munich, dis-tu à la fille de Treize), puis continuant sa marche vers l'Ouest elle était arrivée en France où elle avait fait un peu de comédie. Son accent lui interdisait définitivement de jouer Célimène, en revanche on faisait volontiers appel à elle pour incarner Marlène ou Mata Hari. On lui avait proposé un contrat en or pour jouer le rôle d'Eva Braun, mais elle avait refusé. La vogue dans ces années-là du théâtre brechtien fut sa chance. Tout ça en avait fait la maîtresse d'un industriel un peu vieux beau, un peu mécène, un peu tripoteur, et en fin de compte, tout naturellement, une soixante-huitarde exaltée. A La Cause elle expiait ses péchés. Elle voulait se convertir au judaïsme, ce dont Roselyne, touillant avec elle les bassines de riz, dans les cuisines du château de Guermantes, essayait de la dissuader. Karin à présent est prof de gym dans un club. Elle aide les vieux bobos à garder un peu de muscle. Elle a soixante ans, est sèche comme une trique, cheveux ras, musclée, ne boit que de l'eau minérale, ne fume pas, a voté rose puis vert, elle nous enterrera tous, pas toi, bien sûr, dis-tu à la fille de Treize : mais moi, Judith, Roselyne, Fichaoui, nous autres.

PÈRE-LACHAISE à droite AUBERGE DE PÉKIN PLATS À EMPORTER LE CLAIRON LE BISTRO DES MOTOS QUI ONT DE LA BOUTEILLE AU MÉTRO DES LILAS CAFÉ GLACES BRASSERIE MAC DO TRAITEUR ASIATIQUE BANG PHANG AUX DÉLICES DES LILAS PATISSERIE SANDWICHES BOULANGERIE Remember avale tout ça, les feux sont verts PÉRIPH INTÉRIEUR FLUIDE PÉRIPH EXTÉRIEUR FLUIDE vert émeraude sur bleu nuit. Donc, on mangeait leur foutu riz à la sauce tomate. La bande d'Issy s'endormait autour de ses bouteilles vides, la bande d'Issy dodelinait ses têtes cramoisies, comme une hydre estourbie. Bientôt elle se réveillerait, et avec elle les contradictions au sein du peuple. Treize et moi, heureusement, dis-tu à sa fille, ça n'était pas notre boulot de participer à ces joutes. Notre affaire à nous c'était la logistique, la protection, l'intendance, des sciences exactes. A ce titre on était responsables du couchage. Or justement il y avait un problème : pas assez de lits. Même en comptant les quelques-uns que Nicole mettait à notre disposition dans le château, en plus des lits de camp sous les tentes, ça ne collait pas. Il allait falloir partager. Moi, dis-tu à la fille de Treize, je sais bien avec qui j'aurais aimé partager, mais ça n'est pas comme ça que ça s'est passé, et le soir je me suis retrouvé dans un plumard matrimonial avec Juju, la terreur de chez Peugeot. Je ne sais pas si tu imagines le comique de la scène, ma tête et celle du tueur de flics côte à côte sur le traversin, sous un baldaquin lie-de-vin, avec au mur l'inévitable gravure licencieuse genre « le verrou » et le non moins inévitable portrait d'une aïeule en col empesé… Bon, au milieu de la nuit, voilà que je suis réveillé… Non, ce n'est pas possible ! Cette main qui se balade sur mes couilles… Non, je dois être endormi encore, faire un cauchemar… Mais non, il n'y a pas de doute. Alors c'est l'autre, le fameux gladiateur de Montbéliard, qui doit rêver. Allons, repoussons cette main doucement, sans l'éveiller, qu'il ne meure pas de honte en découvrant ce que les démons de la nuit, les succubes abominables, abusant de sa volonté endormie, l'ont poussé à commettre… Mais la voici qui revient, la main du prolétaire rouge ! Cauteleuse, tâtonneuse, mais insistante quand même, sachant ce qu'elle fait ! Putain ! Alors le dirigeant de la base ouvrière numéro 1 est un pédé ! Une tantouze ! Révélation tellement sidérante, à laquelle je suis si peu préparé, qu'un long moment, immobile comme un mort, tétanisé, je laisse Querelle de l'Est me peloter les couilles. Tu sais, dis-tu à la fille de Treize, tu l'as compris, on était extrêmement puritains et conventionnels. Et machistes, ce qui revient au même. Un ouvrier, et qui plus est un ouvrier révolutionnaire, ça ne pouvait pas être un pédé. Théoriquement, bien sûr, c'était possible, mais pratiquement... Emballez c'est pesé, selon la formule de Juju. Alors sa main, là... Que faire ? Sauter sur l'infâme, le jeter hors du lit, du château, de l'Histoire ? Mais le scandale, la démoralisation des camarades à la terrible nouvelle... Le nouveau Spartacus est un pédro ! Alors, laisser le sodomite continuer à déshonorer la Révolution ? Allons, du calme. « Un froncement de sourcil, disait une géniale pensée du Grand Timonier, et un stratagème vous vient à l'esprit. » Finalement, j'ai juste prié vertement Juju (dont le sobriquet ridicule me semblait désormais formé sur le nom de Jupien) de me laisser dormir. J'imaginais, je plaignais même sa confusion au matin, sa terreur d'être démasqué, stigmatisé, eh bien pas du tout, il était beaucoup moins gêné que moi, il traînait impudemment de la savate dans les cuisines du château, bol de café en main, entretenant Nicole d'embuscades carabinées dans les jungles mécaniques de Sochaux-Montbéliard. Et moi pour qui le sexe était le domaine du secret, du secret et de la peur, moi qui n'osais pas poser ma main sur celle de la comtesse Nicole qui virevoltait en grande jupe indienne, rieuse, relevant de-ci, de-là une mèche de ses cheveux roux, je pensais sombrement, buvant mon bol de lavasse, regardant le bougre fricoter, qu'il ne manquait pas de cran – pas ce cran assassin dont il se vantait, dont l'imagination nous impressionnait, mais du cran quand même, dont j'étais moi bien incapable. Et au milieu de mon mépris il y avait une sorte d'admiration. Finalement c'était vrai qu'on apprenait des choses, à l'école des prolétaires.

Cinq heures du mat'. Combien de temps qu'on tourne ? Deux, trois heures ? Combien de révolutions on a faites, la fille de Treize et moi, aux commandes de Remember ? Sais pas. Autour de la grosse boule sombre couturée d'électricité, bleu rouge vert bleu rouge rouge blanc vert bleu rouge. Arc-en-ciel déjanté. Traînées stroboscopiques. Sept, huit ? Gaffe à l'essence. Pas fatiguée ? Non, ça va. Sont en train de se lever, à droite. Fenêtres qui s'allument, la nuit cligne de l'œil. Debout les pyjamas ! Et dans le ciel, là-bas, ça ne se lève pas ? Si, un peu, on dirait. On y pense. Ça se remue. Lueurs verdâtres. Bientôt l'heure abominable où les prolétaires courent vers le chagrin, dans l'aube venteuse, heure des yeux pochés, des nausées, des aigreurs d'estomac... Sillages des semis lancés vers Rungis. Sillages des semis orbitant vers Garonor. La barbe qui pousse. Je te barbe pas ? Non ? Pas fatiguée ? Non, ça va, je te dis. Alors on continue CASINO CASTORAMA PORTE D'IVRY NANTES BORDEAUX ORLY RUNGIS ÉVRY LYON PORTE D'ITALIE CHAMPION CAMPANILE IBIS vert émeraude sur bleu nuit PÉRIPHÉRIQUE INTÉRIEUR FLUIDE PÉRIPHÉRIQUE EXTÉRIEUR FLUIDE bleu rouge blanc vert aurore boréale le clocher de Montrouge dressé noir sur le ciel rouge, fusée sur son pas de tir. V2-cathédrale de Chartres. Le général en retraite Chalais, PDG d'Atofram, société qui avait licencié des grévistes et qui en outre produisait certains composants électroniques de base entrant dans la fabrication des bombes que l'US Air Force larguait sur le Vietnam, ce Chalais, donc, vous aviez fini par le charger dans la fourgonnette et Fichaoui avait fait un démarrage de Grand Prix qui vous avait tous envoyés valdinguer, ça devenait un leitmotiv, racontes-tu à la fille de Treize. La suite des opérations était extrêmement délicate, elle consistait à faire à Chalais une intramusculaire d'un produit anesthésique. Vous n'aviez pas l'intention de le garder, juste de le fourrer dans une malle puis de le déposer gare Saint-Lazare et d'appeler les journalistes. Pour ça il fallait le sonner un peu, d'où la piqûre. C'est Klammer qui t'avait procuré le produit. Klammer était véritablement un personnage dostoïevskien, désolé pour le stéréotype, t'excuses-tu auprès de la fille de Treize, mais c'est vraiment comme si Dostoïevski avait été inventé pour rendre compte de Klammer, pas Klammer pour incarner Dostoïevski. C'était le fils d'une famille de diamantaires juifs d'Anvers qui avaient pu se réfugier en Amérique pendant la guerre grâce à ce réseau de Résistance dont Rolge serait le « galopin ». Klammer détestait cette richesse. Sans lui, les caisses de La Cause auraient été à sec, en dépit de tous les « démocrates » ou « progressistes » ou « sympathisants » (ces mots étaient synonymes, et légèrement méprisants dans notre bouche) que nous invitions à cracher au bassinet. Mais tu imagines bien que Marguerite Duras, par exemple, on avait du mal à lui tirer même de quoi ronéoter un tract. D'autres étaient moins radins, de temps en temps un peintre vendait un tableau, moi je taxais Nessim, mais tout de même l'argent, dans l'ensemble, ils n'aimaient pas trop s'en dessaisir. Pas forcément par pingrerie, mais plutôt parce que ça les humiliait qu'on ne s'adresse qu'à cette partie d'eux-mêmes, le portefeuille. En tout cas Klammer était le seul – la seule personne que j'aie jamais rencontrée, en fait – à vouloir se débarrasser de son fric comme d'une immoralité. Il devait se dire que sa famille avait été sauvée parce qu'elle était riche, et ne pas supporter ça. Je crois qu'en le tapant on le soulageait, vraiment. Je n'ai jamais connu quelqu'un d'aussi négatif – attention, ne t'y trompe pas, dis-tu à la fille de Treize : je prends ce mot dans un sens extrêmement positif, si je puis dire. C'est l'inquiétude, l'inassouvissement, l'insoumission. C'est le doute, l'esprit, enfin ce qui est vraiment humain. Klammer était riche et il voulait en finir avec cette injustice de l'héritage. Il était plutôt beau, à mon avis, un visage long, creux, osseux, avec quelque chose de russe, pas une beauté de maître nageur ou de play-boy, certes, en fait je n'ai jamais connu quelqu'un qui ait comme lui ce qu'on pourrait appeler une gueule d'intello. Ou d'artiste, mais alors de musicien. Pas de peintre, non, il était très peu matériel, à mon avis. Il était beau et il se trouvait affreusement laid – ça, je l'ai su plus tard, bien sûr : à l'époque on ne discutait pas de choses comme ça. Klammer était un jeune chef de clinique, un espoir de la chirurgie cardiaque, et il avait tout envoyé balader pour se consacrer entièrement à l'avortement par la méthode Karman, je ne dis pas que ce n'était pas utile, qu'il ne fallait pas le faire, mais enfin jouer de la pompe à fœtus dans des officines du MLAC quand on avait été un grand chirurgien, il me semble qu'il y avait là-dedans une volonté d'abaissement, de mortification. Et en même temps l'ironie de l'affaire c'est que, se

livrant à ces tâches sans gloire, et même un peu dégoû-
tantes, Klammer était peut-être le seul d'entre nous qui
fût dans le sens de l'Histoire, comme on disait, le seul à
participer à son invisible, imprévisible mouvement. Il
poussait avec tous les obscurs, et l'énorme machine sociale
imperceptiblement bougeait. Quand on regarde les choses
presque trente ans après, dis-tu à la fille de Treize, il y a
de quoi se marrer. Nous autres avec nos coups à la Robin
des bois, on était complètement à côté de la plaque, même
on allait à contre-courant, à contresens, pleins gaz vers le
passé, à fond dans les chimères. Tandis que Klammer,
tirant sur le piston de sa pompe à fœtus, dans la salle de
bains d'un appartement bourgeois du XIVᵉ arrondissement, il participait mine de rien (et sans le savoir lui-
même) au mouvement du monde.

J'ai gardé quelques canards de ce temps-là, dis-tu à la
fille de Treize. Certains ont disparu, comme *L'Aurore*, une
feuille vachement réactionnaire mais qui nous plaisait
parce que si on cassait des vitres quelque part ça faisait
une page dans *L'Aurore*, c'était un journal qui nous aidait à
nous sentir importants, avec lui on avait l'impression
d'être dans la bonne voie. Quand tu penses que c'était
le titre du journal de Clemenceau... du journal où Zola
a publié «J'accuse»... Dans les années soixante-dix,
L'Aurore, c'était vraiment Vichy mal retapissé. J'ai gardé le
numéro de *L'Aurore* du jour où on a cravaté ce Chalais. En
fait je ne l'ai pas gardé, naturellement, ça aurait vraiment
été trop dangereux, on n'était quand même pas idiots à ce
point, non c'est Rolge qui me l'a donné, des années après,
avec *Le Monde* et quelques autres. C'est après l'enterrement d'André que je l'ai vu pour la dernière fois, il m'avait

donné rendez-vous au bar d'un grand hôtel de Bruxelles, comment s'appelle-t-il, déjà ? Métropole, peut-être bien ? Avec des plafonds vertigineux, des fresques, des lustres hauts comme des clochers, des forêts de ferronneries et des ascenseurs à grilles dorées manœuvrés par des grooms genre Spirou. Place de Brouckère, je crois (ou bien alors place de l'Albertine ?). Enfin c'est là que Rolge m'a donné rendez-vous, notre dernier rendez-vous. Après, je ne sais pas ce qu'il est devenu. On m'a dit qu'il avait tâté du trafic d'armes avec des pays africains « progressistes », Angola et autres, mais ce sont peut-être des racontars. Il avait beaucoup grossi. Toujours aussi crado, bien qu'à la longue il eût changé ses lunettes, mais il avait pris des goûts de luxe, il fumait des Partagas, à cause du Che prétendument, et buvait du Knokkando, à cause de Knokke-le-Zoute peut-être. C'était au bar de cet hôtel, prétendait Rolge – mais il m'avait raconté tant d'histoires, depuis ce soir lointain où il m'avait annoncé que le siège de l'OTAN sauterait dans la nuit –, peut-être même autour du guéridon sur lequel le loufiat posait son *pure malt* (et le mien aussi, par la même occasion), qu'avait été décidée la liquidation de Patrice Lumumba, l'un des rares vrais révolutionnaires africains du temps de la décolonisation, l'un des rares intègres, torturé à mort puis découpé en tronçons et dissous à l'acide à Elisabethville en 1961, six mois après l'Indépendance. Eh bien le crime avait été décidé ici même, selon Roger le Belge, au bar du Métropole, peut-être à notre place, entre un vieux nazi qui servait d'instructeur aux mercenaires de Moïse Tschombé, un représentant de l'Union minière du Haut-Katanga, un de la Chase Manhattan Bank et un responsable de la CIA qui était aussi évêque *in partibus* de l'Église romaine, selon Rolge, mais Rolge racontait tellement d'histoires invérifiables... Toujours est-il qu'on l'expulsait de son pavillon de Waterloo pour faire passer une autoroute, c'étaient les temps modernes et prosaïques qui arrivaient, alors il était obligé de se débarrasser de ses archives et il me faisait don de quelques canards susceptibles de m'intéresser. Dans le tas malheureusement il n'y avait pas ce *Monde* de 1948 dans lequel un entrefilet faisait état de la mort du lieutenant « au cours d'un engagement avec un groupe de rebelles viêt-minh ». Je n'en avais jamais parlé à Rolge, de cette histoire, d'ailleurs il ne l'aurait pas trouvée intéressante. Certaines morts pèsent moins qu'une plume, avait dit le Grand Timonier. En revanche il y avait la presse du jour où on avait cravaté Chalais. Papier jauni, feutré, cassant, coupé à la pliure, qui semble aujourd'hui émis depuis une zone de l'espace-temps aussi reculée que celle d'où viennent les lettres, rapports, avis de décès et inventaires attestant la mort du lieutenant. Tu vois, c'est curieux, dis-tu à la fille de Treize : la peau humaine, dans sa jeunesse, la tienne par exemple, est pure et lisse comme du beau papier, du vélin. On a envie (mais peur aussi) d'écrire dessus. Et le papier, en vieillissant, commence à ressembler à de la peau tannée, du parchemin. Un journal coûtait moins d'un franc, à l'époque. *L'Aurore*, soixante-dix centimes. A la une, sous la manchette dénonçant « le terrorisme maoïste » et à côté d'un édito qui rend Sartre responsable de ces « mœurs dignes de peuplades primitives » (comme il a dû bicher, Sartre, en lisant ça...), il y a une photo du mariage de la fille de Franco avec je ne sais plus quel grand con de Bourbon. Tous ces tarés en grand tralala, « le caudillo et son épouse », dit la légende, entourant les deux tourtereaux, tout ça plein de galons et de broderies et d'épées et de chapeaux à plumes. Le « salaud latin » avec Sartre sur la même une. Je suis contemporain du caudillo, moi, d'une certaine façon, et d'Eddy Merckx et de Nixon aussi, Merckx disputait Paris-Nice et Nixon je ne sais plus quelle primaire, ces jours-là. Merckx, c'était un type qui ne faisait pas dans le détail. Remarque, son opposant du jour, Ocaña, un Espagnol justement, n'était pas un cul-de-jatte non plus. Luis Ocaña, ça ne te dit rien, hein ? Ni Franco, je parie ? demandes-tu à la fille de Treize. Tu te souviens quand même de sa mort, à demi décomposé, en pièces détachées, vieille carne faisandée hérissée de cathéters, embobinée de tuyaux ? On peut dire qu'il a eu la fin qu'il méritait, lui. A la manchette du *Monde*, le président Pompe trouvait lui aussi que l'enlèvement de Chalais était « un acte digne d'un pays de sauvages ». Mais ce qui surprend presque autant sur cette page, ce qui confirme qu'on est en présence d'un document venu de la nuit des temps, ce sont deux choses : le numéro de téléphone du journal, sur le bandeau : PRO 91 29, Provence 91 29. Trois lettres, quatre chiffres, c'était ça un numéro, à l'époque. Ça, c'est le décalage vers le rouge ! La preuve que tout s'éloigne de tout, le sillage de l'Univers en expansion ! Non ? Et la seconde chose antédiluvienne, c'est un encadré sur un décret qui venait de paraître autorisant la pose du stérilet sous certaines conditions. Tu te rends compte ! La contraception, à l'époque, ça n'existait pas. On était avant la loi Veil et les temps éclairés du giscardisme... Et ainsi Klammer avec sa pompe à fœtus contribuait à écrire l'Histoire, il poussait la grande épave enlisée de la société dans la bonne direction, celle où elle voulait aller, où elle irait de toute façon, tandis que nous avec nos mitraillettes Sten et nos postiches on essayait désespérément de lui faire rebrousser chemin, nous on datait de l'époque du caudillo et de Durruti et de Don Quichotte aussi bien.

Et à part ça, racontes-tu à la fille de Treize, il y avait encore dans ce numéro du *Monde* une information qui t'avait accablé lorsque tu l'avais lue le lendemain de l'arrestation mouvementée du général en retraite Chalais. Roger le Belge vous avait accueillis de l'autre côté de la frontière, à Estaimpuis sans doute (ou bien était-ce à Néchin ?), un énorme soleil rouge s'arrachait des toits cependant que vous passiez la frontière, Treize et toi, même que ça vous avait fait rigoler et que vous vous étiez mis à chanter l'Orient est rouge, le soleil se lève, tra lala lalère, il faisait froid et votre haleine émettait des signaux de fumée dans le petit matin belge, un énorme soleil grenadine flamboyait dans la brume hivernale. C'était par là que vous enterreriez André, une bonne dizaine d'années plus tard (toi, mais pas Treize, rappelles-tu à sa fille : lui mangerait les pissenlits par la racine depuis un moment déjà quand on enterrerait André non loin, tout près même de l'endroit où vous franchissiez la frontière). Rolge vous avait logés chacun chez des « progressistes » belges, à Ixelles, dans les beaux quartiers. Les tiens habitaient une maison flamande de brique sombre, à haut pignon à redans, et tu te souviens surtout que la jeune maîtresse des lieux était extrêmement bien roulée et portait sous des manteaux de fourrure des robes assez ajourées. Mais enfin il te semblait que ce n'était pas le moment de faire le con. A la télé belge, que tu avais regardée en compagnie de tes hôtes (et donc de Mrs Dentelle de Malines, que tu lorgnais du coin de l'œil), sur le journal de la RTB on avait vu la tête du général Chalais avec à vrai dire les yeux très au beurre noir, ça t'avait désagréablement étonné, puis la gueule de topinambour du ministre de l'Intérieur, l'infâme Saint-Marcellin. « Un héros de la Résistance », c'est comme ça que Saint-Marcellin appelait Chalais. Qu'est-ce que c'était encore que cette histoire ? Saint-Marcellin (qui quant à lui était plutôt du genre à avoir chanté tous les matins, au garde-à-vous, en culottes courtes, « Maréchal nous voilà »), Saint-Marcellin était connu pour être un éhonté menteur, un homme de basse propagande, mais tout de même... L'effet en tout cas avait été immédiat sur Dentelle de Malines et son époux (il était avocat) qui opinaient que ce devait être des fascistes qui avaient fait le coup. Le coup de mettre les yeux au beurre noir à un héros de la Résistance avant de l'enfermer dans une malle. Bien sûr, présentée comme ça... l'affaire n'était guère défendable. Tes hôtes ne connaissaient pas la raison qui t'amenait chez eux, Rolge leur avait raconté une histoire édifiante de défense d'immigrés expulsés, c'était déjà la chanson qui endormait automatiquement la méfiance des bourgeois de gauche, dis-tu en lançant à la fille de Treize un regard sarcastique, un regard qui cherche la bagarre. Et ça ne rate pas. Tu es raciste, ou quoi ? te demande-t-elle. Si tu répètes ça je te dépose ici, sur le périph, séance tenante, réponds-tu gracieusement. Excuse-moi, ajoutes-tu quand même. Je hais les racistes, figure-toi. Mais les bons sentiments obligatoires m'horripilent, le conformisme progressiste n'est pas moins idiot, pas moins aveugle que le réac, comme il est culturellement dominant il est plus énervant, et il peut être tout aussi malfaisant : tu sais de quoi est pavé l'enfer. Bon. Je continue. Un feu flambait dans la cheminée, il y avait du whisky sur la table basse, du bon, qui sent la fumée de tourbe, avec des numéros du *Nouvel-Obs*, des reproductions de Magritte au mur et les œuvres complètes de Mao dans la bibliothèque, entre Mallarmé et Marcuse, c'était vraiment une maison convenable. Un chien de je ne sais plus quel modèle, mais de luxe. Dentelle, gracieusement vrillée sur le tapis persan, au pied du fauteuil de son avocat, jambes ramenées sous elle, appuyée sur un bras, était des deux la plus convaincue, la plus virulente, elle aurait fusillé sans jugement ceux qui avaient fait ce coup-là. L'avocat, que son métier avait incliné au relativisme, était un peu moins catégorique. Toi, craignant de te démasquer (et désireux d'ailleurs de lui plaire), tu abondais dans le sens de Dentelle. Entre concupiscence frustrée et reniement, ce ne fut pas une bonne soirée. Alors le lendemain à l'aube tu avais couru jusqu'à la gare du Midi acheter *Le Monde*. Et là le désastre s'était confirmé. Nom de Dieu ! « Un combattant de la France libre ». C'était *Le Monde* qui le disait, pas Saint-Marcellin. Prisonnier en 40, s'évade, gagne Londres puis de là le Levant, rejoint la 1ʳᵉ DFL, blessé au Garigliano... Blessé de nouveau devant Strasbourg... Merde alors... C'était ce type-là, un patron peut-être, mais avant ça un combattant antifasciste (peut-être un camarade du lieutenant, pensais-tu), que vous aviez tabassé dans une camionnette... Parce que vous aviez dû en venir là, ce n'était pas votre intention, bien sûr, mais vos intentions tout le monde s'en foutait, et avait raison de s'en foutre. Ce n'était pas nos intentions, dis-tu à la fille de Treize, on voulait juste le mettre dans une malle et le déposer dans la salle des pas perdus de la gare Saint-Lazare, parce que beaucoup de monde passait par-là et parce que c'était de Saint-Lazare que partaient les trains qui menaient à l'usine Atofram où des grévistes avaient été licenciés. Et qui produisait des composants électroniques de base entrant dans la fabrication de certaines bombes larguées sur le Vietnam par l'US Air Force. Klammer nous avait procuré un produit anesthésiant. Un anesthésiant léger, je tiens à le préciser, dis-tu à la fille de Treize : Klammer nous avait expliqué qu'avec un produit plus puissant il y avait un petit risque, mais un risque quand même, de problème cardiaque, alors on avait choisi le produit bas de gamme, une espèce de camomille améliorée. Je ne veux pas dire que c'était une gentille attention, non, mais enfin tout de même pour des hors-la-loi on prenait des gants. Mais c'est peut-être parce que vous aviez peur ? te réplique-t-elle. Peur pour vous. Mais non, Marie, si on avait eu peur on n'aurait pas fait ce genre de choses, tout simplement. Quand on en arrive là on n'a plus peur pour soi. Ou en tout cas ce n'est plus du tout dissuasif. Au contraire ça fait partie, la peur, de la drogue. Cette camomille, donc, ce n'était pas du tout comme les « soporifiques » dans Tintin, ce genre de produit dont un type à menton mal rasé verse trois gouttes dans un verre et pffff, il n'y a plus personne. Non, il fallait la lui injecter dans la fesse, et pour un résultat plus qu'aléatoire, et dans une fourgonnette en marche, encore. C'est Judith qui était chargée de l'opération. Curieux comme on était tributaires d'idées reçues : pour faire une piquouze, il fallait de la délicatesse féminine, etc. Dans une affaire qui tout de même en manquait singulièrement. Bon, encore fallait-il lui baisser son pantalon, à ce Chalais. Et là il s'est rebiffé. On lui expliquait, pourtant, on essayait d'être persuasifs, de dédramatiser, mais non, rien à faire. Et il avait raison, d'ailleurs. Il y a un rapport ancien et barbare entre la nudité et le supplice. Les légionnaires romains jouent aux dés les vêtements du crucifié. Les nazis aimaient pendre leurs victimes nues. Les tchékistes, dans les caves où ils allaient leur brûler la cervelle, déshabillaient leurs prisonniers. Enfin imagine le grotesque de la situation. Nous autres cramponnés à sa ceinture, lui aussi, Judith brandissant sa seringue, essayant de garder l'équilibre, dans la valdingante carlingue. Dans la lutte j'ai perdu ma perruque blonde. A la fin Momo Mange-serrures, je crois que c'est lui, s'est énervé. C'était peut-être Treize, mais je crois plutôt que c'était Mange-serrures. C'était un petit boxeur, Mange-serrures, et il lui a mis un bon taquet sur l'arête du nez. Je ne lui jette pas la pierre, remarque, dis-tu à la fille de Treize : partis comme on était, je crois que c'était la seule chose à faire. Chalais s'est calmé soudain, alors Judith a pu lui faire sa piqûre. On était soulagés mais pas tellement fiers. Et pas tellement plus en forme que lui. Bon sang... Si j'avais su que ce type avait été un camarade de combat du lieutenant... un ami peut-être... Quand on a découvert ses états de service, à notre Galapagos, ça nous a foutu le cafard. C'est là que pour la première fois l'idée de décrocher nous a effleurés (la seconde, ça a été l'affaire du pharmacien). Si on risquait nos vies pour faire de telles conneries... On s'était retrouvés Treize et moi dans un café, un beau café dans une galerie couverte du côté de la Grand-Place, c'est moi qui lui ai appris la nouvelle. De quoi on a l'air, de quoi on a l'air, répétait-il, comme si c'était le problème. On est allés sur la Grand-Place voir la « Maison des peintres » que Victor Hugo avait habitée en 1852. Par rapport à lui, comme exilés, il fallait avouer qu'on ne faisait pas le poids. Puis pour se passer les nerfs on est allés se promener dans un bois en lisière de la ville, j'ai oublié son nom, la forêt de Soignes peut-être? Ou bien le bois de la Cambre? Il y avait une ligne de tramway qui y menait. C'était ça ou se cuiter à la bière, ce qui n'aurait pas été une bonne idée. On a vu un chevreuil, même. Treize ça lui a un peu changé les idées, il n'avait jamais vu de chevreuil ni de renard ni aucun animal à part ceux du zoo quand il était gamin, et des rats sur les ballasts du métro, c'était vraiment le citadin absolu, en dépit de sa « vieille » qui habitait dans la forêt de Fontainebleau ou par là, mais il n'allait jamais la voir sauf quand on avait de la dynamite à enterrer. Ah dis donc, un cerf! Il répétait ça, tout excité, en prononçant le f comme s'il s'agissait d'un serf. Il n'en revenait pas. Et moi à force de lui répéter que ce n'était pas un cerf mais un simple chevreuil, et que d'ailleurs on ne prononçait pas le f, j'ai fini par l'énerver et il s'est mis à me boxer comme plus tard sur le pont Mirabeau.

Tu sais, dis-tu à la fille de Treize, il y a une chose que tu dois comprendre, c'est qu'on était des gamins. On avait l'âge que tu as aujourd'hui, tu te rends compte? Je ne suis pas une gamine, te répond-elle sèchement. Oui enfin ce n'est pas ce que je voulais dire, naturellement, mais un peu quand même, si? non? En même temps tu lui jettes un coup d'œil en coin, adossée contre la portière de Remember, tirant sur sa clope, une jambe repliée sous les fesses, genou luisant dans l'ombre, l'autre allongée vers le centre de l'habitacle. Pas une gamine, pas une gamine... Enfin ce que je voulais dire, reprends-tu, c'est qu'on était extrêmement jeunes, on faisait des choses graves mais on avait des côtés complètement infantiles. Je me souviens par exemple que pendant qu'on préparait l'enlèvement de Chalais dans la maison que Blitz nous avait prêtée, en

Normandie, on avait failli s'étriper à l'issue d'une partie de Monopoly. Quel jeu de merde, quand on y songe une seconde... C'était ça ce qu'on a le culot d'appeler « les Trente Glorieuses » : l'époque où on apprenait aux enfants à devenir propriétaires fonciers... agents immobiliers... La prétendue gloire, c'était le fric. Tu sais, dis-tu à la fille de Treize, je n'aime pas beaucoup l'an 2000, mais les années 70, franchement je les exécrais. Toujours est-il que Mange-serrures avait patiemment édifié un empire immobilier et puis soudain l'alliance sournoise de Treize et de Fichaoui lui avait fait tout perdre, la rue de la Paix, l'avenue Mozart, l'avenue Henri-Martin, tous ces lieux où on rôdait, où on faisait nos mauvais coups, où on était justement en train de comploter un mauvais coup, tous ces lieux détestés mais enviés aussi par le jeune marlou d'Issy-les-Moulineaux, il en avait été viré comme un malpropre, en quelques coups de dés, il se voyait nabab et il se retrouvait à poil, lessivé, dévalisé, et du fait de l'alliance traîtresse de deux intellos contre lui, le prolo ! Mange-serrures n'avait pas supporté ça, il avait renversé la table et bondi sur Treize qui n'avait pas le succès modeste, il faut le dire. On avait eu un peu de mal à les empêcher de s'amocher vraiment. Tu te rends compte : on était là, chez Blitz, en train de préparer une affaire où tout de même on pouvait laisser notre peau, une action que le président Pompe trouverait « digne d'un pays de sauvages », et on se conduisait comme dans une cour de récré.

KOREAN AIR rouge bleu PANASONIC bleu SANYO rouge SAMSUNG bleu A1-A104 FLUIDE un pont franchit les voies de la gare du Nord, gerbes d'acier brillant bordées de violettes électriques, c'est par là qu'on a fui avec Treize, par le train postal, à droite l'anémone et l'ancolie, la ville du Grand Gibet et de la Roue, le passé dont on n'a pas fait table rase, ST-DENIS CH. DE GAULLE LILLE BRUXELLES PORTE DE LA CHAPELLE A1, attends par là il y a quelque chose encore dis-tu à la fille de Treize, secouant ton bras, par la vitre baissée de Remember, du côté des tours noires de la porte de la Chapelle au front desquelles étincellent les diadèmes AGFA et TDK, diamants et rubis, et au-delà les plaines à blé, à betteraves et à morts, les plaines qui vont sous la pluie noire vers la mer. Une fois j'ai été salaud avec ton père, ça me paraît bizarre de l'appeler ainsi mais pourquoi pas, une seule fois mais je l'ai été. Je préfère que tu le saches. Un jour, c'était peu après l'enlèvement de Chalais, il a eu une histoire avec Béatrice, l'avocate. Il n'était pas ton père, d'ailleurs, puisque tu n'étais pas née. Il n'avait même pas encore rencontré ta mère, alors tu vois... Treize, c'est celui qui n'est pas sur la photo, le souvenir de son visage s'efface dans ma mémoire, cela fait longtemps qu'il n'est plus qu'une image qui s'épuise et meurt dans l'effort même d'apparaître, qui s'évanouit dès que j'essaie de la fixer avec les yeux de l'intérieur, mais enfin il me semble quand même qu'il était assez beau. Des yeux gris, le nez busqué, cassé plutôt, l'arête faisant un angle, des cheveux courts d'un blond foncé. Une fossette profonde au milieu du menton. Et puis surtout quelque chose d'ardent qu'on avait tous plus ou moins, mais nous c'étaient quelques étincelles et lui tout le feu. Béatrice, je te l'ai dit, on en était tous amoureux. Des yeux effilés, d'un vert presque jaune, des pommettes marquées, des cheveux sombres tirés en arrière, noués sur la nuque, retombant dans le cou... Toujours vêtue de noir. Un air d'Indienne et de louve. Elle faisait peur aux juges. Certains d'entre nous, je te l'ai dit aussi, étaient soupçonnés de s'être laissé arrêter rien que pour avoir des parloirs avec elle. Autrement ils n'auraient jamais osé lui parler. Treize, lui, avait eu cette audace. Il affectait volontiers le cynisme, notamment avec les femmes – pardon, on disait encore « les filles » –, mais c'était une frime de gamin timide, ça. En fait il était comme la plupart d'entre nous, un jeune homme orgueilleux et effrayé. Bref un jour ils ont filé ensemble, sans prévenir. Par là, dans le Nord, sur la baie de Somme. A Saint-Valéry, à moins que ce ne soit au Crotoy. Mais je n'aime pas ce nom, alors on dira que c'était à Saint-Valéry. En ce temps-là, comme je te l'ai raconté, dis-tu à la fille de Treize, on passait notre vie en « réus », leur disparition fut donc vite constatée. On a tout de suite commencé à s'inquiéter, à craindre qu'ils ne soient détenus quelque part, au secret, dans un cul-de-basse-fosse. Au bout de deux ou trois jours, Treize m'a fait prévenir. Maintenant, Marie, dis-tu à la fille de Treize, il va falloir que tu fasses un effort d'imagination : à l'époque, pas de téléphone mobile ni de répondeur, OK ? Ensuite, nous autres, pas de domicile fixe, d'accord ? Ensuite, à l'endroit où on réside provisoirement, à supposer qu'il soit équipé du téléphone, on évite de s'en servir par peur des écoutes, et aussi, éventuellement, si on est très correct – mais c'est rare – par discrétion vis-à-vis du « progre » qui nous héberge, ou nous prête la piaule. Donc on vit dans un monde qui, question communications, est quand même plus proche du soldat de Marathon ou du pigeon voyageur que d'Internet. Tout repose sur une grille de rendez-vous automatiques, avec des rattrapages (tu vois bien que ces notions, assez évidentes pour quiconque a seulement lu des livres ou vu des films sur la Résistance ou l'espionnage, échappent complètement à la fille de Treize, qui ouvre des yeux ronds. Tu n'as pas lu *L'Orchestre rouge*? lui demandes-tu à tout hasard. Sa tête branle vigoureusement de gauche et de droite. On est passés d'un imaginaire à un autre. Les serial killers, qui tiennent dans la mythologie contemporaine la place qu'occupaient les clandestins et les guérilleros dans celle d'autrefois, les serial killers n'usent pas de rendez-vous secondaires, de mots de passe, etc. Agissent seuls. Progrès de l'individualisme, régression de l'esprit d'organisation. Léopold Trepper, tu ne vois pas qui... ? Nnnnon. Bon, dommage. Tu devrais. Encore cette impression de faire passer un exam', excuse-moi. Enfin, c'était un de nos héros. Ça le reste, en ce qui me concerne). Alors voilà : si quelqu'un n'était pas au rendez-vous, ni au rattrapage, on attendait qu'il nous contacte via un « progre » qui faisait office entre nous d'agent de liaison. La nôtre, entre Treize (et Fichaoui, et Mange-serrures, etc.) et moi, c'est Laura, une psychanalyste franco-argentine – elle a la double nationalité – qui habite boulevard Edgar-Quinet, non loin de chez Sartre (quelques années plus tard, elle retournera à Buenos Aires. Elle sera sympathisante de l'Ejercito revolucionario del pueblo, l'Armée révolutionnaire du peuple, plus ou moins trotskiste. Encore quelques années, très peu, et elle sera enlevée à son cabinet, qui est aussi son domicile, calle Maipú, non loin de chez Borges, par un groupe de militaires vêtus de survêtements, circulant dans une Ford Falcon sans plaques d'immatriculation. On est sûrs qu'elle sera détenue et torturée, et violée naturellement, à l'ESMA, l'École de mécanique de la marine, sur le bord du Rio de la Plata. Après, ce qui semble le plus plausible c'est que son corps sera brûlé, en janvier ou février 1978, dans un incinérateur à bestiaux morts du quartier de Mataderos, dans la périphérie de Buenos Aires. Je tiens ces renseignements, dis-tu à la fille de Treize, de mon ami Horacio, avocat des droits de l'homme là-bas, par ailleurs grand admirateur de Napoléon, collectionneur de lettres autographes et de soldats de plomb de la Grande Armée, un type magnifique qui s'est battu en duel au sabre contre un officier tortionnaire et lui a découpé une bonne côtelette).

Donc, après deux ou trois jours d'inquiétude, Laura me fait dire que Treize l'a appelée, que tout va bien, qu'il me rappellera le lendemain chez elle. A l'heure dite je m'y rends. J'attends, j'attends. Une des règles élémentaires de notre vie, c'est la ponctualité. Sans ça, tout se détraque. Enfin le téléphone sonne, c'est lui. Tu ne devineras jamais ce que je suis en train de regarder, me dit-il. Drôle d'entrée en matière. Il a une voix curieuse, un peu fêlée. Non je ne devinerai pas, alors dis-moi. La mer. Ça, c'est la meilleure! La mer... Il faut te dire, expliques-tu à la fille de Treize, qu'on ne prenait plus de vacances depuis longtemps, évidemment – à part ce genre de «vacances» qu'immortalise la photo où Treize ne figure pas, d'où il tire son nom, et qui consistaient à partir évangéliser les paysans. Alors, l'imaginer au bord de la mer... Et qu'est-ce que tu fais? Rien. Je la regarde. C'est beau, extrêmement beau. J'avais oublié que ça pouvait être si beau. Ça étincelle, ça éblouit, il y a des ombres qui naviguent là-dessus, sous les nuages... C'est couleur d'huître et puis d'un seul coup couleur de papier d'alu. Comment est-ce qu'on a pu se passer de ça? Ça me donne envie de chanter, dit-il. Là, je suis sidéré. Je ne reconnais pas dans ses propos le langage des «larges masses». Les larges masses

n'en ont rien à branler (croit-on), de la beauté de la mer.
N'oublie pas de nous ramener des photos, lui dis-je,
sarcastique. Envoie des cartes postales à Gédéon, ça lui
fera plaisir. Mais il continue, sur son ton d'illuminé. Ça
l'apaise, soi-disant. Il aime regarder les nuages, les oiseaux
de mer, si élégants, si gracieux. Des conneries comme ça.
Élégance! Grâce! Je rêve. Ce sont des mots qu'on a
oubliés, si on les a jamais connus. Est-ce que les grévistes
de l'usine Atofram se souciaient d'élégance? L'élégance
est une notion bourgeoise décadente, typiquement.
Écoute, lui dis-je : la mer est un outil de travail pour les
pêcheurs et les marins, et un champ de rivalité stratégique
pour les impérialistes. Point. Redescends sur terre. J'y
suis, sur terre, me répond-il. Sur le rivage, à Saint-Valéry-
sur-Somme précisément (ou au Crotoy, peut-être), regardant la mer. L'estuaire, plus précisément. C'est toi qui n'es
pas sur terre. On ne sait plus rien sentir. On est en train
de devenir idiots et féroces. On n'aime plus. On n'aime
plus... là, une chose si énorme, je pense qu'on l'a drogué.
Ou qu'il s'est lui-même drogué, à vrai dire. Qu'est-ce que
tu as pris? je lui demande. Deux bouteilles de sancerre et
pas mal de pétards, avec Béatrice. Parce que je suis avec
elle, vous l'aviez compris? Elle est belle aussi. Elle m'apaise
aussi. Enfin, m'apaiser, ce n'est peut-être pas le mot,
mais... Écoute, je ne te demande pas de me dire ce qu'elle
te fait. Je te demande de revenir. Et ils sont revenus. J'en
avais référé à Gédéon. C'était la règle, mais c'était quand
même moche. Je m'en suis longtemps voulu d'avoir fait
ça. Gédéon l'avait mal pris. Il fallait lutter contre le style
de vie relâché, etc. L'ingéniosité de n'importe quel crétin
suffit à l'instruction d'un procès politique, et Gédéon était
tout sauf ça, crétin. Les chefs d'accusation, c'est ce qui

manque le moins. Là où la barbe est obligatoire, les têtes glabres passent sous la hache. On n'avait qu'à se baisser pour trouver des cailloux pour la lapidation. On leur a fait un procès, on les a séparés. C'était l'histoire de Winter qui recommençait. Elle, prétendument, nous défendant tous, ne pouvait être liée à personne en particulier. La vérité bien sûr c'est qu'on voulait tous se la garder comme l'objet imaginaire de notre désir. Il fallait qu'elle reste dans l'indivision. Reine des abeilles. Et puis, ils donnaient le mauvais exemple d'une liberté joyeuse, insouciante – insouciante des autres, dirait-on. J'ai collaboré à cette saloperie. On est tous un jour ou l'autre Judas.

La mer, la dernière fois qu'il l'avait vue, Treize, il avait eu tout le temps de la contempler. C'était à Deauville, l'été qui avait suivi celui de la photo – l'été 70, donc. C'était juste après l'invasion du Cambodge et juste avant Septembre noir, je te dis ça pour fixer les idées, dis-tu à la fille de Treize. Les Américains avaient envahi le Cambodge puis ils s'en étaient retirés, partant de My Tho, de Vinh Long, de Cai Be ils avaient remonté le Mékong jusqu'à Phnom Penh et au Tonlé Sap pour détruire les « sanctuaires » communistes. Cependant que les flottilles armées remontaient le fleuve, les B-52 faisaient pleuvoir sur les jungles voisines des averses d'agent orange et autres défoliants. Des centaines de milliers de jeunes gens avaient manifesté contre la guerre à travers tout le territoire des États-Unis, quatre étudiants avaient été tués par la Garde nationale sur le campus de Kent University. Une armada de barges et de vedettes avait remonté le Mékong, beaucoup avaient appareillé des estacades de troncs de cocotier qui plongeaient dans le fleuve sous la véranda de la maison du lieutenant telle que tu la découvrirais le lendemain de la nuit passée, vingt-cinq ans plus tard, dans la chambre 501 de l'hôtel Huong Duong, à feuilleter les paperasses jaunies, coupées aux pliures, imprimées à l'encre violette comme les menus des restaus ouvriers d'antan ou les carcasses des animaux de boucherie, les documents blasonnés de tampons défraîchis, vieux de bientôt un demi-siècle, où sa mort figurait à la rubrique « objet » : « Flottille amphibie Indochine Sud. Objet : décès personnel officier. »

La majeure partie de la ville avait été détruite et reconstruite à la va-comme-j'te-pousse du temps de la guerre américaine, le béton lépreux champignonnait au centre, avec autour des faubourgs de tôle et de bois, les constructions coloniales ocre, à vérandas et balustres sous des toits de tuiles, ne couraient plus les rues. Tu avais craint que la maison du lieutenant n'ait disparu dans le grand glissement de terrain du temps, emportée comme ces troncs, ces buffles morts, ces radeaux d'herbes que faisait tournoyer le courant du Mékong, la maison du cercueil plutôt puisque la seule trace que tu avais d'elle c'était ce petit cliché jauni, à bords dentelés, sur lequel on voyait six marins en tenue claire porter à l'épaule son cercueil recouvert du drapeau, au pied de l'escalier menant à la véranda que chapeautait un toit de tuiles curieusement échancré, étagé, une variation géométrisante sur le thème de la pagode. Tu étais sorti de bon matin de l'hôtel Huong Duong, décidé à explorer My Tho méthodiquement, rue par rue. Tu aimais les rues du Vietnam, la grande chaleur humide, les essaims de vélos, de Mobylettes, de scooters, de cyclopousses, la grâce des filles en *ao daï*, cette tunique délicieusement entrebâillée sur le côté, laissant voir un éclair de peau mate... pédaleuses soyeuses portant capelines et gants longs pour protéger leurs frêles bras du soleil, des gants remontant jusqu'au coude comme tu en voyais autrefois, enfant, dans les revues de mode de ta mère, portés avec des robes du soir de Jacques Fath, de Balenciaga... cous de jeunes bambous, volées de flèches des yeux noirs... et les libellules aussi, les papillons au vol mou, la vigueur vernissée des feuilles, le jacassement tonal, la puanteur bigarrée – poisson séché, fiente de volaille, gaz d'échappement, fruits pourris ? Sitôt sorti de l'hôtel, tu avais plongé dans cette semi-hébétude que le kaléidoscope de l'Asie communique inévitablement aux esprits simples occidentaux (si inévitablement que tu te demandais si la saoulerie éprouvée n'était pas due, en partie, au fait de reconnaître ce qu'il y avait de stéréotypé dans cette stupeur, et d'en être néanmoins submergé). Tu avais flâné dans les allées d'un marché le long d'un canal, entre des bassines où s'entassait la chair nacrée de grenouilles écorchées vives, les canards et les porcelets vautrés dans la boue, les poissons-chats alignés, noirs et luisants, sur des feuilles de bananier. Au milieu d'un étal de vieux papiers vendus au poids tu avais déniché une édition en français des *Quatre Essais philosophiques* du Grand Timonier. Tu étais resté longuement fasciné par un aquarium dans lequel tournaient très lentement, à contresens l'un de l'autre, deux poissons longs, sortes d'anguilles-harengs cuirassées de larges écailles cuivrées, à mâchoire de bouledogue, fermant vers le haut, formes monstrueusement simples, brutes, fuselages préhistoriques qui semblaient une évolution de la pierre vers la vie. Tu trouvais du charme même aux panneaux géants exaltant aux carrefours le VIIᵉ congrès du Parti communiste : faucilles et marteaux, étoiles d'or sur fond pourpre (comme sur ce pavillon de rustique calicot dont ta mère, quand tu étais enfant, t'avait expliqué que c'était, avec un grand drapeau sanglant du IIIe Reich, des « prises de guerre » du lieutenant), images de prolétaires aux poings formidables, de joyeux soldats brandissant leur AK 47, de robustes paysannes portant le chapeau tonkinois, d'avions de chasse, de cheminées d'usines, très colorées et expressionnistes, au trait appuyé, dans lesquelles vous aviez voulu voir autrefois un art nouveau au service des peuples (tant de naïveté inculte t'étonne, à présent).

Si la maison existait toujours, tu étais presque sûr que tu la trouverais sur le bord du Mékong, ça paraissait normal pour un type dont la fonction était de commander une flottille amphibie. Et en effet, en suivant la rue 30, qui longe le fleuve, très vite tu étais tombé dessus. Au fond de ce qui avait dû être un jardin ombragé par un grand banian elle étageait ses toits de tuiles hérissés comme des écailles de dragon. Le portail sur la rue était ouvert, tu entrais dans le jardin, t'attendant aux pires ennuis (tu t'étais déjà fait arrêter alors que tu prenais des photos de l'hôpital où le médecin capitaine N. avait constaté la mort du fait d'« importantes plaies de la région scapulo-vertébrale gauche par éclats d'obus » ; le soldat peu commode qui t'avait alpagué ne s'était décidé à te relâcher, délesté de ton appareil jetable, que parce qu'il n'avait trouvé personne parlant français ou anglais pour t'interroger). Devant les marches qui menaient à la véranda, il y avait un mât de pavillon manifestement très ancien. Tu te tenais devant l'escalier à l'endroit où se trouvait le cercueil sur le petit cliché à bords dentelés. Personne ne te demandait rien. Une femme traversait la véranda d'un pas traînant, faisant claquer ses tongs, elle te jetait un regard morne. Tu te tenais, debout, à l'endroit exact où ton père, que tu n'avais pas connu, était couché dans la mort quarante-huit ans auparavant : du point de vue de la raison, il fallait admettre que ça n'avait aucune signification particulière, mais il te semblait que d'un autre point de vue, qui n'était pas seulement celui de la plate superstition, cela en avait une. Il te semblait que tu étais en train d'honorer un rendez-vous très longtemps différé, il te semblait, comme à un Grec d'Homère, que ta venue ici, enfin, après un demi-siècle, allait apaiser une âme errante (dans la pagode de la Longévité, avant que tu ne quittes My Tho, on te montrerait une espèce de sapin de Noël à sept fois sept branches qui était, te dit-on, « l'arbre des âmes errantes »). C'était quelque chose comme ça que tu étais venu accomplir, un rite très antique qui, pour incompréhensible, indicible qu'il fût désormais, n'en avait pas moins le caractère d'une nécessité. Tu venais parler, te présenter aux mânes. C'est ce que tu avais essayé d'expliquer, la veille, au marin du sampan (et lui, s'il avait parlé ta langue, n'aurait eu aucun mal à comprendre ça). Enhardi, jouant le tout pour le tout, tu montais l'escalier. Au-delà de l'ombre intérieure, dans l'encadrement des trois baies donnant sur la véranda opposée où flamboyait la lumière du fleuve, on voyait des chaises et des tables de plastique blanc, des types en chemisette buvant de la bière en fumant des clopes. La maison du lieutenant était devenue un bistro (appartenant, apprendrais-tu ensuite, à la marine vietnamienne qui l'avait mis en gérance pour « faire du business » – la passion dominante des derniers régimes communistes). Eh bien c'était plutôt une bonne nouvelle, ça. L'endroit où le

lieutenant avait vécu ses derniers jours, où il t'avait marqué, à peine né, du sceau violet de la mort, c'était un bistro sur le Mékong. A ta santé, lieutenant! Se rencontrer
au bar, rien de tel pour briser la glace entre vivants et
morts. Tu ne connaissais pas ses habitudes à cet égard, ce
n'était pas le genre d'exploits dont ta mère t'entretenait,
mais certaines histoires que le médecin militaire en
retraite t'avait racontées, à Beyrouth, laissaient supposer
qu'il ne suçait pas que de la glace. Sans compter qu'avoir
engendré un pochard comme toi... Aux parois droite et
gauche de la vaste pièce centrale étaient accrochées des
toiles monumentales représentant, l'une des sommets
enneigés, l'autre des chevaux galopant dans un torrent. A
Saint-Flour ou Quimper elles auraient été banalement
hideuses mais ici, ocellées de lumière par les reflets du
Mékong, elles atteignaient à une hauteur de ridicule
presque émouvante. Derrière un bar se trouvait une serveuse au visage lunaire et il y avait encore dans cette pièce,
sur laquelle ouvraient quatre autres plus petites, des fau-
teuils en skaï criblés de brûlures de cigarettes et un poste
de télé. C'était ici, forcément, que s'était déroulée la levée
du corps. Là, devant le bar, des tréteaux, et le cercueil
ouvert posé dessus, sans doute. Sa tête presque séparée
des épaules. «Plaies de la région scapulo-vertébrale
gauche par éclats d'obus. En foi de quoi nous délivrons
le présent certificat...» Était-il défiguré, aussi? Qui était
venu le saluer, mû par quel sentiment? Devoir militaire,
amitié, amour? Haine assouvie aussi, peut-être. Il n'est
pas de vie, si jeune soit-elle, qui ne suscite des haines. Surtout dans un milieu rigide comme l'armée. Un subordonné
avec qui il se serait montré cassant, injuste (certaines histoires que le médecin militaire en retraite t'avait racontées,

dans la cave de Beyrouth où vous vous noircissiez à l'arak, laissaient supposer qu'il n'en était nullement incapable), un supérieur à qui il aurait laissé paraître son mépris, un vichyste par exemple, un officier giraudiste d'Afrique du Nord rapidement et mal ravalé en « Français libre » ? Ou bien simplement un type dont il aurait courtisé la femme ? Venu constater qu'il était calmé pour toujours ? Et la femme aussi alors, peut-être, se penchant vers le visage (refait tant bien que mal, peut-être), mais avec de tout autres sentiments ? L'une des deux robes blanches qu'on distinguait, mal, sur la gauche de la petite photo à bords dentelés, sous les hauts fûts grêles des aréquiers ? Tu sortais sur la véranda que des pilotis portaient au-dessus du fleuve. Amarrées à des estacades en troncs de cocotier, des grappes de bateaux de pêche enluminés, à la proue vermillon, gîtés l'un contre l'autre, avec des tauds et des drapeaux claquant en haut de grandes gaules de bambou, étoiles d'or sur fond pourpre que le lieutenant croyait de son devoir d'arracher aux « rebelles », que vous clouiez vous au bout de manches de pioche pour affronter les flics, autrefois – ce jour par exemple où tu avais connu Chloé après t'être fait démonter la gueule. L'emblème des pauvres du monde résistant aux puissants du monde, pensiez-vous. Tout autour des bateaux de pêche d'où l'on déchargeait des paniers de crabes bleu et or, des bannes de poissons aux ouïes sanglantes, béantes comme des plaies, virevoltait un essaim de barcasses.

Tu avais pris une table dans un coin de la véranda, audessus du brasillement de l'eau, et commandé une bière Tiger. Assez vite un vieux type extrêmement ridé, aux grandes oreilles décollées, presque transparentes, qui lui faisaient une tête de sympathique chauve-souris, vint te demander s'il pouvait s'asseoir à ta table. Il parlait un français passablement vermoulu mais très compréhensible. Il t'apprit qu'il avait été pianiste dans des bars d'hôtels à Vientiane et Luang Prabang, au Laos, puis à Saigon, et qu'il avait combattu les Français dans les rangs du Viêt-minh. Nous n'avions pas le choix, te dit-il comme pour s'excuser, et tu lui donnas absolument raison : ils n'avaient pas le choix. Même pendant la guerre, t'assurait-il, il lui était arrivé de jouer, au bivouac, en pleine jungle, sur des pianos récupérés ici ou là et trimbalés quelques jours à dos de mulet : des airs de Fréhel, de Damia, de Maurice Chevalier, de Trenet. Et même d'un compositeur dont d'abord la prononciation de ton interlocuteur t'empêcha de comprendre le nom, que tu pris pour celui d'un musicien vietnamien, Nal Do Anh ou quelque chose comme ça, mais qui s'avéra finalement être, à ta stupeur, Reynaldo Hahn. Reynaldo Hahn dans la jungle ! En pleine guerre ! Tu aurais bien voulu assister à ça. Pourquoi pas la sonate de Vinteuil ? Enfin tous ces airs c'était autre chose que les chansons françaises de maintenant, selon lui – sauf que ce qu'il appelait ainsi c'était une infâme mélasse, datant te semblait-il des années pré-yéyé de ton adolescence, qui dégoulinait au même moment de la radio-cassette du bar : « Bleu bleu bleu le ciel de Provence / blancs blancs blancs les goélands. » Lui, la vieille chauve-souris, fredonnait « Je chaaante du soir au matin » en pianotant sur la table de ses doigts décharnés. Enthousiaste. Ah, Trenet ! Grand poète. « Je couuuche sur l'herbe des bois, les mouuuches ne me piquent pas… » L'ancien Viêt-minh était écarquillé de joie d'être tombé sur un *Phap*, un Français. Depuis de Gaulle, à dire vrai, il avait un peu décroché de la vie politique française. Mais de Gaulle... Grand chef! d'après lui (au fond, pensais-tu avec amusement, il avait de la France une idée qui n'était guère plus démodée que la tienne). Lorsque tu lui appris la raison de ton voyage à My Tho, il parut sincèrement désolé à l'idée que le lieutenant, ton père, n'avait pas gardé un bon souvenir de l'Indochine. Ce type était vraiment charmant. Vous aviez repris des Tiger et commandé des crabes. La grosse serveuse à face lunaire les balançait tout vifs, bleu et or et tricotant de leurs grandes pattes, sur un lit de braises rougeoyant dans un demi-fût métallique, et tu avais beau ne ressentir aucune sympathie pour les crabes il y avait quelque chose de pénible dans cette vision. Le vieux pianiste, lui, ça le faisait rire de toute sa bouche édentée.

Sur ces entrefaites, le bruit de la présence d'un étranger s'étant sans doute répandu le long de la rue 30 et au-delà, avait débarqué sur la véranda un type portant autour du cou un python qui faisait dans les trois mètres cinquante de long et dont le diamètre excédait largement celui d'une de tes cuisses. Naturellement il vint droit vers vous, l'attraction t'était destinée. Les serpents (à la différence des araignées) ne t'inspiraient pas une peur panique, mais de là à dire que tu avais envie de ceindre cette écharpe froide, puante, susceptible au demeurant de faire de ton cou de la chair à saucisses... Et puis surtout ce qui te déplaisait, c'étaient tous les regards fixés sur toi. Enfin il fallut y passer, te lever avec cette haltère souple sur les épaules (le salaud devait bien faire dans les cinquante kilos), te faire tirer un Polaroïd, accepter les applaudissements. Après, le maître du python avait bien voulu t'en débarrasser, l'animal s'était lové à ses pieds comme un gros chien passé à la tréfileuse, et toi tu lui avais payé une Tiger (au maître). Et il s'était lancé dans une conversation extrêmement animée avec le vieux pianiste, dont celui-ci te traduisait l'essentiel. Il en ressortait qu'il avait (le maître du python) été tankiste dans l'armée nord-vietnamienne pendant la guerre contre les Américains. Il avait vu des choses si horribles qu'après la victoire il s'était enfoncé dans la dépression et l'alcoolisme. De l'offensive finale contre Saigon, au printemps 75, qui aurait dû être l'heure de gloire de sa vie de soldat, il gardait des souvenirs particulièrement atroces. Les soldats du Sud, les « fantoches » dans la terminologie communiste, se débandaient en masse, poursuivis par les blindés. Sur la route du delta, son T-54 avait écrasé une vieille Dauphine où s'étaient entassés une demi-douzaine de fuyards. La chair humaine, disait-il, giclait littéralement hors de la ferraille. C'était... c'était selon lui comme lorsqu'on marche par mégarde sur un tube de dentifrice. Ils avaient dû aller nettoyer les chenilles de leur char dans une rivière. Le vieux pianiste te traduisait tout ça. Du python, sagement lové, il n'y avait que la petite langue noire qui bougeait, mais alors très vite, et tout le temps. L'ex-tankiste reprenait une Tiger, et toi aussi. Il avait sombré dans l'alcoolisme, avait été jeté en prison comme élément antisocial. On l'avait libéré à cause de ses états de service. A présent, il gagnait sa vie avec ce python et le Polaroïd, et il était aussi jardinier. Quand il n'y avait pas de touristes il ne vendait pas de photos, ou alors une de temps en temps à un bourgeois communiste, mais les bourgeois communistes payaient à coups de pied au cul et le python devait manger ses trois canards par semaine, sans ça il avait faim et alors... et alors cela devenait vraiment contre-indiqué de se le passer autour du cou. Des îles d'émeraude, des buffles morts, pattes dressées vers le ciel comme les chevaux qu'Isaac Babel avait vus, une nuit d'hiver, sur la perspective Nevski, descendaient en tournoyant au fil du courant vers la mer de Chine. Des nuages brillants comme du mercure roulaient au-dessus du fleuve. « Vivre très difficile », commentait d'un air triste le vieux pianiste.

J'en étais où ? demandes-tu à la fille de Treize. Avant de te parler de la maison du lieutenant, je veux dire ? Ah oui, c'est ça, je te disais ce qui se passait pendant l'été 70. Tu n'étais même pas née, alors… il faut bien que je te dresse le décor. Une armada de barges et de vedettes américaines et fantoches, remontant le Mékong, avait envahi le Cambodge pour y détruire les « sanctuaires » communistes. Les Palestiniens s'apprêtaient à faire sauter trois avions dans le désert jordanien, les Bédouins du roi Hussein à les déloger d'Amman à coups de canon, à coups de couteau. Le monde était en guerre et nous, écoute c'est tout de même comique, dis-tu à la fille de Treize, nous on avait décidé de gâcher les vacances des riches. On barbouillait leurs villas, leurs yachts, leurs voitures, on déversait du purin sur les tapis de leurs hôtels. C'était, disons, assez infantile. Ce n'était pas à la hauteur du monde. Treize dirigeait une fine équipe qui avait pour mission de cochonner divers lieux de Deauville, casino, hippodrome, port de plaisance, etc. Enfin, je dis « port de plaisance », mais les marinas comme on en voit partout maintenant, c'est comme les autoroutes, les supermarchés, tous ces machins qui font à présent partie du paysage, qui en sont le centre, qui ont l'air d'être là depuis aussi longtemps que les collines ou en tout cas les cathédrales : ça n'existait pas

encore, ça commençait à peine. Un « port de plaisance »,
c'était un port de pêche où il y avait des yachts. Le gros de
la troupe était constitué par les sept frères Dézingue, une
portée de jeunes gens très musculeux, peu enclins aux spéculations intellectuelles, issus de plusieurs lits d'un fer-
railleur qui s'était fait tant d'ennemis qu'il avait fini par
s'en trouver un pour le dézinguer, d'où le nom des bam-
bins. Les sept Dézingue étaient à vrai dire semi-débiles
mais ce n'était pas pour leur intelligence qu'on les recher-
chait (ou, plus fréquemment, qu'on les fuyait). Chacun
pris individuellement était déjà redoutable, mais alors formés en phalange familiale ils représentaient une capacité
de dévastation presque irrésistible. La mort de leur père,
qu'ils attribuaient assez confusément aux menées des nantis (catégorie où se mêlaient journalistes, garagistes, juges
et policiers) faisait de cette brochette de costauds des subversifs sans le savoir : mais Treize le savait pour eux. Il les
avait donc d'abord exercés au bousillage de quelques
Porsche ou Jaguar, puis à maculer de goudron la coque
d'une vingtaine de yachts. Cette affaire déjà avait failli mal
tourner. L'un des frérots, s'étant pris les pieds dans une
aussière, était tombé à l'eau, et il ne savait évidemment
pas nager. Ces expéditions ne déplaisaient pas aux
Dézingue, néanmoins ils auraient apprécié un peu plus de
castagne. Un peu de viol aussi, si ça se pouvait. Non, vraiment ? Et pourquoi ? Quant à eux, ils ne percevaient pas la
raison de s'en abstenir, mais Treize, tu t'en doutes, dis-tu à
sa fille, était resté intransigeant là-dessus. En revanche il
avait cru malin de les lancer contre un concours félin
organisé par le Cat Club de la côte d'Opale à l'hôtel Nor-
mandy (ou bien plutôt au Grand Hôtel de Cabourg ?).
L'irruption de la bande patibulaire dans les salons du

palace fit sensation, et pas seulement chez les loufiats et les douairières : chez les greffiers aussi. L'une des bêtes à concours, le dos en ogive, le poil crépitant d'étincelles, émit un feulement démoniaque et fit mine de se jeter sur Eddy, le plus vieux et le plus massif des Dézingue. Ce prétentieux aux nerfs fragiles, je parle du chat, dis-tu à la fille de Treize, s'appelait Casanova von Amorsbrunn, c'était un Short Hair Silver Shaded et il appartenait à la comtesse du Paty de Clam (ces détails, Treize les apprendrait le lendemain en lisant *Paris-Normandie*). Ce snob-là, je parle toujours de Casanova, chipotait ce qui lui tenait lieu de pâtée, du foie gras peut-être, chez des descendants de l'accusateur de Dreyfus. Donc ce fauve de salon antisémite fait mine de se jeter sur le gigantesque Eddy. La force physique ne prémunit nullement contre la crainte des créatures infimes, il y a une fable de La Fontaine là-dessus, « L'éléphant et la souris », ou bien peut-être « Le lion et le rat », je ne sais plus. Il y a des choses dans Mao, aussi, dans un autre style, un autre registre, mais enfin c'est la même leçon, si encourageante : les petits peuvent triompher des gros. L'impérialisme américain est un tigre en papier, la guerre du peuple est invincible, etc. Eddy Dézingue, avec ses frères, aurait mis en fuite à la loyale un peloton de CRS, mais là, devant la simple parade d'attaque d'un chat mondain, il porte ses mains à son visage et s'enfuit en poussant un hurlement de nourrisson géant. Eddy Dézingue, dans cette circonstance, est un tigre en papier. Les frangins décontenancés, habitués à suivre aveuglément l'aîné, se bousculent à sa suite. Le passage des portes tournantes est une petite Bérézina, les tambours que Proust a poussés tant de fois d'une main d'ivoire, envahis soudainement par une demi-équipe de rugby lancée à fond de train, se bloquent puis explosent, les châssis se brisent, les glaces tombent, le sang coule, trois des frères restent aux mains des loufiats. Il faut remarquer – fais-tu remarquer à la fille de Treize – que lesdits loufiats s'étaient prudemment planqués lors de l'irruption des Dézingue, trente secondes auparavant. Mais la déroute provoquée par le seul Casanova von Amorsbrunn (à moins que ce ne soit Valmont von Thurn und Taxis, ou Bazin de Guermantes, j'ai un peu oublié son nom, aujourd'hui, de toute façon ce n'est pas moi qui l'ai lu dans *Paris-Normandie*, ou dans *Ouest Éclair*, je ne sais plus : mais Treize), cette débandade, donc, a ranimé en un tournemain la férocité naturelle des serviteurs de l'ordre. Et à présent, couchés dans le verre brisé, les trois Dézingue de chute dégustent. D'autant qu'inversement, continues-tu de faire remarquer à la fille de Treize, la soudaineté de la débâcle a complètement détendu le ressort moral des formidables frères : les uns accueillent sans aucun semblant de dignité ni de résistance, hurlant et se roulant convulsivement dans les éclats de verre, les horions que leur délivrent les loufiats ; les autres courent coudes au corps dans les rues de Cabourg (ou de Deauville, je ne sais plus), hagards, ahanants, perdant de-ci, de-là un accessoire, une godasse, une casquette, des clefs, leurs papiers. Ce qui permettra aux flics d'aller les cueillir très commodément, encore prostrés, dans leur campement des bords de la Touques, ou de la Dives, enfin dans leurs caravanes, les caravanes déglinguées de la tribu Dézingue. Pendant ce temps-là Treize qui, voyant le désastre, s'est (tel Angelo à Argenteuil) réfugié dans les chiottes, en ressort mine de rien et quitte l'hôtel sur la pointe des pieds. Enfin j'espère que tu t'en es rendu compte, dis-tu à la fille de Treize, cette histoire à la con du concours félin de Deauville ou de Cabourg comporte assez d'enseignements (différence entre la férocité et le courage, effets dialectiques de la surprise, supériorité de la ruse sur la force, etc.) pour illustrer un traité de stratégie de Sun Zhu – ou de Mao Zedong. Ce qu'il a fait de mieux. *Problèmes stratégiques de la guerre de partisans*, c'était notre livre de chevet. Pas seulement à nous, d'ailleurs. Même les bourgeois lisaient ça. Ça et Lacan. Enfin, les bourgeois de gauche, bien sûr, pas les lecteurs de *L'Aurore*. Comme tu peux l'imaginer, les Dézingue se sont mis à table avec entrain. Eux qui rêvaient obscurément de meurtres, ils étaient effrayés par les conséquences de leurs actes somme toute assez modestes. Et c'était justement la modestie des forfaits auxquels ils s'étaient laissé entraîner qui les leur rendait incompréhensibles, et donc effrayants. Bref, ils ont chargé Treize à mort, lui attribuant non seulement la paternité des déprédations effectivement commises, mais encore celle de diverses exactions dues à des malfrats de leur entourage, vols de bagnoles, menus braquages, etc. Et ils sont allés jusqu'à en inventer d'autrement plus saignantes, incendies, viols, chauffages de pieds au chalumeau, qu'ils avaient sans doute espéré commettre sous sa direction. Treize, devenu un véritable démon, un Stavroguine débarqué de Paris pour mettre la basse Normandie à feu et à sang, n'osa plus mettre un pied hors de la piaule où des « progres » le planquaient – dans l'ancien hôtel des Roches-Noires, je crois bien, où habitait aussi Marguerite Duras, c'était donc peut-être à Trouville et non à Cabourg ou à Deauville. Sa photo avait été publiée à la une des quotidiens régionaux, il régnait une espèce d'hystérie dans la cité balnéaire. Le jour, il aurait été immédiatement reconnu par les bons citoyens. La nuit, les flics multipliaient les barrages. C'est comme ça qu'il a passé toute la fin de l'été à regarder la mer derrière la fenêtre, les marées aller et venir, à mater les belles baigneuses (il y avait des jumelles dans la piaule), à bouffer les spaghettis que ses hôtes avaient la bonté d'aller lui acheter avec des bocaux de sauce bolognaise. Il est resté là jusqu'à ce que les flics se lassent et que les braves gens aient eu le temps d'oublier sa gueule, un bon mois après. Il s'est évadé, je m'en souviens (sans qu'il y ait aucun rapport entre les deux faits), le jour où Salvador Allende a gagné les élections au Chili.

Pendant toutes ces années, en fait, racontes-tu à la fille de Treize, les seules vacances qu'on ait prises, c'est étrange, plutôt grinçant, c'est aussi la seule fois où on a cherché à descendre un type. Normalement, je t'ai dit, on ne mettait même pas de balles dans nos pétoires pour ne pas risquer de tuer ou de blesser quelqu'un par erreur, par panique ou en se prenant les pieds dans le tapis. Mais là ce type était un ancien chef de la milice, il avait organisé des rafles, des exécutions d'otages, et on disait que le président Pompe protégeait ce vieux salaud, ça avait fait un énorme scandale. Dedieu, le libérateur de la cathédrale de Chartres, était dans des paroxysmes d'indignation. C'est pour ça qu'il avait invité Danton à déposer une gerbe au Mont-Valérien. Moi, il m'avait rencardé avec un cardinal, je te jure que c'est vrai. Un cardinal ancien résistant, il y en a. Pas des masses, sans doute, mais en tout cas il y avait lui. Le rendez-vous était très sophistiqué, c'était dans le wagon-restaurant du train Paris-Rome, à l'époque il y avait des wagons-restaurants avec des nappes blanches et de l'argenterie, des soupières emplies de consommés fumants, tous ces falbalas ferroviaires auront eu la vie moins dure que les B-52. Je m'étais sapé aussi correct que je pouvais, je crois que j'étais un peu moins ridicule que quand on planquait devant chez Chalais. Dedieu m'avait expliqué qu'il n'y avait pas besoin de signe de reconnaissance, qu'il était rare, pour ne pas dire rarissime que plusieurs cardinaux se trouvent en même temps dans un wagon-restaurant, mais enfin que, dans un train pour Rome, on ne savait jamais : alors, dans ce cas très improbable, je reconnaîtrais le mien au fait qu'il avait plutôt l'air d'un rugbyman. Et c'était vrai, c'était une éminence extrêmement baraquée, au visage en caillou, native du Sud-Ouest. Il ressemblait assez à René Char, en fait. Tout en mangeant son pigeon aux petits pois (ou son escalope milanaise, peut-être), il me confia rapidement, à voix basse, que le vieux salopard s'était planqué dans un couvent dont il ne pouvait me dire le nom, mais qu'il savait de source absolument sûre qu'il repasserait tôt ou tard par sa maison, lorsque l'émotion publique (on ne disait pas encore « médiatique », je crois) serait retombée. Pour récupérer des documents dans une cachette que lui seul connaissait. Voilà, c'était tout, mais c'était énorme. Un membre de la Curie romaine nous donnait à l'avance l'absolution pour un meurtre qu'il nous invitait, implicitement, à commettre. Après, on a parlé de choses et d'autres, plutôt de choses de la Révolution que de celles de la Religion, d'ailleurs, car mon interlocuteur connaissait mieux celles-là que moi celles-ci. Comme il m'était vite devenu extrêmement sympathique, dis-tu à la fille de Treize, et qu'en outre il ne crachait pas sur le cognac, ni moi non plus, je lui proposai en rigolant de devenir l'aumônier de La Cause. Ce serait avec plaisir, me répondit-il, il y a des âmes à sauver partout, mais peut-être plus encore au Sacré Collège que parmi vos camarades. Que voulez-vous dire, lui demandai-je : que les âmes de vos collègues sont plus dignes de compassion, ou qu'elles en ont plus besoin ? Je crois que vous m'avez compris, me dit-il. Au demeurant, Dieu est venu sur Terre pour les pécheurs, pas pour les justes.

Il s'est enfilé une dernière lampée de cognac et m'a planté là, racontes-tu à la fille de Treize. Ce qu'il venait de dire, j'avais beau être assez peu calé en casuistique, j'en comprenais le sens : en me livrant un bout d'information qui pouvait aboutir à la mort d'un salaud, mais d'un homme néanmoins, il venait de commettre un péché, et même assez carabiné, de son point de vue. Mais, d'un autre côté, Dieu ne s'était pas fait crucifier pour des prunes. Je t'ennuie peut-être avec ces histoires, dis-tu à la fille de Treize, le mot « péché » n'a sans doute aucun sens pour toi, mais méfie-toi de l'arrogance du contemporain, ce mot-là, pour le meilleur et pour le pire, a été débordant de sens pendant presque vingt siècles, il a inspiré des génies, Dante, Milton, Dostoïevski, tant d'autres. Comment peux-tu lire Dostoïevski si ce mot ne signifie rien pour toi, je me demande. Elle me tire un petit triangle de langue rose, panneau indicateur qui signifie « Attention, vieux con ! », je lui fais, ma main droite lâchant le volant unicorne de Remember, un signe obscène, annulaire levé sur le poing fermé, qui signifie en (vieux) morse : « OK, bien reçu, je t'emmerde. » A gauche, pour la dixième fois peut-être, les beffrois de burg hugolien des Grands Moulins de Pantin, passé la rue de la Clôture, tiens, ça me dit quelque chose, puis le canal de l'Ourcq, trait mauve dans la nuit qui me fait penser au cadavre chaud encore de Rosa Luxemburg jeté dans le Landwehrkanal un jour de janvier 1919, le canal est gelé et son corps balancé par-dessus le parapet brise la croûte de glace qui se teinte de rouge et de rose, disparaît dans l'eau noire, les membres des *Freikorps* surveillent l'engloutissement du corps dans l'eau noire, la chevelure déployée un peu, la robe aussi et ça les fait rire grassement, ignoblement, puis coulant, chevelure et robe, glissant sous la glace qui se reforme autour d'une éclaboussure rouge et rose, et les membres des *Freikorps* s'en retournent, allumant une cigarette, vers leur auto blindée, Rosa Luxemburg pensait que le socialisme se perdait en ne retenant rien de la profondeur métaphysique du péché, dis-je absolument sans preuve, à tout hasard, de toute façon ce n'est pas la fille de Treize qui va me contredire, à droite le Zénith comme un Zeppelin amarré à son mât, les balises bleues du parc de la Villette et les serres miroitantes de la Cité des sciences, autrefois il y avait là des abattoirs géants qui n'ont jamais fonctionné, ça a été un scandale fameux de la Vᵉ République, N3 PORTE DE PANTIN c'est par-là qu'on fabriquait nos faux papiers, le cadre de sérigraphie était planqué sous une fausse table à langer, il y avait un vrai enfant pour rendre tout ça plus plausible, évidemment les émanations de trichloréthylène ça ne devait pas être terrible pour sa santé mais que veux-tu on n'était pas écologistes à l'époque, pas pour un sou, les femmes enceintes fumaient des Gauloises et tout ça, et maintenant à tribord encore la grande méduse mélodique, le radôme-observatoire de la musique des sphères... tiens, fait par un ancien de La Cause, aussi, salut au passage, et fraternité !

La maison du milicien, c'était à Chambéry, ou Annecy, enfin une ville dans les montagnes, et près d'un lac. Tu te souviens qu'il y avait là-bas une fontaine formée par quatre demi-éléphants de pierre opposés deux à deux, que les locaux appelaient spirituellement « les quatre sans cul » et qui avait été édifiée, comme d'ailleurs une bonne partie de la ville, par un aristocrate aventurier devenu général d'un grand maharadjah indien, au XVIIIe siècle. Il avait épousé quelqu'un qui allait devenir une célèbre femme de lettres, la duchesse (ou la comtesse ?) de Boigne, et cette pimbêche méprisait son mari qui n'était à ses yeux qu'un reître. L'idée qu'on puisse trouver l'état de femme – ou d'homme – de lettres très supérieur à celui de général d'un maharadjah, te paraissait (et te paraît toujours) extravagante. Il n'y avait qu'en France, à ton avis, qu'une telle inversion des valeurs était possible. En Angleterre, par exemple, c'était inimaginable. La maison du vieil assassin, donc, se trouvait vers une des sorties de cette ville, surplombant une petite vallée. Vous aviez eu de la chance, si le mot convient dans ce cas : de l'autre côté de la route, il y avait un immeuble neuf avec des fenêtres et des balcons dominant sa cagna. Il n'avait pas été difficile de louer un appartement. Vous n'aviez plus qu'à attendre : Treize, Fichaoui, Judith, Mange-serrures et toi. Tu en oublies peut-être un. Vous aviez discuté de la chose avec Gédéon, bien sûr : comme, des années auparavant, lorsque vous étiez allés lui soumettre, à l'École, votre plan d'attaque d'un convoi de CRS. Cette fois vous étiez tombés d'accord. Tuer un homme, même un archi-collabo, ce n'était pas une décision à laquelle vous vous étiez préparés. Mais la protection que lui accordaient le président Pompe et une partie de l'Église vous en faisait une sorte de devoir, à votre avis. Vous aviez donc loué cet appart' et vous attendiez, Treize, Fichaoui, Judith, Mange-serrures et toi. Avec un fusil à lunettes. Les journées étaient longues, la tension grande. Si tout d'un coup vous le voyiez sortir d'une voiture, pousser le petit portillon de bois et faire les quelques mètres entre des noisetiers qui menaient jusqu'au seuil de la maison, est-ce que vous auriez le sang-froid (la dureté) de pousser le cran de sûreté, d'épauler, de viser, de tirer ? Est-ce que vous seriez « à la hauteur » ? Ou bien au contraire assez bas pour faire ça ? Parce qu'après tout, tuer un vieil homme... même si c'était un chien... et c'en était un, aucun doute là-dessus : un chef de la milice, un type qui fait rafler des enfants juifs, exécuter des résistants, c'était vraiment et définitivement un chien. Ça, je le pense encore aujourd'hui, dis-tu à la fille de Treize. Mais est-ce que c'était à nous de... ? Les heures passaient lentement, très lentement, derrière la fenêtre aux rideaux tirés, à observer par l'interstice, debout, immobile, fumant clope sur clope, le fusil à portée de main, armé. C'était, tu t'en souviens encore, des rideaux orange. L'orange était la couleur à la mode dans ces années-là. Fumant clope sur clope derrière les voiles orange, vous demandant si... mais non, surtout ne rien vous demander, guettant, vous concentrant dans le guet tout en sachant qu'il y a, à portée de main comme le fusil, une question lancinante, aussi lancinante, aussi présente, déniée, que la conscience de la veille chez celui qui cherche désespérément à s'effacer dans le sommeil. On passait pour des brutes mais on avait un fond de bons garçons, dis-tu à la fille de Treize, des restes de tendres jeunes gens... Finalement on n'a pas eu l'occasion de savoir comment on aurait réagi si on avait eu ce salaud dans la ligne de mire. Le tuyau du cardinal était crevé, ou bien nous pas assez patients. On l'a attendu deux mois en vain, après on a levé le siège. Assez soulagés, tous.

Derrière les rideaux on ne pouvait pas tenir bien long-temps, on se relayait donc toutes les deux heures. C'était l'été, ceux qui n'étaient pas de quart partaient au lac. Je ne sais plus quel lac, celui de Lamartine peut-être. Un lac bleu entre les montagnes, avec des croissants de sable blanc sous des pelouses. Il faisait chaud, il y avait des para-sols sur les pelouses, des pédalos sur l'eau bleue immobile où se reflétaient les montagnes et de petits nuages pom-melés, des guinguettes sur les rives, des joueurs de volley, tout un paysage de vacances qui nous était devenu com-plètement étranger, qu'on avait presque oublié. D'un seul coup cette image nous ramenait vers le passé, vers ce que nous avions voulu quitter, nos enfances bourgeoises, insouciantes, occupées sans le savoir à la fabrication d'un bonheur égoïste. Les grandes vacances sur la côte d'Éme-raude. Et à quelques kilomètres de là, derrière les rideaux tirés, nous attendait le théâtre de l'avenir que nous avions élu : la conspiration, la violence politique, les comptes de la mort donnée et reçue. Tuer un vieil assassin, être tués par la police. Ce futur, nous avions beau l'avoir choisi, il nous était en vérité aussi étranger que le passé à quoi nous avions renoncé. Le passé nous dégoûtait, l'avenir nous effrayait. Nous n'étions nulle part, dans aucun temps. Je te dis ça à présent, à la fin du premier printemps du XXIe siècle, dis-tu à la fille de Treize, à l'époque je n'aurais pas dit, pas pensé les choses en ces termes, à l'époque notre pensée et nos mots étaient embarrassés mais nous sentions tout de même, et surtout ces jours-là, au bord du lac, entre les images d'une vie ancienne et celles d'une mort à venir, entre une espèce de bonheur rejeté, renié, et une terreur à laquelle il était difficile de s'habituer, qu'il y avait du défaut en nous, une part de vide et peut-être même un goût du vide. Alors on s'est saoulés de l'instant, on s'est grisés sans scrupule des modestes plaisirs qui passaient à notre portée, notre angoisse était telle qu'elle a fait de nous, quelques heures par jour, chose extraordinaire, des jeunes gens normaux (ressemblant sans doute, à ces moments-là, à ce fils de Démétrios qui « n'était pas comme nous ») : contents de se pousser dans l'eau du haut de l'estacade, de boire du vin blanc frais sous les parasols des guinguettes, de dire des conneries et de s'esclaffer bruyamment, de s'embrasser couchés sur les pelouses. Je n'avais peut-être jamais embrassé Judith en public, tu t'imagines... Une fois, je me souviens, on avait loué un pédalo, avec Judith et Treize – Fichaoui et Mange-serrures étaient de quart à l'appartement. On était au milieu du lac, dans un état d'insouciance, de légèreté heureuse qui nous reposait un moment de notre souci. Je ne sais pas ce qui m'a pris, j'ai commencé à faire mon garde rouge, à suggérer que peut-être on ne devrait pas s'amuser comme ça, que notre style de vie était en train de se relâcher, et autres bredouillements rigoristes. Treize m'a interrompu : tu nous emmerdes, Martin, il n'est écrit nulle part dans le petit livre rouge qu'on ne doit pas faire de pédalo. Et là-dessus, en riant, avec Judith ils m'ont balancé à l'eau, riant moi aussi. En revenant vers la rive – il fallait songer à aller relever Fichaoui et Mange-serrures – on a improvisé une petite chanson qui aurait pu nous valoir des ennuis, Gédéon exigeait des autocritiques pour beaucoup moins que ça : « Le Président Mao/ A fait du pédalo/ Comme tout l'bon populo », c'est Treize qui est l'auteur de ces vers de mirliton, dis-tu à sa fille, moi j'ai enchaîné comme ça : « Si tu veux que ça bouge/ Lis le p'tit livre rouge/ Oui mais au fond des bouges », et Judith, qui était assise entre nous, disposition classique, a trouvé la plus jolie strophe : « On est prêts à mourir/ Mais si on peut choisir/ On préférerait sourire. »

6

On était allés aux Puces chercher une très grande malle
pour y mettre le général en retraite Chalais, PDG d'Atofram, on n'avait rien trouvé qui nous convienne vraiment
mais on avait fini par jeter notre dévolu sur un coffre assez
vaste tout de même, un coffre en bois du genre de celui de
Billy Bones dans *L'Ile au trésor*. Après que Judith lui a fait
sa piqûre, donc, il s'est calmé et on a réussi à le faire
entrer là-dedans. La tête contre une paroi, avec un petit
coussin pour le confort, les pieds contre une autre, genoux
pliés. La camionnette roulait depuis deux ou trois
minutes, elle devait déjà avoir été signalée à la police, il
était temps de changer de monture, un relais de poste
était prévu au fond d'un garage souterrain, non loin de là.
Monte-charge nous y attendait au volant d'une fourgonnette d'une couleur et d'un modèle différents. Je ne sais
pas pourquoi je ne t'ai pas parlé de Monte-charge jusqu'à
présent, dis-tu à la fille de Treize. En fait si, je le sais bien :
il avait vécu avec Judith, avant. Et il nous avait surpris en
flagrant délit, enfin pas tout à fait mais presque. Des pré-
paratifs nullement ambigus. Je m'étais vraiment en cette
occasion comporté comme dans une pièce de boulevard, si
j'avais eu le temps de me jeter dans un placard je l'aurais

fait, j'avais bredouillé n'importe quoi, rouge et essoufflé et débraillé, que la fatigue, qu'on s'était endormis, qu'on rêvait que... Monte-charge m'avait dit de ne pas me fatiguer, qu'il n'était pas idiot. Il tenait son surnom du fait qu'établi un moment chez Citroën, il avait au cours d'une grève sauvage, avec un groupe d'OS marocains, réussi à bloquer pendant une journée entière un monte-charge qui alimentait la chaîne des 2CV. Et chez Citroën, c'était drôlement calé de faire ça. Après, évidemment, ils avaient tous été virés. A présent, Monte-charge s'occupait chez nous de la fabrication des faux fafs, spécialité que Roger le Belge lui avait enseignée et dans laquelle il n'avait pas tardé à faire preuve de beaucoup d'ingéniosité. Après ce coup, il aurait pu décider de passer la main, ce n'est pas moi qui serais allé lui faire des ennuis, mais non, il avait continué. En me détestant peut-être, je n'en sais rien, c'est probable mais pas certain, avec sûrement pas mal d'ironie à mon endroit, en tout cas. Ainsi on avait des rapports curieux, plus complexes que ceux qui existaient entre la plupart d'entre nous. Il se peut que l'expérience commune du ridicule – même si nous n'y jouions pas les mêmes rôles – ait créé entre Monte-charge et moi une espèce de complicité paradoxale et secrète, en marge des images héroïques dont nous faisions notre ordinaire. Et d'autre part j'admirais l'équanimité dont il avait fait preuve. D'ailleurs il n'avait pas eu du sang-froid qu'en cette occasion, c'était un de ceux, avec Fichaoui, en qui j'avais complètement confiance. Il nous attendait donc au volant d'une fourgonnette 4L au fond d'un garage souterrain du XVIe arrondissement. Il était sûrement à Annecy, ou Chambéry, aussi. Et il se peut fort bien qu'il figure sur la photo prise devant la gare de Guingamp, ou de Saint-Brieuc, l'été 1969. Et même, c'est certain. D'ailleurs en 1969 cette histoire entre Judith et moi, et lui, ne s'était pas encore produite, ce serait, je ne sais pas, un an plus tard peut-être ? Donc, puisqu'on était douze sur la photo – de cela, au moins, je suis certain – il y en a un en trop, parmi ceux que je t'ai dits. Je pense que c'est Danton. A cette époque-là, il était peut-être déjà en taule ? Attention, dis-tu à la fille de Treize : il ne faut pas croire tout ce que je raconte. Et ce n'est pas que je cherche à dissimuler, à déformer quoi que ce soit : c'est que ma mémoire n'est plus que dissimulation et déformation.

C'est au moment où on descendait la rampe du garage que l'irréparable s'est produit. Chalais est sorti de la très passagère léthargie où il était tombé. D'un seul coup il a retrouvé toute son énergie, il pétait les flammes. Arc-bouté, d'une détente des jambes il a défoncé le coffre. Le bois dans un craquement terrible a éclaté. Merde, on aurait quand même dû en acheter un en fer, a dit Treize d'un ton sinistre. C'était pas pour faire des économies, c'est parce qu'on n'en a pas trouvé, ducon, lui ai-je répliqué verte-ment. Fichaoui s'est garé à côté de la fourgonnette 4L, et il est venu nous rejoindre derrière. Debout autour de la malle ouverte, démantibulée, on se demandait quoi faire quand Chalais a commencé à essayer de s'en extraire. En grotesque, ça devait évoquer une scène de Résurrection, tu vois ? Quand même, là, il exagérait. Il aurait pu patien-ter un peu. Ta gueule, toi, laisse-nous réfléchir tranquilles, lui a dit Fichaoui en lui rabattant le couvercle sur la tête. Ce « réfléchir tranquilles » était admirable, du meilleur Fichaoui. Mais on avait beau chercher, il n'y avait pas de solution. On ne pouvait plus boucler la malle, et il suffisait que Chalais pousse encore un peu pour que son pied passe carrément à travers le bois. Il n'y avait plus qu'à le laisser là et à se tirer en vitesse. Et c'est ce qu'on a fait. Alors qu'on était déjà en train de remonter la rampe, entassés dans la fourgonnette 4L, Fichaoui s'est exclamé qu'il avait oublié de verrouiller les portes, et on est redescendus pour le faire. Heureusement Chalais n'était pas encore sorti. Voyant qu'on se sauvait il s'était accordé quelques instants de repos. Ensuite Monte-charge nous a largués au métro porte Dauphine, ou bien c'était Trocadéro, Treize, Judith et moi. Dans le wagon, Treize s'est assis en face de nous et c'est là qu'on a vu sa tronche... Sa fausse moustache était de travers, à demi décollée. Eh, bon roi Dagobert, lui ai-je soufflé, ta moustache est de travers. Il l'a enlevée d'un air digne, comme un vieux sparadrap, et la colle a laissé sur sa lèvre supérieure une espèce de bave d'escargot noirâtre. Ce n'était pas loin d'être la chose la plus drôle que j'avais vue de ma vie. On rencontrait encore des bourgeois dans le métro, à l'époque, il y en avait un, de l'autre côté du couloir, un mec en loden vert avec un petit chapeau pied-de-poule qui lisait *Le Monde*, mais pas les pages «Entreprises» ou «Tendance financière» ou «Argent», non, ces pages n'existaient pas encore, aussi incroyable que ça puisse paraître : il lisait les pages «Agitation et subversion», qui étaient comme le *Journal officiel* des fouteurs de merde de toute obédience. Mais quand même il faut reconnaître qu'à La Cause on alimentait le plus gros des rubriques, les autres faisaient les bouche-trous. Le sourcil de ce type s'arquait au-dessus des pages, l'œil braqué en douce vers nous, interloqué, vaguement effrayé. Nos regards se croisèrent, l'œil, comme un mollusque, se retira précipitamment sous sa coquille de papier.

PÉRIPH FLUIDE PORTE DORÉE 600 M VOLVO LA RÉVOLVO-
LUTION elle est bien bonne PORTE DORÉE 150 M METZ
NANCY MR BRICOLAGE bricoleur toi-même, combien de
révolvolutions vous avez faites, la fille de Treize et toi, dix,
douze, depuis le temps que vous tournez autour de la
grosse boule sombre couturée d'électricité ? Bleu blanc
rouge DISNEYLAND DIRECTION METZ NANCY 32 KM rouge
blanc vert bleu traînées stroboscopiques faudrait peut-être
penser à... Putain ! L'essence à zéro ! Remember va se
désorbiter sous peu, faudrait peut-être que je pense à te
ramener avant qu'on tombe en panne, dis-tu à la fille de
Treize. Le réservoir d'oxygène d'Apollo XIII avait explosé,
le vaisseau roulant dans la nuit et le froid avait failli être
perdu, le 15 avril au matin il était rentré dans la zone gra-
vitationnelle de la Terre, il avait splashé dans le Pacifique
juste avant que l'armada américano-fantoche ne remonte le
Mékong vers les « sanctuaires » viêt-côngs et les temples
d'Angkor Vat et la voie royale où le jeune Malraux était
allé découper à la scie quelques divinités de grès rose.
Finalement les trois cosmonautes américains étaient revenus de la Lune en serrant les fesses et retenant leur respi-
ration, plus heureux que nombre de leurs compatriotes
qui n'étaient pas revenus des jungles du Cambodge. Il
serait temps que je te ramène, dis-tu à la fille de Treize,
sinon on va tomber en panne et se désintégrer dans
l'atmosphère. A4 A5 400 M NANCY METZ MARNE-LA-VALLÉE
CRÉTEIL BERCY 2 CARREFOUR DARTY ÉTAP HOTEL les
fumées du grand incinérateur sont dans le cap, on allume
les rétrofusées, on efface les gerbes de fer brillant de la
gare de Lyon, les longues carlingues de fer orange et gris-
bleu que trempe la rosée, à droite la forteresse noctiluque

du Minfinances, le ciel pâlit au-dessus de la Seine, à droite clignotent les tours de lancement de la BNF, PARIS CENTRE PORTE DE BERCY N19 300 M QUAI D'IVRY on sort après le pont haubané au-dessus des voies d'Austerlitz. Après c'est Maurice-Thorez, puis une place sur laquelle trône une gigantesque pièce de plomberie, un tuyau coudé, un siphon chromé ou quelque chose comme ça, c'est de l'art municipal, une statue équestre de Maurice Thorez aurait fait mieux mais moins moderne évidemment. A l'époque où le Parti était stalinien sans scrupule ça ne les aurait pas gênés de statufier Maurice Thorez en empereur romain, c'est le statufier en siphon ou en robinet qui aurait pu coûter cher. Tu vois qui c'est, Maurice Thorez? demandes-tu à la fille de Treize. Non eh bien ce n'est pas grave, tu ne perds pas grand-chose, même si quelques-uns de nos grands poètes ont écrit des odes à la gloire de ce Staline de caf' conc'. Dans d'autres pays les chefs communistes se sont battus contre les nazis, mais lui, notre Maurice, il a passé toute la guerre à Moscou. Maurice Thorez-Maurice Chevalier, ça c'est la France! Ça c'est Paris! Après l'avenue Maurice-Thorez c'est la rue Baudin, un député qui s'est fait tuer sur une barricade, ça n'est pas si fréquent. Et là, c'était couru, Remember est prise d'une quinte de toux et tu as juste le temps d'accoster le premier trottoir venu et le moteur bafouille et cale. Merde! Panne sèche. Fallait pas être si bavard, aussi, tu as dû parler pendant cinq cents kilomètres… Bon, ne nous affolons pas, dis-tu à la fille de Treize, je vais te raccompagner à pied, c'est encore loin chez toi? Non. Ensuite je me démerderai, de toute façon il va bientôt faire jour. Vous vous extrayez de la DS Remember qui s'est couchée dans un soupir, tassée sur son arrière-train, gueule de squale aux aguets, mi-sphinge mi-requin. Par un boyau pentu entre des jardinets, vous arrivez dans sa rue. Ah, toute la beauté hétéroclite, toute la poésie déglinguée de la vieille banlieue, celle de Céline et de Cendrars, et de Tardi, dans cette rue... A l'angle, derrière une balustrade agrémentée de statues naïves, un comique petit chalet dont la façade néo-rocaille s'orne d'un entrelacs de faux branchages en ciment, tout ça décati, déjeté, descellé, puis c'est une espèce de cheminée de brique de trois étages, un chicot incongru et grêle, tour loqueteuse dominant de très peu des arbres dont la cime empanache de hauts murs noirs, percés de soupiraux grillés, qui semblent ceux d'une forteresse. De l'autre côté, quelques petites maisons aux persiennes vermoulues, faîtées de tuiles sombres et moussues, transportent dans le Paris des *Misérables*, quand Ivry était un village de campagne et que les vaches y meuglaient, puis une pente escarpée, où s'accroche un bosquet de hêtres, dévale jusqu'à des taudis pavoisés de linge. Au-delà, plus bas encore, vers la Seine dont le cours se devine à peine dans un fouillis de lumières orange au milieu de quoi glisse la chenille de feux du périfluide, le grand incinérateur scintille comme un paquebot, ses deux cheminées plantent des tresses de fumée drue dans le ciel dont le mauve verdit à l'est, au-dessus de Charenton, Montreuil, Le Perreux, Le Raincy, au-dessus de Nogent, Villemomble et Romainville, des lointains populeux de cités, parkings, supermarchés, pavillons, jardins ouvriers, veinés, innervés d'autoroutes, de rails, de canaux, tout le long de la Marne qui vient du soleil levant. C'est là qu'elle habite, sur les hauteurs d'Ivry, dans cette rue qui est comme un balcon sur les âges de la ville, où le temps se replie et se noue, se rebrousse en figures aléatoires comme celles d'une boule de papier froissé. Rue qui sillonne une topographie de bataille, aussi, fais-tu observer à la fille de Treize : à flanc de coteau, dominant la vallée, le confluent, les portes orientales de Paris. Il y a sûrement eu des combats ici en 1814, pendant la campagne de France, puis en 1870, puis pendant la Commune. Il devait y avoir des moulins sur la crête, des prés piqués de petits bois en contrebas, la Seine qu'on distinguait bien mieux qu'aujourd'hui, bordée de saules entre lesquels fumait le vapeur de Montereau, de gros villages au milieu desquels passait la route des invasions, et puis à gauche le grouillement indistinct de la ville : fumées le jour, feux la nuit, derrière la ceinture des forts. Et une grande rumeur aussi. Ah, ça sent la poudre à canon, par ici, dis-tu à la fille de Treize, non sans un certain enthousiasme qu'elle remarque et désapprouve évidemment : ici c'est chez elle, et elle n'a jamais senti ça. D'ailleurs ça sent quoi, la poudre à canon ? Oh, eh bien je ne sais pas. Les feux d'artifice, je suppose. Les farces et attrapes de l'Histoire.

Vous en grillez une à côté de son immeuble qui, suspendu au-dessus de l'ombre fourmillante, évoque une sorte de casino de bord de mer. La banlieue s'éveille, le ciel pâlit, les lumières clignotent, ce sera bientôt l'heure où les prolétaires, enfin ceux qui restent, courent vers le chagrin. Le mauve du ciel vire au vert puis au jaune, du rose s'infiltre là-dedans, les fumées du grand incinérateur prennent des teintes carnées, nacrées, des nuances de viscères, de chair de grenouilles écorchées vives, le jour tout doucement diffuse dans la nuit. Les soirs de vacances sur la côte d'Émeraude, ta mère vous menait, toi et ton frère, jusqu'à une pointe voisine de la maison. Assis sur un banc, silencieux, vous regardiez le soleil se coucher. Ce n'était pas lui qui tombait, vous expliquait-elle, mais la Terre qui tournait, qui basculait, de l'autre côté du monde, dans ce pays qu'on nommait alors l'Indochine, il se levait au même moment, c'était inquiétant et difficile à croire. Vous espériez voir le rayon vert, mais vous ne l'avez jamais vu. Vous rentriez déçus et perplexes. Tu tires sur ta clope. Tu voudrais dire quelque chose mais tu ne sais pas bien quoi. A Barcelone, les anarchistes fusillaient les bourgeois au bord de la mer, au soleil levant. Regardez, disaient-ils, regardez bien, pour la première et la dernière fois, fai-néants qui n'avez jamais vu le soleil se lever. Et ils les tuaient. Dans le Nord, pendant la guerre, les communistes emprisonnés avaient composé un chant pour accompagner leurs camarades à la guillotine : « Allons riez, bourgeois, voici poindre l'aurore. Venez tous voir comment meurt un vrai militant. » André nous avait raconté ça. Tu sais… hésites-tu. Tu sais, je suis énervant, souvent. Je m'en rends compte. J'ai l'air de mépriser les gens de ta génération. De n'avoir que sarcasmes pour eux, pour vous. Mais ce n'est pas vrai, c'est une attitude. Ce que je méprise, c'est la démagogie de ma génération à moi vis-à-vis de la vôtre. On n'a pas à chercher à se faire aimer, on n'a pas à vous imiter, ni à vous admirer. Mais on ne veut pas vieillir, on ne veut pas voir le soleil se coucher sur nous, nos ombres s'allonger, alors on vous fait la cour, à vous, nos enfants. C'est obscène. Je préfère chercher des crosses, provoquer, je préfère courir le risque d'être détesté. Je préfère vous servir ma soupe trop salée. Mais l'idée d'une jeunesse du monde, ça a évidemment à voir avec la Révolution. L'an II… (je dis l'an II, parce que l'an I ça sonne mal, et puis d'ailleurs l'an II est plus héroïque que le I). Et même l'idée que ceux qui sont supposés ne rien savoir apprennent à ceux qui savent, c'est un grand rêve. On a cru que la Chine c'était ça. Évidemment notre naïveté prête à rire, maintenant. Il y a une belle phrase de Mao – il y en a, tout de même : «Je me fais volontiers le buffle de l'enfant.» Une Révolution c'était la revanche des morveux : le peuple, cet éternel enfant, irresponsable, irréfléchi, mal élevé, rejetait l'autorité des maîtres, des «grandes personnes». C'est pour ça que Gavroche restera plus vivant que Lénine.

Tu balances ta clope dans le caniveau, en rallumes une autre, tu ne sais plus très bien où tu veux en venir, tout ça est assez emmêlé. Pourquoi tu n'as pas eu d'enfant ? te demande-t-elle soudain. Ah... Bien visé. La balle transperce le cœur. Sa jolie petite gueule d'assassin sur les bouillons de l'aube. Eh bien... Il y a très longtemps, à l'époque de La Cause, il y avait l'idée que l'avenir était trop dangereux, trop incertain. Mais après... franchement je ne sais pas. Tu vois comme je suis un autre que moi. Peut-être parce que j'ai été marqué à l'encre violette de la mort, quelques mois après ma naissance ? Ou bien dans le dessein insensé d'échapper au temps, à tout ce qui était de l'ordre de la succession : génération, corruption ? Échapper à cette contingence, ce pouvoir du monde sur nous. Ne pas rendre les armes au réalisme. Notre histoire, quand on était un «nous», s'était déroulée assez largement hors des contraintes du réel : atterrir là-dedans, les deux pieds dans le plat du réel, parachutés depuis la région des chimères, certains en ont été capables, la plupart, mais moi non. J'ai raté le plat, et Dieu sait pourtant qu'il était vaste. La dose d'irréalisme avait été trop forte, ou bien alors je n'avais pas assez d'anticorps, je ne sais pas. En tout cas, depuis ces temps déraisonnables où Treize et moi, et les autres vaille que vaille, on faisait équipe, c'est curieux mais je n'ai jamais pris aucun lieu au sérieux, ou plutôt je n'ai plus jamais cru être sérieusement quelque part. Ce qui s'appelle « être ». Ça m'a toujours paru de la blague, au fond. Plus ou moins drôle, mais de la blague. La Cause, cette nef des fous, aura été mon seul vrai ancrage. Il y aura la tombe un jour. Entre les deux rien de stable. Je crois que pourtant j'aurais aimé, par simple lâcheté, désir de me poser, me reposer, mais non, rien ne résistait, toujours je passais au travers. Il aurait pu y avoir Paulina L, mais elle est partie. Parce qu'elle devait sentir ça, que je n'avais pas d'attache. De toute façon, si elle est partie, c'est sans doute que je l'avais cherché : le malheur, quand il entre chez nous, c'est rare qu'on ne lui ait pas nous-mêmes donné la clef. Alors voilà, je suis resté un irresponsable, un vieil enfant. C'est assez ridicule. Je n'ai pas grandi. Mais comment veux-tu avec ça que je méprise les enfants ? dis-tu en lui mettant une pichenette sur le nez. Je ne suis pas une enfant, fait-elle d'un ton de défi. Je sais, dis-tu. Des pensées incongrues, plus ou moins tenues en laisse jusqu'à présent, se mettent à bondir, à aboyer furieusement. Je sais bien que tu n'es pas une enfant, dis-tu, l'air mauvais. Tu peux même imaginer les idées que ça me donne. Oui peut-être, dit-elle en riant, allumant une cigarette. Elle s'est assise sur le muret qui borde le trottoir au-dessus de la pente, une jambe passée sur l'autre, comme au début de la nuit, il y a une éternité, chez Pompabière. Sa silhouette menue, sa petite gueule sur le fourmillement des lumières, l'encre rincée du ciel, les fumées rosissantes du grand incinérateur. Les lèvres arrondies elle souffle loin devant elle, dans ma direction, la fumée de sa cigarette. Je rêve ou quoi. Bon allez, du calme. Quelque chose, tu ne sais pas quoi exactement, te suggère que ce ne serait pas bien. Mais sans trop de conviction. Peut-être est-ce simplement, cette hésitation, parce que tu trimbales ton corps comme un vieux costume taché, élimé, déformé, désormais? *Caution! This program is more than 50 years old!*, comme dirait ton ordinateur. En fin de compte, dis-tu à la fille de Treize, j'ai été mon propre fils, ce qui est ridicule. Et si au moins je m'entendais bien avec lui... Mais non, j'aimerais qu'il aille au diable. Oh oui, qu'il disparaisse, ce con! Je le déshérite! Naturellement ça ne me déplairait pas de voir dans cette non-descendance l'effet d'une malédiction, je suis assez cuistre pour ça, je me souviens de mes auteurs grecs... Les dieux ont puni en moi ma lignée pour une faute commise: peut-être par moi, mais plus probablement par un de mes ancêtres. Le lieutenant est mort juste après avoir enfanté, et moi je mourrai juste avant – à moins que je n'enfante juste après ma mort, va savoir. Sérieusement, ça me désole de n'avoir embarqué personne dans votre bateau – celui de ta génération, de ton siècle. J'ai l'impression... je ne sais pas comment dire ça... d'avoir trahi, de vous avoir lâchés. J'aimerais savoir où vous aborderez. Ce qui m'intéresse en vous c'est la profondeur de futur que vous abritez, tout l'indécidable dont vous êtes gros. Vous êtes encore un peu simplets, c'est inévitable, c'est normal, et en même temps chacun de vous est une facette du seul mystère qui nous reste, celui de l'avenir. Et je ne peux pas dire que j'admire cela – pas plus qu'il n'y a de raison d'admirer la beauté. Mais la beauté comme l'avenir sont passionnants, dis-tu en posant ta main sur son genou brillant, mais tu l'enlèves aussitôt, qu'est-ce qui te prend? Vous êtes pleins de choses que vous n'avez pas faites, dis-tu, qui n'existent pas encore – mais c'est un vide fécond, la place laissée libre en vous pour le monde. Nous, tout est dit – et mal dit, le plus souvent. Vous avez partie liée avec l'énigme. Vous serez peut-être aventureux, poétiques – qui sait? Nous on est écrits en prose. Et puis vous êtes infiniment plus curieux et tolérants que nous n'étions. Nous on était tout noués de certitudes, et il y en avait beaucoup d'idiotes. Tu n'as pas l'air d'aimer ton époque, te dit-elle. Ah non. Je l'exècre. Et pourtant c'est nous, notre génération, qui l'avons façonnée. Sa veulerie, sa religion du confort, son conformisme hypocritement déguisé en « libérations » diverses, c'est nous, sans le savoir, sans le vouloir – pauvres cons! – qui les avons installés. Mais alors, tu n'es pas moderne? Et pourquoi, d'abord, faut-il absolument être moderne? Ça n'est écrit dans aucune Constitution. Enfin admettons : est-ce que Flaubert, qui abominait son époque, était moins moderne que, je ne sais pas, Paul Bourget, qui devait s'y trouver assez bien? Être moderne, c'est entreprendre de saboter les lieux communs de son temps. Vaste programme : le nôtre a tendance à n'être qu'une prolifération de lieux communs. L'esprit du temps, si on peut encore appeler ça ainsi, c'est un montage sans queue ni tête de lieux communs. Un peu comme cet anneau de publicités à l'intérieur de quoi on a tourné toute la nuit, à l'intérieur de quoi la ville est bouclée. Oh et puis... la barbe. Où est-ce que j'en étais?

Ah oui. On était dans le métro. Après, dans la nuit, on a pris le train postal à la gare du Nord pour aller se planquer en Belgique. Pourquoi ce tortillard qui s'arrêtait partout? je ne m'en souviens plus à présent, dis-tu à la fille de

Treize. Peut-être pour arriver au petit matin à la frontière sans être obligés de faire escale à Lille ? Et pourquoi Judith ne m'a-t-elle pas accompagné ? Sais plus. Le train devait démarrer vers onze heures ou minuit, il me semble. Il y avait dans les wagons des bidasses abrutis de bière, de fatigue, de tristesse. Têtes rases de bagnards, s'entrechoquant dans les cahots. Des wagons qui dataient du temps des locos à vapeur, on pouvait baisser les glaces et c'était marqué dessus « Attention aux escarbilles ». « Escarbilles », je suis sûr que tu ne sais pas ce que c'est, dis-tu à la fille de Treize : c'étaient de petits copeaux de charbon brûlant qui volaient dans le sillage de la locomotive. Si on se penchait au-dehors – en dépit de l'inscription fameuse *E pericoloso sporgersi* qui a été, pour beaucoup d'enfants de ma génération, leur premier contact avec le mystère d'une langue étrangère –, si on passait la tête à la fenêtre, donc, il fallait faire gaffe à ne pas s'en prendre une dans l'œil. Le convoi s'arrêtait en ferraillant à toutes les gares, restait interminablement à quai, le temps de charger les sacs de courrier, ou de les décharger, ou les deux, je ne sais pas. Puis il démarrait sans prévenir, dans une grande salade de tampons, un charivari de grincements. Il y avait toute une poésie des gares nocturnes qu'on a presque perdue, aujourd'hui : lanternes balancées à bout de bras, hommes emmitouflés marchant le long des voies, appels lointains de haut-parleurs, ahanements des locos de manœuvre, chasses d'air comprimé, tintements clairs des marteaux contre l'acier des roues, comme dans *Anna Karénine*... Enfin on repartait, puis on s'arrêtait un peu plus loin, on traversait le pays des betteraves, on arrivait dans celui du charbon. Busigny Cambrai Douai Pont-de-la-Deûle Ostricourt Libercourt Phalampin Seclin Wattignies

Ronchin (ou bien peut-être Arras Bailleul Vimy Avion Lens Sallaumines). Debout dans le couloir, fenêtre baissée, on fumait, Treize et moi, silencieux, regardant le lent défilé des gares, des usines, des corons, terrils, chevalements, canaux, les vitrages pâles d'une filature, une route dont le pavé humide divisait la lumière à la façon d'écailles de poisson, et de nouveau des cheminées de brique empanachées comme celles du grand incinérateur, là, devant nous, dis-tu à la fille de Treize, des corons, terrils, chevalements, un canal sous un pont de fer que le train traversait en grondant. Dans la nuit, par là, de part et d'autre de la voie, non loin, Lucien rêvait de faire dérailler un TEE, Winter peut-être pleurait silencieusement, André était déchiré par une quinte de toux, il buvait un verre de lait pour essayer de calmer la brûlure de la silice, Gustave dormait en ronflant, sonné par la bière, Victoire et Laurent tiraient à la « ronéo vietnamienne », un par un, des tracts annonçant aux « masses » le grand succès qu'avait été l'« arrestation » du général Chalais, PDG d'Atofram, laquais des impérialistes américains et exploiteur du peuple. A la cadence que permettait le rustique appareil (un carré de tulle tendu sur un cadre, une raclette), ils imprimeraient la dernière feuille juste avant de partir pour la « diff », titubants de sommeil, les mains noires d'encre. Ils termineraient la journée à la gendarmerie, sûrement.

Treize avait un de ces briquets-boîtes à musique chinois qui jouaient *L'Orient rouge* quand on en ouvrait le capot, la la lala, la lala lala, l'Orient est rouge, le soleil se lève, la la lala la la lala lalalala, sur la terre de Chine surgit Mao Zedong... A chaque clope qu'il allumait devant le paysage nocturne retentissaient les premières mesures du ridicule cantique. Tu crois que c'est bien nécessaire ? lui ai-je demandé d'un air sombre. A l'heure qu'il était les flashes des radios revenaient tous sur l'enlèvement manqué d'un grand patron lié à ce qu'on appelait alors « le complexe militaro-industriel », la nouvelle devait barrer les unes des journaux du matin, toutes les polices de France devaient être à nos trousses. C'était bien le moment de se faire remarquer. Treize se marrait silencieusement, tirant sur sa clope. Il fredonnait les paroles en chinois approximatif, *Dong-fan-ang hong tai-yan-ang sheng Zhon-guo chu le yi ge Mao Zedong...* Le train est resté en gare de Lille pendant un temps qui nous a semblé interminable. Puis il a redémarré dans un grand criaillement de ferraille, direction Croix-Wasquehal Croix-l'Allumette Roubaix, c'est là qu'on descendait, juste avant le terminus, Tourcoing. Quand on est sortis sur la place devant la gare le ciel était jaune et vert comme l'intérieur d'une feuille de salade. Des bistros s'allumaient, des enseignes clignotaient, Jupiter, Stella Artois, c'était l'heure abominable où les prolétaires courent vers le chagrin, le petit matin aigrelet dans lequel debout au zinc, le sac à l'épaule, la casquette baissée sur l'œil, on boit sans dire un mot un jus bouilli, foutu, sale et plein de bulles et fumant comme une eau de lessive. On a pris un tram sur le boulevard industriel, Treize a encore allumé une clope là-dedans – à l'époque, dis-tu à sa fille, on fumait partout, et spécialement chez les prolos, ça n'était pas ça qui risquait de surprendre, c'était la petite musique imbécile. L'Orient est rouge... La plupart des passagers, ça leur a tiré des pâles sourires, sous les lampes blafardes, mais il aurait suffi qu'il y ait dans le tram un type du PC qui connaisse cette chansonnette, et les ennuis commençaient. Les « maos » étaient leurs bêtes noires. Ce con le faisait exprès, pour tenter le diable, pour me foutre les nerfs à vif, aussi. Mais je ne pouvais rien dire, juste serrer les poings et les mâchoires. Lui se marrait silencieusement, plissant les yeux, tirant sur sa clope. On est descendus sous une grosse église de brique sombre à flèche d'ardoise autour de quoi volaient des corneilles. Je lui ai passé un savon, après tout j'étais son chef, merde. Puis on est entrés au café Le Limitrophe. Le patron passait une serpillière sur le comptoir, il avait l'air mal éveillé mais c'était peut-être un air qu'il gardait toute la journée. On a avalé deux cafés fétides et pleins de bulles comme une eau de lessive. C'est moi qui ai allumé les tiges avec mon Zippo. Puis on a pris à l'angle de Roger-Salengro la chaussée de Néchin (ou d'Estaimpuis, je ne sais plus, dis-tu à la fille de Treize). Il faisait froid, nos haleines fumaient. Passé le cimetière des champs s'étendaient à droite et à gauche, des labours de terre noire poudrés de givre. Au fond des sillons de l'eau stagnante reflétait le ciel pourpre. Une cohue de mouettes picorait les lombrics. A droite, au bout d'un fossé d'irrigation, les sheds d'une usine sciaient les vestiges de la nuit. Devant nous, dominé par un silo et un clocher, s'étendait le village étrangement nommé Gibraltar. Je te jure que c'est vrai, ce nom, dis-tu à la fille de Treize. Regarde sur une carte, c'est dans les faubourgs de Roubaix, du côté de Wattrelos, par là. La frontière y passait. Roger le Belge nous y attendait, rue du Congo au bar des Sports. Alors qu'on distinguait déjà les panneaux jaunes encadrés de rouge où était écrit le nom de la Terre promise, *Province de Hainaut, Provincie Henegouwen,* un énorme soleil grenadine a jailli d'un banc de brume tassé sur les toits de Gibraltar. « L'Orient est rouge, le soleil se lève » : on a commencé tous les deux à gueuler ça, nous prenant par l'épaule, lançant la jambe en un grotesque french-cancan, puis la lançant de moins en moins haut, trop pliés de rire, « Sur la terre de Chine surgit Mao Zedong », marchant ou plutôt sautillant et bientôt fuyant presque à quatre pattes vers Gibraltar, le visage fardé par le soleil levant, au beau milieu des champs scintillants de givre. « Il cherche notre bonheur, il est notre sauveur. »

Le soleil rutilait aussi à l'horizon, sous des baldaquins de nuages pourpres, lorsque vous étiez entrés dans Saigon-Hô Chi Minh, Driver et toi. Driver était un petit mariole muni de quelques rudiments d'anglais et d'une 125 Honda, il t'avait abordé à My Tho, sur le quai d'où tu regardais les trafics du Mékong, pour te proposer de te ramener à Hô Chi Minh. *Want driver, Mister ? Me best driver, not expensive. You atkouda ?* (il avait aussi quelques souvenirs de russe). *American ? Phap ? Fwançais very good*, et ainsi de suite. Vous aviez fait affaire pour quinze dollars. Vous aviez quitté My Tho au crépuscule, les haies d'hibiscus flamboyaient dans l'ombre, de part et d'autre de la route des types pêchaient, immobiles au milieu du vert raisiné des rizières. Au début ce n'était pas allé trop mal. Il y avait juste l'effroi que procure normalement le fait de rouler à moto sur une route d'Asie, quelque chose comme se promener mains dans les poches au milieu d'un troupeau d'éléphants chargeant. Bus aux babines de chrome sanguinaires, grosses motos russes à side-car, nuées de Mobylettes teigneuses, vélos dodelinants, bâtés de longs bambous pour vous embrocher, charrettes à bras, camions chinois sans freins, cyclopousses, de temps en temps une Mercedes noire trimbalant à fond de train un boss néocommuniste, tout ça klaxonnant, cornant, hululant, pétaradant, tout ça dans les deux sens, se déployant sur toute la largeur, pas considérable, d'une route qui avait été faite pour les rares Citroën B2 ou Léon-Bollée du temps du barrage contre le Pacifique, pour se rabattre au dernier moment, juste avant le choc frontal. Sans parler des cochons, canards, buffles, vieillards ou enfants lunatiques traversant sans prévenir, sans parler des jonchées de riz ou de feuilles de bananier mises à sécher sur les bords de la chaussée. Vous naviguiez au milieu d'un bombardement de projectiles hurlants, d'un flux d'ennemis à répétition acharnés à vous pulvériser, plus qu'une route cela évoquait un de ces jeux vidéo qui excitent les enfants d'aujourd'hui. Driver était presque couché sur le guidon, les coudes relevés des deux côtés comme des ailerons, la tête aux cheveux noirs bien astiqués à l'aplomb du phare. Projeté en avant comme une gargouille, avalant la route. Sa position aérodynamique t'envoyait de plein fouet un jet à haute pression d'air, de poussière et de bricoles volantes, probablement animales, qui tourbillonnait autour de tes lunettes avant de s'engouffrer entre tes paupières qu'il faisait claquer comme l'anche d'un instrument. De temps en temps Driver se retournait et te demandait si ça allait, *OK, kharacho, Mister?* et il partait d'un rire hoquetant qui écarquillait sa bouche édentée, dévissé vers toi qui le suppliais de regarder devant, *vsio kharacho, no problem, but look ahead PLEASE!* C'était déjà assez dangereux comme ça pour ne pas en plus rouler en marche arrière.

Cependant à mesure que tombait la nuit, devant, au nord, vers Saigon, barrant tout le delta et la route qui s'enquillait dedans, gonflait un monstrueux soufflé de nuages. Géant gratin de choux-fleurs fluorescents. Bibendums de foudre spasmeuse. Putain ! Des génies à queue écailleuse, à gros yeux furibonds verruquant des gueules laquées d'écarlate, devaient allumer tous les plots du flipper céleste, là-haut, devant. Vous vous étiez arrêtés un moment dans un bistro du bord de la route, Driver avait besoin de prendre des forces avant ce qui s'annonçait. Dans la cour il y avait un buste de Hô Chi Minh, un Manneken-pis et une Vénus de Milo. Sur le comptoir s'alignaient des bombonnes d'alcool dans lesquelles nageaient des animaux morts, serpents et scorpions surtout. Ces décoctions étaient réputées souveraines contre à peu près tous les maux, et aphrodisiaques en plus, cela va sans dire. *Want boum-boum in Hô Chi Minh, Mister ?* te demandait Driver d'un air égrillard, se jetant un godet d'une cochonnerie dans laquelle marinaient deux petits crocodiles. *Want girls very good ?* Ça n'était pas la question pour le moment. Ce serait déjà bien d'arriver, pensais-tu. Sur le comptoir il y avait une bombonne plus grosse que les autres qui semblait n'être emplie que d'un jus noirâtre. Cependant, ton attention ayant été attirée par une sorte de petit croissant clair qui, sous certains angles, luisait un peu dans le coaltar, tu t'approchais et là… là, derrière le verre, écrasée contre lui, te faisant face, se tenait la chose la plus hideuse, la plus manifestement satanique que tu aies vue de ta vie. Ce qui luisait, c'étaient des dents entre lesquelles passait un bout de langue violet. Au-dessus, des paupières blanches, aux longs cils, ouvraient sur des orbites vides. Dissimulé par les reflets du verre et la noirceur de l'infâme liqueur, tassé, comprimé dans la bombonne, assis sur un serpent lové, tu distinguais peu à peu un singe, un gibbon. Son visage de supplicié béat était encadré par deux têtes d'oiseaux aux yeux blancs. Un gecko était passé en écharpe autour de son cou. Driver, ayant remarqué ton horreur, ne se tenait plus de joie, il sautillait en hoquetant autour de toi, *very good for boum-boum, Mister, want a drink? monkey-wine good for boum-boum*, il voulait te convaincre de boire un verre de cet infernal «vin de singe». Il pouvait toujours courir. Il te semblait que l'affreuse vision avait quelque chose à voir avec ce que tu étais allé faire à My Tho, mais quoi? Ce qui était enfermé là-dedans, cette charogne aux yeux vides, c'était la mort, ça c'était sûr – mais qu'est-ce qu'elle te signifiait: que tu lui avais arraché l'ombre du lieutenant, qu'elle allait te retrouver sur la route, reprendre son bien et toi avec avant que vous n'arriviez à Saigon? En sortant du bistro tu avais vu passer lentement devant toi, sous la lumière des éclairs, chevauchant une Mobylette, deux sveltes jeunes filles en *ao dai* écarlate. Celle qui pilotait portait une casquette, un foulard sur le nez masquait le bas de son visage comme si elle s'apprêtait à braquer une banque, l'autre, assise en amazone, tenait au-dessus d'elle une ombrelle blanche. Ah, gracieuses, dangereuses... Leurs cheveux noirs, noués en chignon pour celle qui pilotait, nattés pour sa passagère, semblaient sillonnés d'étincelles. Toute la beauté du monde, soudain, après cette infamie.

La pluie avait commencé à tomber alors que vous réenfourchiez la moto, pas d'un seul coup, non, ménageant ses effets, juste quelques pizzicati pour attaquer l'ouverture de ce qui allait être, tu le sentais, un opéra wagnérien. Goutte-à-goutte d'encre tiède. Il faisait tout à fait nuit à présent, ceux qui avaient des phares en état de marche les avaient allumés, ça n'était pas la majorité et ce n'était notamment pas le cas de Driver, tu t'en serais douté. *No lights, Mister*, s'esclaffait-il : *too expensive*. Et il commentait ça : *Vietnamese people no money, communists many money*, il répétait ça, absolument secoué de rire, *no money, many many money, oh, many many many money*, ôtant les mains du guidon pour mimer les formes arrondies de ce qui devait être des sacs d'or, se retournant vers toi pour voir si tu captais, *yes, yes*, suppliais-tu, hurlais-tu dans la nuit, *I understand BUT LOOK AHEAD PLEASE!* Des espèces de jonques à roulettes naviguaient dans l'ombre, tous feux éteints, des cyclopousses chargés de meubles, de tas de bois, tanguant à trois ou quatre de front sur les vagues de bitume cloqué, crevé, se rabattant à frénétiques coups de pédale lorsque surgissait en face, nimbé de gouttes lumineuses, un vieux bus Desoto (ou Dodge) datant des Yankees occupé à doubler un camion militaire russe claquant lui-même de toutes ses soupapes pour effacer une Dauphine (ou une 203) roulant sur les jantes, épave de la colonie. Phalanges soudées à l'arceau du tan-sad, genoux verrouillés contre la selle de peur qu'un de ces Moby Dick de ferraille ne t'arrache une jambe, dos crispé dans l'attente du coup de pilon des amortisseurs, cou ratatiné, ton corps n'était plus qu'une boule de pétoche. La vision du hideux visage noir aux yeux vides te poursuivait. Allais-tu devoir boire cette chose jusqu'à la lie ? Allais-tu crever ici, au retour de My Tho, sur cette route que balisaient, de loin en loin, de vieilles bornes françaises, blanches à bonnet rouge ? Avais-tu transgressé un interdit en allant à la rencontre d'une âme errante ? La pluie ne se décidait toujours pas, vous traversiez des rideaux lâches de grosses perles d'eau. Le ciel en revanche n'était plus qu'un grouillement, une orgie d'éclairs de tous modèles, des flashes, des rayons laser, des zigzags, des résilles, des rhizomes de feu, dans tous les sens, il y en avait même qui remontaient. Les rizières scintillaient sous cette mitraille électrique, on voyait sur les diguettes courir des silhouettes emmaillotées de plastique translucide couleur de bonbons. *No need light, Mister, nié noujna*, s'enthousiasmait Driver, mimant les éclairs de ses mains grandes ouvertes, agitées de chaque côté de la tête : pas besoin de lumière. Ce mec était un artiste.

Quand les vannes de la mousson ont lâché d'un coup, racontes-tu à la fille de Treize, fini de rigoler. Cataractes. Driver a un peu essayé de lutter, au début, il se lançait à l'attaque des mares, environné de gerbes jaunâtres, la moto calait, il ramait de ses courtes pattes, à droite à gauche, mettant son point d'honneur à m'éviter de poser, si l'on peut dire, pied à terre. Imbibés, saturés d'eau comme on l'était, c'était une poétique attention. On gagnait une petite bosse, on attendait sur cet îlot avec des dizaines d'autres, essayant d'en griller une sous la conque d'une main, on démontait la bougie, on soufflait dessus. *Many rain*, disait Driver d'un air sombre, *many many rain*. Puis, pour me rassurer : *Hô Chi Minh not far*. Tu parles… De toute façon, ce déluge ne me déplaisait nullement, j'aurais été très content de rentrer à la nage, ça me paraissait beaucoup moins dangereux. On repartait, ça recommençait. A la fin la moto n'a plus rien voulu savoir. On était dans la banlieue de Saigon, à la jonction de la route stratégique construite par les Sud-Coréens durant la guerre américaine. La pluie avait faibli, mais la chaussée était complètement submergée. Moi j'ai embarqué dans un cyclopousse qui trimbalait déjà un cochon. L'air très à son aise, le cochon. Intéressé, nez au vent, en balade.

Driver a couché sa moto en travers d'un autre cyclo, comme une bête tuée à la chasse. C'est ainsi que nous sommes entrés dans Saigon, par Binh Chanh, Miên Tây, Cho Lon. J'avais passé mon bras autour de l'épaule du cochon. Pauvre vieux. On n'avait jamais eu tant d'égards pour lui. Il ne perdait rien pour attendre. Pourquoi lui donnait-on des illusions ? Je me sentais de la sympathie à son endroit, et même une espèce de fraternité. Il avait l'œil vif et rond, avec de beaux cils blonds. Driver était choqué par ma familiarité, il remontait en pataugeant de son cyclo au mien pour me mettre en garde : *Pig not good, Mister. Pig* – et il se pinçait le nez pour montrer que mon camarade puait. De chaque côté du fleuve boueux des rues on disposait déjà la marchandise : casquettes, lunettes de soleil, machines à coudre, enjoliveurs, batteries, pots d'échappement, baby-foot, billards, cercueils, pneus de vélo, valises, korosols, kakis, durians, pastèques, Frigidaires, balances, montres, etc. *This pig is my brother*, ai-je répondu à Driver, dis-tu à la fille de Treize. Il a eu l'air interloqué. *Pig brother Mister ?* interrogeait-il, essayant de comprendre, et puis comme décidément il ne voyait rien d'acceptable là-dedans, ces mots qui résumaient sa désapprobation : *Oh, not good...* Comme à chaque fois que j'assistais, dans une ville, au lever du jour, je fredonnais machinalement *Paris s'éveille*, mais c'est une tout autre chanson qui m'est venue aux lèvres lorsque le soleil a soudain déployé son drapeau rouge au-dessus des mangroves de l'autre côté de la rivière, au-dessus des enseignes géantes HITACHI DAEWOO CANON IBM TOSHIBA TELSTRA HEWLETT-PACKARD TIGER BEER, au-dessus de la mer de Chine du Sud : *Dong-fan-ang hong, tai-yan-ang sheng, Zhong-guo chu le yi ge Mao Zedong*, « L'Orient est rouge, le soleil se lève... » J'avais toujours le bras passé autour du cou du cochon, et je chantais ça, *ta wei ren-min mo xingfu, ta shi ren-min da qiu-xing*, « il cherche notre bonheur, il est notre sauveur ». Et comment ! Illumination ! Étant donné l'amour pluriséculaire que l'héroïque-peuple-vietnamien porte au peuple de la-Chine-rouge-pour-l'éternité, Driver a interprété à sa façon ma familiarité avec le cochon, qui l'avait d'abord choqué : c'était une mise en scène antichinoise ! Alors là, d'accord ! Il était enthousiaste ! Il ne se tenait plus de rire ! *Chinese pig, chinese pig !* gueulait-il, *this pig Mao Zedong !* Et il poussait des gloussements, gambadant autour du cyclo, soulevant l'écume. Ça lui a fait retrouver son humeur expansive, que la défaillance de sa moto avait quelque peu altérée.

Et c'était ça encore, cet hymne ridicule, qu'on braillait Treize et moi le soir, ou plutôt le petit matin, où on a fait l'ascension de la tour sud de Saint-Sulpice. C'était d'ailleurs un de nos buts dans cette entreprise qui en avait beaucoup, et quelque peu embrouillés : voir le soleil se lever, de là-haut. Voir le rubicond se sortir des noirceurs, rouler au-dessus du bois de Vincennes et des lointains populeux de Montreuil Le Perreux Le Raincy Villemomble Romainville, des anciens fous de Charenton et des anciennes guinguettes de Nogent, parce que le soleil se lève sur le passé aussi, dis-tu à la fille de Treize. Et les parkings, les quartiers pavillonnaires, les cités, les cabanes et les jardins ouvriers, les gerbes d'autoroutes, de rails, de canaux, tout ça bleu et carmin dans l'aube, et la Marne qui vient du soleil levant. On était bien sûr complètement faits. On avait passé la nuit dans des bars du quartier Latin. A cette époque-là, il y a vingt ans, on ne faisait plus grand-chose d'autre. Les Grands Timoniers, les soleils rouges éclairant l'avenir radieux, on en avait soupé, on n'en reprendrait plus, et en même temps on n'avait pas envie de devenir des bourgeois, comme si on ne s'était pas révoltés, dix ans, quinze ans avant, contre cet avenir préfabriqué, comme s'il n'y avait pas eu toute cette colère et toute cette espérance. Nos croyances étaient en ruines, mais c'étaient des ruines très encombrantes, sur lesquelles rien n'avait repoussé, rien n'avait été reconstruit. Alors on était paumés, nulle part vraiment, extrêmement sarcastiques, très saoulographes. Treize faisait vaguement de la musique, moi j'envisageais d'écrire un livre. Il ne nous semblait pas que la vie allait recommencer avec ça. Je m'étais séparé de Judith, Treize avait connu ta mère, tu avais, combien tu m'as dit, déjà ? Quatre ans ? On était un peu des épaves, et d'ailleurs non, ce n'est pas ça : et pas seulement parce que nos corps jeunes encore résistaient à la flétrissure, mais surtout parce qu'on avait beaucoup d'énergie, même si c'était facilement celle du désespoir. Lui se défonçait, moi je n'y tâtais pas trop, j'avais une espèce de prudence dans la folie qui avait fait de moi un pas mauvais chef de bande, du temps de La Cause. En fait, je crois que je n'ai plus jamais rien fait aussi bien que ça. C'est dire... Écoute, il ne faut pas que tu sois choquée, dis-tu à la fille de Treize, et je voudrais aussi que tu essaies de ne pas m'en vouloir. Je n'étais pas son âme damnée, on l'était chacun l'un pour l'autre, si tu veux. Bien sûr qu'il t'aimait, mais il n'arrivait pas à renouer sa vie à partir de toi, peut-être parce qu'elle était trop nouée encore à notre étrange histoire, trop liée à ce qui n'était plus maintenant qu'un passé décomposé et le souvenir qu'il y avait eu de l'avenir, je ne sais pas si je dis ça clairement. On n'avait pas été habitués à concevoir l'avenir comme la croissance d'un enfant, ni le réel sous les apparences d'une famille, ce n'était pas si facile pour lui d'accueillir ça au milieu de nos ruines.

Enfin bref, ce petit matin-là, à l'heure où Paris s'éveille, l'heure abominable où les prolétaires marchent vers le chagrin, on était noirs, et en plus Treize devait être défoncé, à quoi je ne sais pas, je ne voulais pas savoir. Je fermais les yeux, je ne voyais pas ses yeux à lui. On est arrivés place Saint-Sulpice venant peut-être du boulevard Saint-Germain, d'un bistro-tabac assez puant qui s'appelait l'Old Navy et était ouvert toute la nuit (il existe toujours je crois mais il ne fait plus tabac et il doit fermer à deux heures, si ce n'est pas avant, le monde est devenu beaucoup plus hygiénique). Et là, place Saint-Sulpice, on a vu les échafaudages. La tour sud, celle qui est belle, qui est inachevée, était couverte d'un fouillis de poutrelles, on aurait dit la tour de lancement de Saturn V et c'est ça d'abord qui nous a enthousiasmés, cette haute échelle de métal dressée vers le ciel. On allait se glisser dans la capsule Apollo et partir pour la Lune, sur Terre on n'avait plus rien à faire. Au fait, demandes-tu en passant à la fille de Treize : tu sais pourquoi elles sont dissemblables, les deux tours de Saint-Sulpice (contre elles je pisse, a dit je ne sais plus qui) ? Non ? Eh bien, à cause de la Révolution. A l'origine, elles étaient toutes les deux comme celle du sud, aussi dépouillées, aussi romaines. Et puis les curés ont trouvé que ça faisait un peu pauvre, et ils ont demandé à un architecte d'en remettre une louche. Et ce type dont le nom m'échappe et à qui on doit aussi, sur le tard, l'Arc de Triomphe, tu vois la légèreté, a eu le temps de chamarrer la tour nord, mais au moment où il allait s'attaquer à celle du sud, celle qui regarde vers le Luxembourg, fini de jouer ! C'était 1789 ! Les travaux attendraient...

On n'a pas eu trop de mal à forcer une palissade, au pied, et on a commencé à grimper. On avait une force et une inconscience terribles. Au fur et à mesure qu'on montait, on modifiait nos plans. On allait embarquer dans Apollo et partir faire la révolution sur la Lune. Puis, il y a eu cette idée de rencontrer Dieu. Table ronde là-haut, au sommet. On avait passé l'étage des colonnes doriques, on était déjà dans l'ordre ionique. Les deux seuls chants théoriquement justes sont le *Credo* et *L'Internationale*, soutenais-je en grimpant comme un singe, tout le reste c'est de la chansonnette. N'importe quoi. On s'arrêtait, on faisait un palier, on allumait une cigarette, on braillait ça, *credo in unum Deum* et debout les damnés de la Terre. Arrivé à la hauteur des chapiteaux en volutes, au-dessus de la galerie supérieure, Treize a fait remarquer : moteur ionique ! Le nec plus ultra. On avait des années d'avance sur la Nasa. La technologie américaine n'était qu'un tigre en papier. Nous on avait la propulsion ionique. On allait voler comme des anges. On ignorait, alors, qu'au niveau zéro de notre tour de lancement il y avait une fresque de Delacroix représentant la lutte avec l'Ange – et une autre, Héliodore terrassé, abattu au sol. On n'entrait pas dans les églises, l'art ne nous intéressait que s'il était marginal, et encore... Delacroix, pour nous, c'était juste le nom d'un ancien copain, et un portrait sur un billet de banque. On grimpait. Quand une porte verrouillée barrait l'escalier on la contournait, on se hissait de poutrelle en poutrelle comme des gabiers dans une mâture. On a fait une halte à la hauteur de la terrasse entre les deux tours, au-dessus de la loggia. Le vent ronflait dans les vergues, on était au cap Horn. L'aube venait après une dure nuit passée à louvoyer. Les albatros frôlaient la crinière des vagues. Le *Saint-Sulpice* taillait sa route, sous voilure réduite. On chantait : *We'll pull and haul together, we'll haul to better weather.* On arriverait à Valparaiso. Le problème, me faisait remarquer Treize, c'est qu'après, on faisait quoi ? La cargaison de petits livres rouges qu'on avait en cale, personne n'en voudrait. On s'était fait refiler de la camelote, selon lui. Et puis on n'avait pas d'endroit où revenir, pas de port d'attache. On avait dû en avoir un, autrefois, au début, on était bien partis de quelque part, mais on avait oublié où ça se trouvait, et jusqu'au nom de cet endroit. Tu te souviens, toi ? me demandait-il. Non. Alors, on était condamnés à errer. En attendant, il fallait continuer à grimper jusqu'en haut du mât pour capeler le petit hunier qui menaçait de se déchirer et nous faisait terriblement gîter. Déjà des lames balayaient le pont. Allons ! A mesure que nous montions, et que l'aube approchait, Paris en dessous de nous se déployait, vague après vague jusqu'à l'horizon. Houle abrupte de zinc sur laquelle scintillaient quelques figures d'or, dôme, génie, chevaux ailés. Clochers, Saint-Germain tout proche, en dessous de quoi on avait mis une raclée aux fachos d'Occident, en 68, lorsqu'ils avaient prétendu faire une manifestation de soutien aux fantoches du Sud-Vietnam. Du prétendu Sud-Vietnam, ricane Treize. L'Auxerrois sur l'autre rive, qui sonna la Saint-Barthélemy, Saint-Eustache au-dessus de ce qui était encore un immense trou, comme si un aérolithe était tombé là, les harpons barbelés de Notre-Dame et de la Sainte-Chapelle, la tour Saint-Jacques, Saint-Étienne-du-Mont où reposent Racine et Pascal qu'on saluait de loin, la tour Clovis sur laquelle Angelo avait hissé le drapeau rouge. Le pylône kaki, là-bas, bergère ô tour Eiffel. Treize et moi on n'en connaissait que le premier étage. On y était montés un jour pour dérouler dans le vide de grandes banderoles célébrant « la victorieuse lutte du peuple vietnamien ». C'était pendant le voyage de Nixon à Paris… C'était avant ou après son fameux voyage à Pékin ? Avant, sûrement, m'a rappelé Treize, parce que c'est pendant le voyage à Pékin du chef des tigres en papier que Pierre Overney a été tué, à la porte Zola de l'usine Renault de Billancourt : et ça, c'était en février 1972, on s'en souvenait encore. Il faudra qu'un jour on grimpe jusqu'en haut de la tour Eiffel, me dit-il. Maintenant qu'on n'a plus rien à y faire, que regarder, comme tout le monde. Maintenant qu'on est devenus des voyeurs. A cette époque, dis-tu à sa fille, on ne s'était pas encore habitués à l'espèce d'étui à peigne géant de la tour Montparnasse, non plus qu'à la tour Zam, à la fac des Sciences. C'était le style président Pompe. Sous la tour Zam aussi on avait eu une castagne mémorable, à la rentrée 68, mais cette fois c'était avec les « révisos », il s'en était fallu de peu que Treize n'aplatisse comme une crêpe, avec une table lâchée du quatrième étage, un type qui serait un jour directeur de *L'Huma*… Vers le sud moutonnaient les cimes bleues du Luxembourg sous lesquelles, dix ans plus tard, je marcherais enlacé avec Leïla L, ma petite nuit, et puis maintenant je marche tout seul, c'est la vie dis-tu à la fille de Treize, c'est la mort qui vient, les papillons noirs après quoi on court. Les seins d'albâtre de l'Observatoire. Les collines sortaient de l'ombre, la Butte-aux-Cailles où Chloé avait eu un petit studio, Chaillot où on avait cravaté le général en retraite Chalais, PDG d'Atofram, Montmartre où fonctionnait notre station d'écoute de la police. C'était encore le chasseur de bécassines qui avait bricolé les appareils, mais ceux-là marchaient mieux que l'émetteur. La fille qui s'en occupait, comment s'appelait-elle déjà ? Celle qui, avant, travaillait chez Gévelot où elle piquait des munitions ? Après, quand tout a été fini, elle est entrée dans une secte. Suzanne. Les hauts de Belleville où j'avais habité avec Judith, chez la mercière et son fils. Une barre de brume laiteuse faisait deviner la Seine. A gauche de Montmartre, les toits de Saint-Lazare où on avait voulu déposer Chalais. A droite ceux de la gare du Nord où on avait pris le train postal. Tu te souviens de ton briquet qui jouait *L'Orient rouge* ? ai-je dit à Treize, et on a commencé à couiner ensemble : *Dong-fan-ang hong, tai-yan-ang sheng...* A travers les poutrelles de l'échafaudage le ciel était mauve au-dessus du Père-Lachaise et de la Nation. Des avions y croisaient des sillages de glace rose. Je lui ai demandé s'il se souvenait de ce passage des *Mémoires* de Victor Serge où il est sur les toits de Petrograd, un fusil à la main, et au lieu de faire le coup de feu avec des infiltrés blancs il contemple la ville dans la nuit lumineuse. Ors et pastels reflétés par les canaux. Treize ne se souvenait pas. Victor Serge, à l'époque, ce n'était pas un auteur recommandé. Trotskiste, opposition de gauche : révolutionnaire petit-bourgeois. Vers l'ouest, au bout de la grande tranchée des rues de Sèvres et Lecourbe, à gauche du dôme des Invalides, cela faisait quelques mois que les cheminées ne fumaient plus au-dessus des sheds des usines Citroën du quai de Javel. Derrière, invisible, le Point-du-Jour où on expliquait les avantages de la guerre du peuple aux ménagères. Au-dessus de nous, dérangé sans doute par notre présence, le couple de faucons qui niche dans la tour s'élevait en piaillant, battant des ailes très vite, comme des libellules, puis il virait sur l'aile et filait vers les arbres du Luxembourg. Houle de toits que le contre-jour souligne d'outremer vers l'est, qui se pare vers l'ouest de gris et de blancs plumeux. Il y a un passage dans Victor Hugo, disais-je à Treize, je ne sais plus où mais c'est dans Victor Hugo, où il grimpe, enfant, dans la lanterne en haut de la coupole de la Sorbonne (à moins que ce ne soit celle du Val-de-Grâce ?), pour voir l'armée lugubre des rois entrer dans Paris, après Waterloo, et dans l'escalier il est tout ébloui par les jambes de la gamine qui le précède, qui tricotent à hauteur de ses yeux. Je ne sais plus où ça se trouve, mais je suis sûr que j'aime cette scène : le grand panorama, Paris, l'Histoire, la fin d'une époque, la défaite, et puis en premier plan les jambes d'une gamine. Hâlées, sans doute, avec sans doute de petites griffures, les jambes des gamines sont toujours comme ça. Il me semble qu'elle s'appelle Rose. Je n'ai pas lu non plus ce Victor Hugo, me dit Treize, mais d'après ce que tu me dis je crois que ce devait être un trotskiste lui aussi. En tout cas les jambes de Rose étaient sûrement plus excitantes que les tiennes, lui dis-je. Elle s'appelait Rose, elle était belle, elle sentait bon la fleur nouvelle, chante-t-il. On est très haut maintenant, au-dessus des frontons circulaires, au niveau du dernier étage de notre fusée. Treize inspecte le module lunaire, il tâte la pierre, il se penche à l'intérieur du puits. Tout semble OK. Soudain il se ravise. Et Dieu, alors ? Où est-il passé, celui-là ? On n'avait pas rendez-vous avec lui ? On ne devait pas discuter ensemble ? Il est en retard ? Ou bien il se cache ? Il a peur de nous, peut-être ? Tu as peur, hein, unicorne, gueule-t-il. Unicorne de mes deux. Il s'esclaffe d'une façon qui me semble un peu outrée. Comme s'il venait de dire la chose la plus drôle du monde. Il a l'air de plus en plus excité et moi, par contraste, de plus en plus raisonnable, comme d'habitude. La fatigue et le froid commencent à me gagner, et avec eux le vertige. Qu'est-ce que je fous là? Le cirque Pinder m'a offert cent mille dollars pour le capturer, continue-t-il, index barrant les lèvres. Tu imagines la gloire pour leur ménagerie? A côté des éléphants, des lions Hector et Andromaque, des otaries Mimi, Fifi et Riri, l'unicorne Dieu! L'hermaphrodite primordial! Il est revenu au bord de l'échafaudage, balançant à bout de bras ce qui doit être un lasso imaginaire. Des vitres flamboient loin à l'ouest, au sommet des tours du nouveau quartier de la Défense. Le soleil lève sa tête rubiconde au-dessus de la Nation, les lointains populeux de Montreuil Le Perreux Le Raincy Villemomble Romainville, les cités les jardins ouvriers les parkings les autoroutes de contournement les centres commerciaux, tout ça est nappé de coulis de framboise. Les enseignes clignotent et s'éteignent sur le tour du périphérique. Le soleil grenadine se hisse au-dessus des arbres noirs du bois de Vincennes, *gong-chan dang*, *xiang tai-yang*, gueule Treize en forçant un accent de Chinois d'opérette, perché et nasillard, *zhao na-li*, *na-li liang*, le Parti communiste est comme le soleil, là où il éclaire règne la lumière. L'idée de capturer Dieu lui a déjà passé. Il éclate de rire, mais ce n'est pas comme ces rires qui ont jalonné notre vie, comme lorsque nous avons enterré la dynamite, par exemple, il y a, je ne sais plus, six ans peut-être: c'est un rire pour lui seul, qu'il ne tient nullement à me faire partager, un rire sifflant, fusant des couches profondes de la douleur, un spasme qui n'a rien à voir avec la gaîté. Et même il me semble que ce n'est pas lui qui rit, pas celui que je connais si bien, mon ami éternel, mais quelque chose, une puissance qui s'est emparée de lui. Le soleil rouge se lève sur le zoo de Vincennes, les singes doivent mettre leurs lunettes noires à c't'heure, braille-t-il, et il sort une paire de lunettes noires et se les colle sur le nez, d'une chiquenaude, et le voilà qui se lance à toute vitesse sur les échafaudages, braillant que le président Mao est le roi des singes, le singe d'or, qu'il veut le bonheur du peuple, *ta wei ren-min mo xingfu*, le bonheur du peuple des singes, des Bandar-Log. Voilà exactement comment ça se passe, Marie, dis-tu à la fille de Treize. Et il tombe.

Voilà, c'est fini. Tu ne sais plus quoi dire, tu es gêné, tu allumes une cigarette. Le soleil s'est levé, les fumées du grand incinérateur sont noires dans l'aube, ses lumières clignotent, on dirait un navire en feu. De toute façon tu savais tout ça, dis-tu pour dire quelque chose, je ne t'apprends rien. Oui mais est-ce que tu crois que... Non. Je n'en sais rien mais je ne crois pas. Je crois qu'il était raide et qu'il est tombé, c'est tout.

Vous fumez en silence. Les panneaux publicitaires clignotent et s'éteignent le long du périphérique. Un premier train de banlieue glisse au milieu d'éclairs, en bas, dans la vallée, vers Austerlitz. Tu lui tapotes la nuque, sous les cheveux. Tu penses que dans quelques jours ce sera le premier solstice du XXIᵉ siècle.

Et après ? Après, rien. On s'en va, vous en faites pas.

RÉALISATION : PAO ÉDITIONS DU SEUIL
ACHEVÉ D'IMPRIMER SUR ROTO-PAGE
PAR L'IMPRIMERIE FLOCH À MAYENNE (09-02)
DÉPÔT LÉGAL : SEPTEMBRE 2002. N° 37506-4 (55179)